À vos marques, prêts, santé!

3e édition

Richard Chevalier

Professeur d'éducation physique
Collège de Bois-de-Boulogne

D1299619

ÉDITIONS DU RENOUVEAU PÉDAGOGIQUE INC.

5757, RUE CYPIHOT, SAINT-LAURENT (QUÉBEC) H4S 1R3
TÉLÉPHONE : (514) 334-2690   TÉLÉCOPIEUR : (514) 334-4720
COURRIEL : erpidlm@erpi.com   w w w . e r p i . c o m

Supervision éditoriale:
Jacqueline Leroux

Révision linguistique:
Jacques Audet et Philippe Sicard

Correction d'épreuves:
Léo Guimont

Recherche iconographique:
Chantal Bordeleau

Supervision de la production:
Muriel Normand

Conception graphique et infographie:
Eykel Design

Couverture:
Eykel Design (photographie:
Tyler Stableford/Getty Images)

Dans cet ouvrage, le générique masculin est utilisé sans aucune
discrimination et uniquement pour alléger le texte.

© 2003, Éditions du Renouveau Pédagogique Inc.
Tous droits réservés

On ne peut reproduire aucun extrait de ce livre sous quelque
forme ou par quelque procédé que ce soit – sur machine
électronique, mécanique, à photocopier ou à enregistrer, ou
autrement – sans avoir obtenu au préalable la permission
écrite des Éditions du Renouveau Pédagogique Inc.

Dépôt légal: 2e trimestre 2003
Bibliothèque nationale du Québec
Bibliothèque nationale du Canada
Imprimé au Canada

ISBN 2-7613-1429-8

4567890   II   098765
20281 ABCD   LHM10

Avant-propos

Le mode de vie constitue, et de loin, la principale cause de l'explosion des maladies non transmissibles (maladies cardiovasculaires, cancer, emphysème, diabète de type 2, etc.) un peu partout sur la planète. Or, nous sommes en grande partie responsables de nos habitudes de vie : nous en prenons nous-mêmes de bonnes ou de mauvaises et nous les entretenons. Dès que nous parvenons à améliorer un tant soit peu une seule habitude, il est indéniable que notre santé et notre qualité de vie en bénéficient.

Ce manuel vise justement à fournir des pistes sérieuses aux personnes qui désirent faire le « ménage » dans leurs habitudes de vie : nous leur conseillons d'amorcer ce changement par la pratique régulière de l'activité physique. En effet, en plus d'améliorer directement la santé, cette pratique provoque une réaction en chaîne sur les autres habitudes de vie. Ce manuel donne à l'activité physique la place qui lui revient quand il est question de qualité de vie et de santé, c'est-à-dire la première.

Nous avons enrichi cette troisième édition de plusieurs façons :
- un plus grand nombre de tests pour évaluer sa condition physique ;
- des bilans de fin de chapitre plus complets ;
- plus de 50 nouveaux exercices ;
- des tests de lecture pour vérifier rapidement sa compréhension ;
- de nouvelles figures, de nouveaux tableaux, de nouvelles rubriques *Zoom* ;
- trois pyramides alimentaires, validées par des experts, pour évaluer son alimentation ;
- des programmes personnels types pour améliorer sa condition physique, établis à partir de cas concrets d'étudiants de cégep ;
- un nouvel *Équipier*, plus pratique, avec des fiches détachables et une pochette à même la couverture ;
- le *Compagnon Web*, un précieux outil d'aide à la réussite qui propose, en ligne, une foule de renseignements utiles : une version animée de plusieurs mouvements expliqués dans le manuel ; des calculateurs de fréquence cardiaque à l'effort et de dépense énergétique ; des compléments au manuel (les types physiques, la valeur nutritive des aliments, la liste détaillée des contre-indications liées à la pratique de certains sports, etc.).

 Cet icône signale qu'il y a un supplément d'information en ligne : c'est le *Compagnon Web*. Une fois dans le site **www.erpi.com/chevalier**, cliquer sur un numéro du chapitre, puis sur l'élément de contenu désiré. Voilà ! Le tour est joué.

Remerciements

J'avais écrit, dans la première édition de *À vos marques, prêts, santé!*, qu'un manuel de cette nature ne peut constituer l'œuvre d'une seule personne, et c'est toujours vrai pour cette troisième édition! Je tiens donc à exprimer mes remerciements à toutes les personnes qui, de près ou de loin, m'ont aidé à réaliser ce projet, notamment les éducateurs et éducatrices physiques Gilles Beaulieu, Réjean Croisetière, Diane Gravel, Richard Liboiron, Claire Senécal et Robert Thériault, ainsi que tous les éducateurs et éducatrices physiques qui ont participé au groupe de consultation organisé par ERPI, sans oublier, bien sûr, Marielle Ledoux, professeure au département de nutrition de l'Université de Montréal. Je remercie également les personnes suivantes de la maison d'édition pour leur précieux concours: Jacqueline Leroux, éditrice; Murielle Normand, coordonnatrice et conseillère typographique et son équipe (Eykel Design) chargée de la conception et de la réalisation graphique; Jacques Audet et Philippe Sicard, réviseurs linguistiques; Nancy Perron, directrice des ventes. Je voudrais remercier particulièrement Jean-Pierre Albert, vice-président de l'édition, pour l'enthousiasme et la confiance qu'il a su manifester envers mon travail.

Richard Chevalier

Table des matières

BILANS

Mode de vie et santé :
une relation qu'on ne peut ignorer

La première partie de cet ouvrage vise à vous faire prendre conscience de la relation qui existe entre vos habitudes de vie et votre santé. Elle vise aussi la prise en charge de votre santé, puisque sa force ou sa faiblesse dépendent en grande partie de vos propres comportements, sur lesquels vous pouvez donc agir. Vous êtes par conséquent invité à vous engager à modifier votre mode de vie s'il le faut, et ce, dès maintenant et non pas dans 10 ou 15 ans.

chapitre 1

Santé:
tout se joue sur les doigts de la main

Objectifs

○ Nommer les habitudes de vie les plus nuisibles à la santé.

○ Décrire, sommairement, les conséquences des mauvaises habitudes de vie.

○ Définir ce qu'est la santé.

○ Faire le bilan sommaire de son mode de vie et l'interpréter.

Pendant des siècles, virus, bactéries et compagnie nous ont fait la vie dure en nous rendant malades, quand ils ne nous tuaient pas bien avant l'heure. Les grandes épidémies des temps passés le montrent assez bien. Puis, en moins de 100 ans, grâce notamment aux vaccins, aux antibiotiques et à l'amélioration de l'hygiène en général, la situation a radicalement changé. Nous formons aujourd'hui les premières générations d'humains à ne pas mourir massivement des suites d'une maladie infectieuse (grippe, tuberculose, pneumonie, etc.) et à vivre aussi longtemps, soit en moyenne 79 ans en Occident, sans égard au sexe. On peut l'affirmer : c'est une grande victoire sur les microbes.

> **D'ici 2020, la maladie coronarienne, l'accident vasculaire cérébral, le diabète de type 2 et certains cancers seront responsables de plus de 70 % de la charge mondiale de morbidité.**
>
> Organisation mondiale de la santé
>
> *Mais tout peut changer… si on se change soi-même.*

Priorité santé n° 1 :
freiner la montée des maladies dues au mode de vie

On pourrait alors croire que tout va bien ; mais ce n'est pas vraiment le cas, puisque nos mauvaises habitudes de vie ont pris la relève des épidémies et jouent maintenant les trouble-fête. Dans les pays industrialisés, plus de 75 % des décès prématurés leur sont imputables (figure 1.1), sans compter qu'elles

FIGURE 1.1

Les causes de décès prématurés : hier les microbes, aujourd'hui le mode de vie

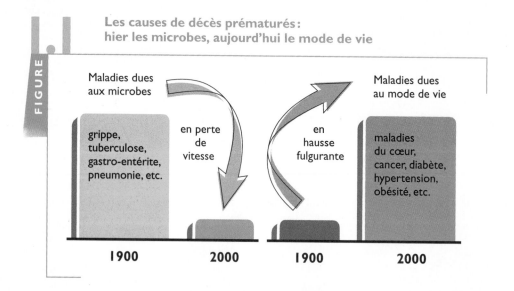

Maladies dues aux microbes — grippe, tuberculose, gastro-entérite, pneumonie, etc. — en perte de vitesse

en hausse fulgurante — Maladies dues au mode de vie — maladies du cœur, cancer, diabète, hypertension, obésité, etc.

1900   2000   1900   2000

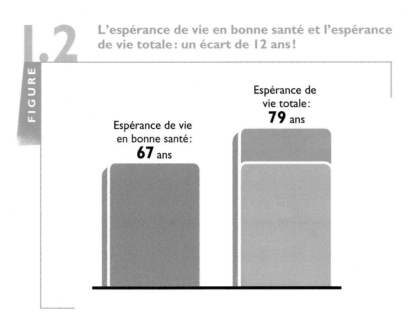

FIGURE 1.2

L'espérance de vie en bonne santé et l'espérance de vie totale : un écart de 12 ans !

Espérance de vie en bonne santé : **67** ans

Espérance de vie totale : **79** ans

affectent sérieusement notre **espérance de vie en bonne santé.** Il y a en effet une distinction à faire entre l'espérance de vie totale et l'espérance de vie en bonne santé. Cette dernière n'est pas de 79 ans, mais de 67 ans (figure 1.2). Cela signifie que, même si les gens vivent en moyenne jusqu'à 79 ans, leur qualité de vie diminue généralement après l'âge de 67 ans, en raison de la maladie.

Néanmoins, puisque les mauvaises habitudes de vie ont remplacé les microbes à titre de facteurs de maladie les plus importants, nous disposons de deux avantages. Le premier avantage, c'est qu'on peut agir sur chacune de ces habitudes, ce qui n'est pas le cas avec les microbes, qui nous tombent dessus sans prévenir. Si on fume, par exemple, on peut agir et décider de cesser de fumer. Mais contre les microbes, on ne peut que se protéger pour les empêcher de nous envahir, et encore, ça ne fonctionne pas toujours ! Le deuxième avantage, c'est que les habitudes de vie qui minent le plus la santé se comptent sur les doigts de la main, contrairement aux microorganismes qui, eux, pullulent dans l'environnement.

Ainsi, la plupart d'entre nous n'ont donc pas un millier d'ennemis à surveiller mais cinq, tout au plus, soit : l'**inactivité physique**, la **malbouffe**, le **tabagisme**, l'**excès de stress** et l'**abus d'alcool** (figure 1.3). D'autres habitudes, comme la consommation de drogues, l'abus de médicaments, le manque de sommeil, les relations sexuelles sans protection ou encore l'abus de bronzage (en cabine ou sous le soleil), présentent des risques certains pour la santé. Toutefois, selon l'organisme phare en matière de santé, l'Organisation mondiale de la santé, ce sont les cinq premières qui ont le plus d'influence sur la santé parce qu'elles sont les plus répandues au sein de la population. Les dépenses occasionnées par ces seules cinq habitudes suffisent d'ailleurs à grever le budget des soins de santé dans les principaux pays industrialisés (tableau 1.1).

I.3

Les cinq habitudes de
vie les plus nuisibles

FIGURE

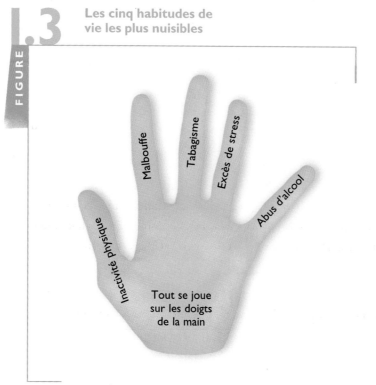

TABLEAU

I.I

Des habidudes de vie qui nouş coûtent cher :
plus de 50 milliards par année !

Rang	Maladies	Facture annuelle*	Habitudes de vie en cause
I	Maladies du cœur	19,7 milliards	Malbouffe, excès de stress, inactivité physique, tabagisme, abus d'alcool
2	Cancer	15,1 milliards	Malbouffe, inactivité physique, tabagisme, abus d'alcool
3	Maladies pulmonaires obstructives chroniques (ex.: emphysème, bronchite)	6 milliards**	Tabagisme
4	Diabète (type 2)	9 milliards	Malbouffe, inactivité physique

TOTAL : 50 milliards de dollars par année, soit 8 % du PIB du Canada.

* Données pour le Canada.
** Estimation.

Le microbe frappe tôt,
la mauvaise habitude frappe tard !

Pour tout dire, l'époque est révolue où les gens ne se préoccupaient pas de prévention et ne se tournaient vers la médecine que pour réparer les pots cassés. Il est prouvé que la médecine purement curative présente de sérieux inconvénients, tant budgétaires que médicaux. Révolue aussi l'époque où l'on définissait la santé comme l'absence de maladie. On allait autrefois chez le médecin passer un examen médical. S'il ne détectait rien d'anormal, le médecin nous déclarait en excellente santé. Aujourd'hui, les organismes nationaux et internationaux consacrés à la promotion de la santé vont bien au-delà de cette définition médicale de la santé. Ils définissent la **santé** comme étant un *état dynamique de bien-être physique, mental, émotif, social et environnemental* (Zoom). Être en bonne santé signifie donc être bien dans son corps, dans son esprit et dans ses relations avec les autres.

Cela étant, on a démontré, cent fois plutôt qu'une, que si l'ensemble des individus modifiaient un tant soit peu leur mode de vie, les dépenses de santé et le nombre de décès prématurés chuteraient, tandis que l'espérance de vie en bonne santé, elle, se rapprocherait beaucoup de l'espérance de vie totale (figure 1.4).

Mais si la prévention est à ce point efficace, pourquoi la plupart des gens ne modifient-ils pas leurs habitudes de vie ? Pour une raison très simple : un microbe peut nous clouer au lit en quelques jours, mais pas les conséquences d'une mauvaise habitude. Au contraire, il faudra, par exemple, fumer

zoom

Les cinq dimensions de la santé

La santé physique,
c'est le bon fonctionnement de son corps par l'adoption d'un mode de vie énergisant.

La santé mentale,
c'est la capacité à apprendre, à s'émerveiller et à se développer sur le plan intellectuel.

La santé émotive,
c'est la capacité à vivre ses émotions de façon à se sentir bien dans sa peau la plupart du temps.

La santé sociale,
c'est la capacité à avoir des relations interpersonnelles qui soient satisfaisantes.

La santé environnementale,
c'est la participation à l'effort collectif de dépollution de son environnement immédiat et de la planète.

7

1.4 Ce qui pourrait arriver si nous changions nos habitudes de vie…

Baisse de **50**% à **80**% du risque de souffrir de problèmes de santé

Cancer du sein
Cancer du côlon
Maladies du cœur
Ostéoporose
Hypertension
Diabète de type 2
Obésité

Baisse de **40**% à **60**% des dépenses de santé

Espérance de vie en bonne santé

un paquet de cigarettes par jour pendant des années avant de souffrir d'un cancer du poumon ou de problèmes cardiaques (figure 1.5). Alors où est l'urgence d'agir, se demande-t-on, puisque le tabagisme ne provoque ni fièvre, ni douleurs, ni fatigue qui pourraient entraver à moyen terme nos activités quotidiennes? Bref, on ne se sent pas malade. Hélas! lorsque les symptômes apparaissent, beaucoup plus tard, les dommages aux organes sont déjà très importants. Les traitements, en plus d'être coûteux sur le plan socioéconomique, comme nous l'avons vu au tableau 1.1, risquent aussi de laisser des séquelles.

En somme, contrairement à nos ancêtres, nous connaissons maintenant les conséquences de l'adoption de telle ou telle habitude de vie. Nous formons même les premières générations à avoir la capacité et les connaissances nécessaires pour jouir le plus longtemps possible d'une bonne santé. À nous d'en profiter pleinement. Nous allons voir comment nous pouvons y arriver en examinant un à un, dans les prochains chapitres, les cinq comportements qui nuisent le plus à notre santé.

1.5 Le microbe frappe tôt, la mauvaise habitude frappe tard !

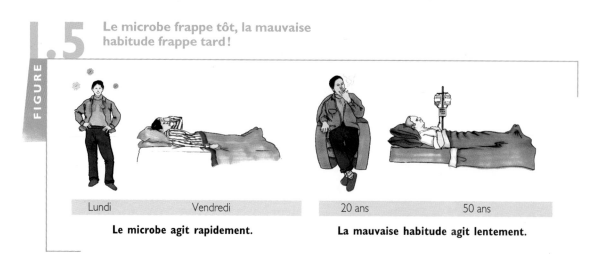

Lundi   Vendredi

Le microbe agit rapidement.

20 ans   50 ans

La mauvaise habitude agit lentement.

à vos méninges

Remarque : Il peut y avoir plus d'une bonne réponse par question.

1 QUELLE EST L'ESPÉRANCE DE VIE EN BONNE SANTÉ EN OCCIDENT ?

○ **a)** 82 ans.

○ **b)** 78 ans.

○ **c)** 80 ans.

☑ **d)** 67 ans.

○ **e)** Aucune des réponses précédentes.

2 QUE SAVONS-NOUS À PROPOS DE NOTRE SANTÉ QUE NOS ANCÊTRES IGNORAIENT ?

☑ **a)** Nous savons que telle habitude de vie a tel effet sur la santé.

○ **b)** Nous savons reconnaître les différents types de microbes et nous avons les moyens de les combattre.

○ **c)** Nous savons reconnaître les facteurs de risque associés aux maladies infectieuses.

○ **d)** Nous n'en savons pas plus qu'eux.

○ **e)** Aucune des réponses précédentes.

3 QUELLES SONT LES HABITUDES DE VIE LES PLUS NUISIBLES À LA SANTÉ ?

○ **a)** L'abus de médicaments.

○ **b)** Le manque de sommeil.

☑ **c)** Le manque d'exercice.

○ **d)** La consommation de drogues.

○ **e)** L'excès de vitesse en voiture.

☑ **f)** Une alimentation déséquilibrée.

☑ **g)** L'excès de stress.

☑ **h)** Le tabagisme.

○ **i)** L'exposition aux rayons ultraviolets.

○ **j)** Les relations sexuelles non protégées.

☑ **k)** L'abus d'alcool.

4 À QUOI LES MALADIES QUI GRÈVENT LE PLUS LE BUDGET DE LA SANTÉ SONT-ELLES DUES ?

- ○ **a)** L'hérédité.
- ○ **b)** Les dérèglements hormonaux.
- ○ **c)** Le vieillissement de la population.
- ☑ **d)** Certaines habitudes de vie.
- ○ **e)** Les bactéries et les virus.

5 DANS LA LISTE QUI SUIT, IDENTIFIEZ LES MALADIES QUI SONT PARMI LES PLUS FRÉQUENTES AUJOURD'HUI.

- ○ **a)** La tuberculose.
- ☑ **b)** Les maladies du cœur.
- ○ **c)** La grippe.
- ☑ **d)** Le diabète de type 2.
- ○ **e)** La pneumonie.

6 NOMMEZ LES CINQ DIMENSIONS DE LA SANTÉ.

- • _____
- • _____
- • _____
- • _____
- • _____

pour en savoir plus

LECTURES SUGGÉRÉES

• Illich, Y., *Némisis médicale,* Paris, Le Seuil, 1975.

• Villedieu, Y., *Un jour la santé,* Montréal, Boréal, 2002.

SITES INTERNET À VISITER

Association canadienne pour la santé, l'éducation physique, le loisir et la danse
http://www.cahperd.ca/f/index.htm

Commission d'étude sur les services de santé et les services sociaux
http://www.cesssss.gouv.qc.ca/page1_f.htm

Institut canadien d'information sur la santé
http://secure.cihi.ca/cihiweb/disppage.jsp?cw_page=home_f

Organisation mondiale de la santé
http://www.who.int/fr/

Réseau canadien de la santé
http://www.reseau-canadien-sante.ca/customtools/homef.htm

bilan

Avant de faire le bilan, apprenez d'abord à distinguer les niveaux d'intensité de l'activité physique. Le tableau ci-dessous vous aidera à comprendre ce qu'on entend par une activité physique d'intensité faible, moyenne ou élevée.

Intensité de l'activité physique

Activité physique d'intensité...	Signes physiques observables	Quelques exemples
faible	Pouls à peine plus élevé qu'au repos ; respiration presque régulière ; aucune sudation.	Marche lente, volley-ball récréatif, billard, tâches ménagères légères, golf miniature, tir à l'arc, quilles, etc.
moyenne	Pouls nettement plus élevé qu'au repos (au moins 30 battements de plus) ; respiration plus rapide ; légère sudation.	Marche rapide, tennis de table ou tennis récréatif, natation récréative, baseball, trot à cheval, danse aérobique sans sauts, golf sans voiturette, vélo à 15 km/h, ski de fond sur le plat, etc.
élevée à très élevée	Pouls beaucoup plus élevé qu'au repos (au moins 60 battements de plus), respiration haletante, sudation parfois abondante.	Jogging, match de badminton ou de tennis enlevé, squash, racquetball, basket-ball compétitif, arts martiaux, aéroboxe, saut à la corde, vélo de montagne, soccer (match), hockey, etc.

Votre mode de vie

Rester inactif, s'alimenter mal, fumer, abuser de l'alcool et vivre dans un état de stress constant, voilà les cinq habitudes de vie qui affaiblissent le plus la résistance du corps à la maladie et qui, dans certains cas, augmentent les risques d'accident mortel, que ce soit sur la route ou au travail. Ces habitudes comptent-elles parmi les vôtres ?

Les 15 situations décrites ci-après vous aideront à répondre à cette question. Pour chacune des cinq habitudes de vie, vous avez à choisir, parmi trois comportements, celui qui vous décrit le mieux actuellement. Accordez-vous 5 points pour les situations 1, 4, 7, 10 et 13 ; 0 point pour les situations 2, 5, 8, 11 et 14 ; et 2 points pour les situations 3, 6, 9, 12 et 15. Ce bilan éclair devrait déjà vous sensibiliser à la relation qui existe entre votre mode de vie et votre santé. Vous aurez l'occasion dans les prochains chapitres de faire un bilan plus détaillé de votre mode de vie actuel.

L'évaluation terminée, les cinq comportements retenus devraient vous permettre de juger si votre mode de vie est assez sain pour tenir à distance les maladies de l'heure ou assez farfelu pour les attirer.

Faites maintenant votre bilan. Cochez les cases correspondant à votre réponse.

Activité physique : sédentaire ou actif ?

○ **1.** Je fais, tous les jours ou presque, au moins 30 minutes d'activité physique d'intensité légère à modérée OU je pratique au moins 3 fois par semaine, pendant 30 à 60 minutes, une activité physique d'intensité modérée ou parfois élevée.

○ **2.** Je fais moins de 10 minutes d'activité physique modérée chaque jour.

○ **3.** Je me situe plutôt entre 1 et 2.

Alimentation : malbouffe ou bonne bouffe ?

○ **4.** Je prends, chaque jour ou presque, trois repas équilibrés. Je mange régulièrement des fruits et des légumes frais ainsi que des aliments riches en fibres (céréales, pain, riz, pâtes, légumineuses). J'essaie le plus possible d'éviter les aliments riches en gras saturés et en huiles hydrogénées.

○ **5.** Je croque rarement des fruits et des légumes frais et je ne raffole pas des aliments riches en fibres (céréales à grains entiers et légumineuses notamment). De plus, je mange régulièrement (plus de trois fois par semaine) des repas préparés ou des repas-minute (fast-food) sans me soucier de leur valeur. Il m'arrive aussi de sauter des repas et de manger à des heures irrégulières.

○ **6.** Je me situe plutôt entre 4 et 5.

Cigarettes : fumeur ou non-fumeur ?

○ **7.** Je ne fume pas et j'évite autant que possible la fumée secondaire.

○ **8.** Je fume plus de 20 cigarettes par jour.

○ **9.** Je fume moins de 10 cigarettes par jour.

Stress : tendu ou détendu ?

○ **10.** Je suis plutôt calme, je dors bien la plupart du temps et je ne panique pas facilement quand un problème surgit. Quand c'est nécessaire, je fais ce qu'il faut pour contrôler mon niveau de stress.

○ **11.** Je me sens souvent tendu et il m'arrive fréquemment de ressentir des raideurs dans la nuque et entre les omoplates. Je ne dors pas bien et il me semble que je m'en fais pour tout et pour rien.

○ **12.** Je me situe plutôt entre 10 et 11.

Alcool : gros buveur ou buveur modéré ou sobre ?

○ **13.** Je prends au maximum deux consommations d'alcool par jour ou pas du tout.

○ **14.** Je prends régulièrement plus de quatre consommations d'alcool par jour et parfois plus.

○ **15.** Je me situe plutôt entre 13 et 14.

Faites le total des points obtenus. _____

Ce que votre résultat signifie...

Entre 20 points et 25 points. La combinaison des situations 1, 4, 7, 10, 13 révèle une personne physiquement active, qui s'alimente bien, ne fume pas ou très peu, consomme de l'alcool modérément, voire n'en consomme pas du tout, et qui contrôle son stress. Plus ces comportements s'apparentent aux vôtres, plus votre niveau de protection contre les maladies les plus répandues actuellement est élevé.

Entre 10 points et 20 points. Si les situations 3, 6, 9, 12 et 15 vous concernent, il vous suffirait d'apporter quelques petits changements à vos habitudes pour que vous viviez plus sainement.

Moins de 10 points. Les situations 2, 5, 8, 11 et 14 représentent de mauvaises habitudes de vie qui peuvent menacer sérieusement votre santé. Malheureusement, il n'existe pas de pilule magique qui pourrait transformer instantanément un mauvais pli en une bonne habitude. Toutefois, les solutions proposées dans ce chapitre et tout au long de ce manuel pourraient vous aider à modifier vos comportements.

Sédentaire
ou actif ?

chapitre 2

Objectifs

○ Décrire les conséquences de l'inactivité physique sur la santé.

○ Décrire les bienfaits sur la santé de la pratique régulière de l'activité physique.

○ Déterminer précisément son niveau actuel d'activité physique.

Si nous avons choisi de parler d'abord de l'inactivité physique, c'est pour une bonne raison : des cinq habitudes de vie les plus nuisibles à la santé, elle est la plus courante au sein de la population. On pourrait aussi ajouter : celle qui s'est le plus rapidement répandue sur la planète depuis un demi-siècle (figure 2.1).

> **L'inactivité physique est devenue dans le monde l'une des dix principales causes de décès et d'incapacité. Plus de deux millions de décès sont attribués chaque année au manque d'activité physique.**
> Organisation mondiale de la santé
>
> *Mais les situations ne sont jamais immuables… une pantoufle peut se transformer en une chaussure de sport si elle s'y met !*

FIGURE 2.1 La progression du taux de sédentarité depuis 1950

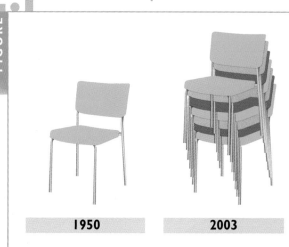

1950   2003

Les données les plus récentes de l'Organisation mondiale de la santé indiquent que 70 % à 85 % des adultes dans le monde entier n'ont pas un niveau d'activité physique suffisant pour protéger leur santé. Selon cet organisme, il s'agit d'une épidémie d'inactivité physique qui frappe non seulement les pays riches et industrialisés, mais aussi les pays en voie de développement.

Les autorités médicales constatent d'ailleurs que cette vague mondiale d'inactivité physique a, sur notre santé, une incidence bien plus grande qu'on ne le croyait jadis. De plus, parmi les facteurs de risque primaires (les plus nuisibles) et modifiables de la maladie coronarienne (l'inactivité physique, l'hypertension artérielle, un taux élevé de mauvais cholestérol et de triglycérides et le tabagisme), l'inactivité physique est incontestablement le plus répandu dans la population. En fait, le nombre d'individus sédentaires excède largement la somme du nombre des individus regroupés sous les trois autres facteurs de risque primaires (figure 2.2). C'est pourquoi les auteurs d'un rapport remis en 1994 à la Direction de la condition physique de Santé Canada (*Data Analysis of Fitness and Performance Capacity*) ont affirmé qu'une hausse du niveau d'activité physique dans la population aurait une influence beaucoup plus grande sur la prévention des maladies cardiovasculaires que la diminution du nombre d'hypertendus, de fumeurs ou d'individus ayant un taux de cholestérol élevé. De leur côté, des chercheurs américains ont démontré que l'inactivité physique augmente, à elle seule, le risque de mourir des suites d'une maladie cardiaque de 35 %, du cancer du côlon de 32 % et du diabète de type 2 de 35 %.

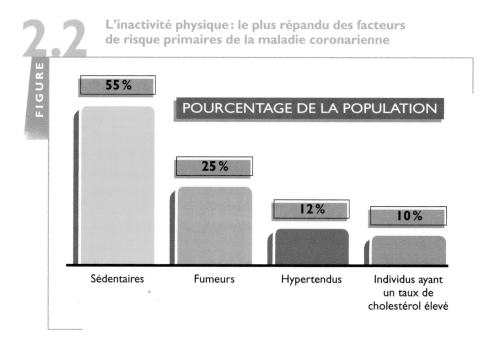

FIGURE 2.2 L'inactivité physique : le plus répandu des facteurs de risque primaires de la maladie coronarienne

L'omniprésence
du bras électronique

Au cours du XXe siècle, nous avons réussi tout un exploit, sans vraiment nous en rendre compte : celui de réduire à presque rien la nécessité de fournir un effort physique dans les tâches de tous les jours. La création de mondes virtuels, la généralisation de la télécommande et le développement accéléré du transport motorisé (qui rend caduque la marche) ont fait en sorte que nos moindres gestes et activités sont maintenant effectués par des « muscles électroniques ». Ne peut-on pas déjà, d'un simple clic, déverrouiller les portières de la voiture, la faire démarrer, ouvrir la porte du garage, mettre en marche une foule d'appareils électroniques (téléviseur, chaîne stéréo, thermostats, etc.) ? Ne peut-on pas, sans jamais quitter son fauteuil et rien qu'en tapant sur le dos d'une petite souris, faire son marché, obtenir son relevé de notes et son horaire de cours, joindre son professeur, effectuer des transactions bancaires et mettre à jour son livret de banque, acheter des billets de spectacle, consulter un menu de restaurant, visiter virtuellement une bibliothèque ou un pays, ou encore envoyer un message à l'autre bout du monde ? En moins d'un siècle, ces muscles électroniques ont réduit notre dépense énergétique quotidienne de presque 500 calories par jour et ont largement contribué à l'avènement de cette épidémie mondiale de sédentarité (figure 2.3).

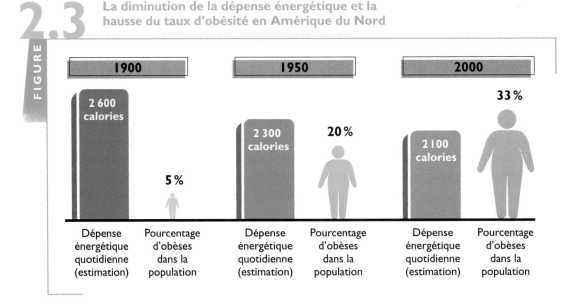

FIGURE 2.3 La diminution de la dépense énergétique et la hausse du taux d'obésité en Amérique du Nord

Les effets secondaires
d'une vie sédentaire

Bien sûr, l'automatisation et la « robotisation » des tâches ont facilité l'existence des humains, entre autres en réduisant le labeur de millions de salariés qui devaient, jusqu'à récemment, trimer dur pour gagner leur vie. En revanche, elles imposent un repos contre nature au corps qui, lui, n'a presque pas changé depuis des siècles. Doté d'un squelette toujours garni de quelque 600 muscles dont la fonction première est de bouger, le corps se retrouve réduit au chômage musculaire. Cette mise au repos imposée à plus de 35 % de la masse corporelle, soit le poids des muscles, n'est pas sans conséquences pour notre organisme (figure 2.4). Elle favorise en effet l'apparition de ce que les chercheurs appellent les **maladies hypokinétiques** (ou les malaises hypokinétiques), c'est-à-dire les problèmes de santé associés à un mode de vie sédentaire. Voici quelques-uns de ces problèmes.

1. Des muscles qui fondent comme neige au soleil

La fonte des muscles est la conséquence la plus visible de l'inactivité physique. Par exemple, le fait de porter un plâtre pendant un mois ou de passer deux semaines au lit provoque une fonte des muscles, très perceptible d'ailleurs, de 20 % à 30 % ! Certes, il s'agit là de situations extrêmes aux effets impressionnants ; cependant, si vous êtes sédentaire, vos muscles connaîtront le même sort à plus long terme. On sait effectivement qu'un individu sédentaire peut perdre jusqu'à 225 g (1/2 lb) de muscle par année, ce qui prouve bien que les muscles sont très dépendants de l'effort physique. Il faut dire que, contrairement aux protéines du tissu nerveux, par exemple, celles des muscles se dégradent lorsqu'elles sont sous-utilisées. Résultat : la force et l'endurance du muscle s'en trouvent sérieusement diminuées, ce qui augmente le risque de blessures en cas de chute ou de faux mouvement.

FIGURE 2.4

Les effets sur l'organisme de la vie sédentaire et de la vie active

Le point de départ	Après 20 ans de vie sédentaire*	Après 20 ans de vie active*

Vue en coupe d'un membre

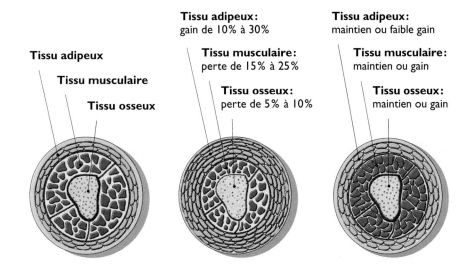

Tissu adipeux
Tissu musculaire
Tissu osseux

Tissu adipeux: gain de 10% à 30%

Tissu musculaire: perte de 15% à 25%

Tissu osseux: perte de 5% à 10%

Tissu adipeux: maintien ou faible gain

Tissu musculaire: maintien ou gain

Tissu osseux: maintien ou gain

Vue en coupe du cœur

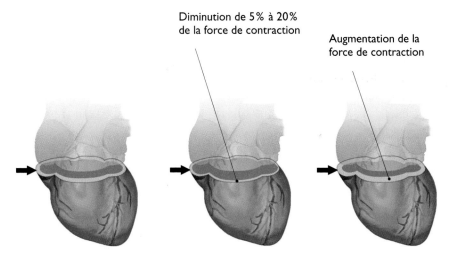

Diminution de 5% à 20% de la force de contraction

Augmentation de la force de contraction

* Estimation faite à partir des données de plusieurs études.

Heureusement, quelques semaines d'activité physique suffisent pour revigorer les muscles, et cela même à 80 ans, comme l'ont démontré des études récentes menées auprès de personnes âgées soumises à un programme de musculation.

2. Des os affaiblis

L'atrophie des muscles n'est que la pointe de l'iceberg : les os subissent le même sort, sans qu'on le remarque. Après sept jours d'inactivité physique totale, comme le repos au lit, la perte de calcium dans les urines et les selles est doublée. En cinq mois d'alitement, on peut perdre plus de 5 % de son capital osseux. Les examens radiologiques révèlent que les os qui supportent le poids du corps (tibias, péronés, fémurs et vertèbres lombaires) sont, de loin, les plus affaiblis par ce genre de repos forcé. Pour demeurer solides, ces os ont besoin de la gravité et de la traction des muscles qui y sont attachés. Les contraintes mécaniques favorisent la rétention du calcium. À faire du canapé, on ne prépare donc rien de bon pour les os des membres inférieurs.

Le tissu osseux pouvant, comme le tissu musculaire, se régénérer, il suffit en général de devenir actif pour mettre un terme à sa dégradation. Par exemple, dès qu'on permet au patient alité de marcher ou de se tenir debout deux à trois heures par jour, la perte de calcium ralentit considérablement. Cependant, au-delà d'une certaine perte de tissu osseux, la réversibilité du processus ne semble plus possible.

3. La voie expresse vers l'obésité

On estime que plus de 60 % des Nord-Américains sont gras et 33 % carrément trop gras, c'est-à-dire **obèses.** En fait, notre tour de taille n'a cessé d'augmenter depuis le début du XXe siècle (figure 2.3, p. 18). Hérédité ? Non ! Consommation excessive de glucides ou de lipides comme le laissent entendre certains gourous des diètes amaigrissantes ? Non plus ! En fait, nous sommes devenus trop gras parce que nous dépensons moins de calories que nous n'en absorbons. Résultat : nous les emmagasinons avec une facilité déconcertante. Ce surplus de calories est transformé en graisse.

À ce premier déséquilibre énergétique s'ajoute un deuxième, causé celui-là par le ralentissement du **métabolisme de base,** ou dépense énergétique du corps au repos. Entre 25 et 55 ans, le métabolisme de base baisse en moyenne de 1 % chez l'individu physiquement actif, alors qu'il chute de 15 % chez l'individu sédentaire. Cet écart s'explique par le fait que le tissu musculaire a un rôle très actif dans le métabolisme. Comme l'adepte de la chaussure de sport conserve ou augmente sa masse musculaire au fil des ans, sa «fournaise métabolique» chauffe davantage, et ce, 24 heures sur 24. À l'inverse, comme l'accro de la pantoufle subit une baisse graduelle de masse musculaire, sa fournaise métabolique chauffe, elle aussi, de moins en moins. Des chercheurs ont observé un ralentissement moyen de 5 % du métabolisme de base chez des individus physiquement actifs qui deviennent sédentaires. Ce ralentissement suffit pour emmagasiner quelque 75 calories de plus par jour, sans pourtant manger davantage. Cela représente un surplus d'environ 500 calories après une semaine, et de plus de 7 000 calories après 14 semaines ! À ce rythme, si on ne réduit pas son apport énergétique ou qu'on n'augmente pas sa dépense, on gagne du poids à coup sûr, puisque 7 000 calories équivalent à environ un kilogramme de graisse.

L'effet combiné de ces deux déséquilibres énergétiques (métabolisme plus lent et faible dépense énergétique) explique bien des rondeurs. L'excédent de gras au niveau du ventre est particulièrement dangereux, parce que le **gras abdominal** est celui qui pénètre le plus facilement dans le sang, via la veine porte. Après avoir examiné 10 054 hommes et femmes de 18 à 74 ans, des chercheurs de l'université de Saskatchewan ont constaté que les participants dont le **tour de taille** variait entre 90 et 100 cm présentaient un risque élevé de maladie cardiaque. Quant à ceux dont le tour de taille dépassait un mètre (100 cm), ils souffraient deux fois plus souvent d'hypertension et de diabète que ceux dont le tour de taille était inférieur à 90 cm. Et votre tour de taille, combien mesure-t-il ?

4. Des douleurs dans le bas du dos

Les statistiques le prouvent : environ 80 % des douleurs chroniques dans le bas du dos sont causées par le manque d'activité physique. Il faut savoir que le bassin est maintenu dans sa position normale grâce à la **tension équilibrée** entre deux groupes musculaires : les muscles de l'abdomen et ceux du bas du dos (chapitre 9, p. 192). Or, le manque d'exercice diminue la force des abdominaux et l'élasticité des muscles du bas du dos, ce qui entraîne à la longue un déplacement du bassin vers l'avant. L'accumulation de tissu adipeux au niveau de l'abdomen ne fait qu'accentuer le processus. Le bas du dos se creuse alors de plus en plus, et la douleur chronique s'installe petit à petit. À l'opposé, les gens physiquement actifs souffrent de douleurs dans le bas du dos dix fois moins souvent que les gens sédentaires.

5. Anxiété, dépression et pensées suicidaires à la hausse

Comme vous le verrez en détail au chapitre 4, dès qu'on subit un stress, une alerte physiologique commande au corps une réaction physique immédiate destinée à combattre ou à fuir l'agent stresseur. Dans le cas d'un stress émotionnel, cependant, l'énergie mobilisée reste souvent emprisonnée, sauf si on la libère en pratiquant une activité physique. L'activité physique ici remplace la réaction de fuite ou d'attaque qui libère les décharges hormonales. La personne inactive se prive de cet exutoire ; sa tension nerveuse ne fait alors que s'accroître au fil de la journée. À cinq heures de l'après-midi, elle est épuisée, même si elle n'a fait aucun exercice ! Avec le temps, elle finira par souffrir de problèmes de santé associés à l'accumulation de stress.

Le manque d'activités physiques favoriserait également les états dépressifs et les pensées suicidaires. Les données colligées à ce jour par l'Organisation mondiale de la santé sont sans équivoque : le taux de dépression et le taux de suicide sont nettement plus élevés chez les personnes sédentaires que chez les personnes physiquement actives.

6. Un cœur fatigué à ne rien faire

Il est maintenant prouvé que le cœur des individus sédentaires est plus petit, moins épais (on parle ici de l'épaisseur des parois du muscle cardiaque) et moins efficace que celui des individus physiquement actifs. Mais, surtout, le cœur sédentaire court un risque de deux à trois fois plus grand de souffrir d'une maladie grave. Certaines personnes sont à ce point sédentaires que des efforts habituellement inoffensifs comme pelleter de la neige, faire du jogging ou encore jouer au tennis deviennent dangereux pour leur cœur sous-entraîné. En fait, l'inactivité physique est désormais reconnue comme étant un facteur de risque de maladie cardiaque aussi important que le tabagisme, l'hypertension ou un taux élevé de mauvais cholestérol.

7. Une perte d'autonomie

Plus on vieillit, plus on apprécie la chance qu'on a de pouvoir marcher sans l'aide d'une canne, se pencher pour ramasser quelque chose ou étirer les bras pour saisir un objet perché sur une tablette. Une vie sédentaire risque de vous priver de cette autonomie d'action à un plus jeune âge. Des muscles raides, des articulations au rayon d'action limité, des réflexes diminués et une mauvaise coordination entre la main et l'œil sont le lot des pantouflards !

8. Mourir d'inactivité physique !

La recherche a clairement démontré que les personnes sédentaires sont plus souvent malades, coûtent plus cher à la société en frais médicaux (figure 2.5) et vivent moins longtemps que les personnes physiquement actives. En fait, leur risque de décès prématuré, toutes causes confondues, est plus élevé d'environ 40 % (figure 2.6). C'est ce qui a amené un chercheur américain à parler d'un nouveau syndrome : le syndrome de la mort sédentaire (Zoom).

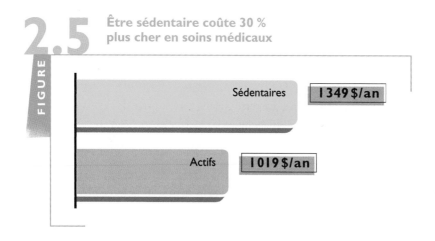

FIGURE 2.5 Être sédentaire coûte 30 % plus cher en soins médicaux

Sédentaires · 1 349 $/an

Actifs · 1 019 $/an

2.6

**Moins on est en forme,
plus on risque de mourir tôt**

FIGURE

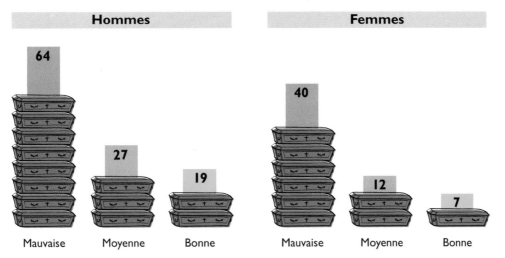

CONDITION PHYSIQUE

| Hommes | Femmes |

Mauvaise 64   Moyenne 27   Bonne 19   Mauvaise 40   Moyenne 12   Bonne 7

Taux de mortalité pour 10 000 habitants

zoom

Le syndrome de la
mort sédentaire !

Le docteur Frank W. Booth, un chercheur de l'université du Missouri, a inventé un syndrome, celui de la mort sédentaire, inspiré sans doute par le syndrome de la mort subite du nourrisson. Le docteur Booth en a eu assez du peu d'attention que son gouvernement accorde au problème grandissant de la sédentarité, un problème qui serait responsable de la mort de 250 000 Américains chaque année. En effet, les chercheurs s'entendent pour dire que l'activité physique pourrait prévenir annuellement le décès de 250 000 Américains, soit le tiers des 750 000 Américains qui meurent chaque année des suites d'une maladie cardiovasculaire, du diabète de type 2 et du cancer du côlon.

Quand l'exercice
devient un médicament

Si le manque d'exercice nuit à la santé, l'exercice régulier l'améliore. Indépendamment d'autres facteurs comme la cigarette, l'âge ou l'alimentation, l'exercice réduit substantiellement le risque de crise cardiaque, d'hypertension, de diabète de type 2, d'ostéoporose et de cancer (figure 2.7). Chez les individus déjà malades, comme ceux qui souffrent d'une cardiopathie, de diabète ou d'un cancer, l'exercice fait désormais partie du traitement médical. En fait, si on pouvait mettre les effets de l'exercice en pilules, il deviendrait sûrement le médicament le plus vendu au monde et le seul à ne pas avoir d'effets secondaires, à part une courbature, un point de côté ou de la fatigue musculaire de temps à autre.

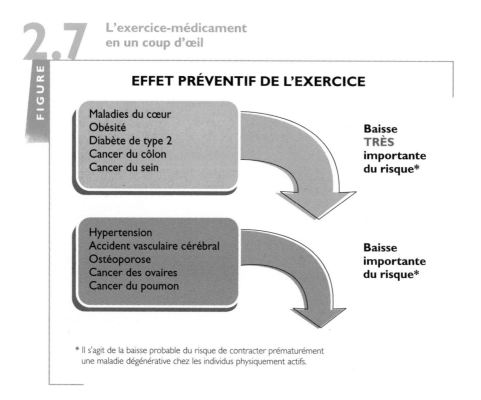

FIGURE 2.7 L'exercice-médicament en un coup d'œil

EFFET PRÉVENTIF DE L'EXERCICE

Maladies du cœur
Obésité
Diabète de type 2
Cancer du côlon
Cancer du sein

Baisse TRÈS importante du risque*

Hypertension
Accident vasculaire cérébral
Ostéoporose
Cancer des ovaires
Cancer du poumon

Baisse importante du risque*

* Il s'agit de la baisse probable du risque de contracter prématurément une maladie dégénérative chez les individus physiquement actifs.

Maintenant, voyons précisément comment certaines maladies peuvent être contrées par la pratique régulière d'une activité physique.

I. La maladie coronarienne

Première cause de décès dans les pays développés, la **maladie coronarienne** débute insidieusement par des dépôts de gras dans les artères coronaires (**athérosclérose**), lesquelles acheminent l'oxygène vers les cellules musculaires du cœur. Puis, un jour, un caillot de sang vagabond donne le coup de grâce en bouchant l'artère : c'est la crise cardiaque (**infarctus**). En combattant directement l'athérosclérose, en augmentant la force de contraction du cœur et en rendant le sang plus liquide (de sorte que le risque de formation d'un caillot est réduit), la pratique régulière d'une activité physique diminue le risque de crise cardiaque autant que le fait l'abandon de la cigarette. L'exercice s'attaque aussi à trois autres facteurs de risque associés à la maladie coronarienne : il réduit l'hypertension artérielle d'environ 10 %, une baisse suffisante pour éliminer le recours aux médicaments chez un hypertendu léger ; il fait maigrir, ce qui diminue le risque cardiaque associé à l'obésité ; et il encourage généralement le fumeur à abandonner la cigarette. Le tableau 2.1 résume l'effet de l'exercice sur l'ensemble des facteurs de risque de maladie coronarienne.

TABLEAU

2.1 Les effets de l'exercice sur les autres facteurs de risque de maladie coronarienne

Facteurs de risque primaires (les plus nuisibles)	Effet de l'exercice	Facteurs de risque secondaires	Effet de l'exercice
Tabagisme	Aide à cesser de fumer	Obésité	Diminue les réserves de graisse
Hypertension artérielle	Diminue	Diabète de type 2	Aide à contrôler la glycémie
Taux élevé de mauvais cholestérol et de triglycérides	Diminue		

L'exercice permet aussi au patient qui a subi un infarctus de se remettre sur pied plus rapidement et même d'acquérir une meilleure forme physique qu'avant. Des études ont démontré que le traitement par l'exercice diminue de 20 % le risque de mortalité durant les trois années suivant un infarctus. Il est aussi reconnu que l'exercice retarde le moment où le cœur pourrait manquer d'oxygène (un atout pour les personnes angineuses), qu'il stabilise la pression artérielle et la masse corporelle, de même qu'il retarde ou élimine la nécessité de recourir à une deuxième angioplastie (désobstruction d'une artère à l'aide d'une sonde à ballonnet). Jumelé à une alimentation faible en gras, l'exercice peut même réduire les plaques d'athérome dans les artères coronaires (figure 2.8).

Par ailleurs, l'exercice permet au corps du patient de « renouer » avec une de ses principales fonctions, le travail musculaire, ce qui contribue généralement à améliorer l'estime de soi. Cet effet psychologique est important, car les patients souffrent souvent de dépression après un infarctus.

FIGURE

2.8 Une artère du cœur bouchée par une plaque d'athérome

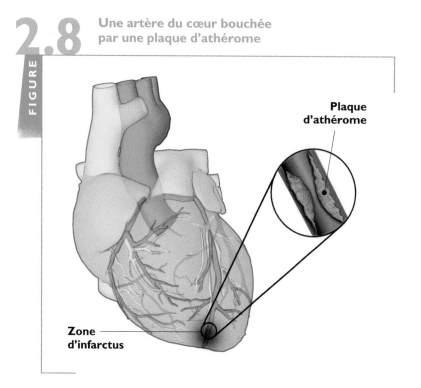

Plaque d'athérome

Zone d'infarctus

2. Le diabète

L'insuline est une hormone qui régularise le taux de sucre dans le sang (**glycémie**). Si elle vient à manquer ou si son efficacité diminue, le glucose reste dans le sang, privant ainsi les cellules qui en ont besoin. C'est là tout le drame du diabétique : il ne manque pas de sucre, mais il est incapable de l'utiliser. Si le déficit est majeur — si le pancréas ne produit pas ou presque pas d'insuline — , on est en présence d'un diabète sévère ; il s'agit du **diabète de type 1**, appelé autrefois « diabète juvénile » parce qu'il frappe surtout avant l'âge de 20 ans. Il représente moins de 10 % des cas de diabète. Si le pancréas produit de l'insuline mais en quantité insuffisante, ou que l'insuline sécrétée devient à la longue moins efficace, ou encore si les deux facteurs sont présents à la fois, on parle d'un **diabète de type 2**. On le nomme aussi « diabète de l'adulte », parce qu'on le dépiste en général chez des personnes âgées de 40 ans et plus.

Le diabète de type 2 prend des proportions épidémiques en Amérique du Nord ; ses complications à long terme en font la quatrième cause de décès et la principale cause de cécité. Dans 85 % des cas, il est attribuable à un mode de vie malsain, et 80 % des personnes qui en souffrent sont obèses. Il faut savoir que, plus on est gras, plus l'efficacité de l'insuline diminue.

L'exercice constitue un moyen efficace de se protéger contre cette maladie, parce que, justement, il permet de réduire la masse grasse ou du moins il l'empêche de prendre de l'expansion. Autre effet de l'exercice : il facilite la pénétration du glucose dans les muscles, ce qui améliore l'efficacité de l'insuline disponible. Finalement, l'organisme parvient à contrôler son taux de sucre avec moins d'insuline. Les athlètes qui participent à des épreuves de fond le démontrent à merveille, puisqu'ils produisent jusqu'à deux fois moins d'insuline que les non-athlètes, tout en conservant un taux de sucre normal. Toutefois, vous n'avez pas à vous entraîner 5 heures par jour pour expérimenter cet effet «insulinergique» de l'exercice. La pratique régulière de l'activité physique, serait-elle d'intensité légère comme la marche rapide ou le vélo de promenade, prévient l'**hyperglycémie** (taux de sucre élevé dans le sang), et cela, même à un âge avancé. Des chercheurs hollandais* sont arrivés à cette conclusion en comparant le niveau d'activité physique chez 424 habitants de plus de 70 ans d'un petit village hollandais. Selon un test de tolérance au glucose (test de la capacité de l'organisme à rétablir un taux de glucose normal dans le sang après ingestion d'une surdose de glucose), ceux et celles qui étaient physiquement actifs avaient un taux de sucre normal dans le sang alors que les plus sédentaires faisaient de l'hyperglycémie.

Lorsque la maladie est déjà installée, l'action positive de l'exercice sur la glycémie, jumelée à une alimentation appropriée, évite souvent aux diabétiques le recours aux injections d'insuline. À long terme, l'effet bénéfique de l'exercice sur la santé cardiovasculaire est particulièrement important pour le malade, puisque le diabète finit souvent par provoquer de l'athérosclérose. L'activité physique ne prévient toutefois pas l'apparition du diabète de type 1 mais, comme pour le diabète de type 2, elle fait partie du traitement visant à contrôler la glycémie.

3. Le cancer

À première vue, on comprend mal comment la danse aérobique ou le jogging pourraient prévenir le cancer. Pourtant, une vingtaine d'études ont mis en évidence le fait que les individus physiquement actifs étaient moins souvent atteints de cancer que les personnes sédentaires (tableau 2.2). Et les cancers qui battent en retraite devant la chaussure de sport comptent parmi les plus dévastateurs : cancer du sein, des ovaires, de l'endomètre, de la prostate et du côlon. Plusieurs hypothèses ont été proposées pour expliquer l'effet préventif de l'exercice sur le cancer.

TABLEAU
2.2 L'exercice à l'assaut du cancer

Type de cancer	Baisse du niveau de risque chez les personnes actives par rapport aux personnes sédentaires
Tous types confondus	30% à 35%
Sein, ovaires, endomètre	35% à 80%
Côlon	40% à 60%
Prostate, pancréas et rein	20% à 30%*

* Les études à ce sujet sont pour le moment non concluantes.

* «Physical activity and glucose tolerance in elderly men: the Zutphen Elderly study», in *Medicine & Science in Sports & Exercise 2002*, n° 34, p. 1132-1136.

L'hypothèse mécanique. En provoquant un brassage des intestins, l'exercice stimule le péristaltisme intestinal, ce qui facilite l'évacuation des selles. En somme, selon cette hypothèse, l'exercice agit comme un laxatif et diminue ainsi le temps de contact entre la muqueuse des intestins et les substances cancérigènes contenues dans les matières fécales. *Résultat :* moins de cancers du côlon chez les gens physiquement actifs.

L'hypothèse hormonale. Selon cette hypothèse, l'exercice abaisse le taux de certaines hormones dans le sang (œstrogènes, testostérone et prostaglandines, notamment), lesquelles, si elles ne déclenchent pas le cancer, semblent du moins en accélérer le développement. *Résultat :* beaucoup moins de cancers du sein, des ovaires et de l'endomètre chez les femmes physiquement actives, et aussi moins de cancers de la prostate chez les hommes physiquement actifs, bien que la diminution des cancers de la prostate soit statistiquement faible.

L'hypothèse immunitaire. L'exercice préviendrait également le cancer en stimulant le système immunitaire, en particulier la production d'interleukine, d'interféron et de certains types de lymphocytes (T et NK) qui s'attaquent directement aux cellules cancéreuses. *Résultat :* moins de cancers en général chez les gens physiquement actifs.

L'hypothèse psychologique. En combattant la dépression et l'anxiété, l'exercice contribue du coup au maintien d'un système immunitaire qui demeure efficace dans sa lutte contre les cellules cancéreuses ou pré-cancéreuses.

Les personnes soignées pour un cancer profitent aussi des effets de l'activité physique. Des études menées auprès de patients cancéreux ayant suivi un programme de conditionnement physique ont révélé qu'ils se sentaient beaucoup mieux physiquement et psychologiquement. Certains patients avaient même moins de nausées après la chimiothérapie. Mais, surtout, la plupart de ces patients ont retrouvé leur appétit et repris du poids. Il s'agit là d'un effet important, car 20 % à 40 % des personnes cancéreuses meurent des suites de complications reliées à la sous-alimentation et à l'inactivité physique.

4. L'asthme

Il est important de dire que l'exercice peut déclencher une crise d'asthme. On peut néanmoins prévenir les crises causées par l'exercice en faisant un échauffement de 10 à 15 minutes (chapitre 14), ainsi qu'en évitant les activités trop intenses et les températures très froides (ou alors en portant un masque qui couvre la bouche et le nez). Lorsqu'un asthmatique prévoit faire un exercice plus vigoureux que d'habitude, il peut prendre une dose ou deux de son médicament habituel 20 à 30 minutes avant le début de l'activité. À la longue, l'exercice amène l'asthmatique à respirer moins rapidement pendant un effort modéré. Par conséquent, l'assèchement des voies respiratoires (un facteur déclencheur de crises) est beaucoup moins prononcé, ce qui se traduit par une diminution de la fréquence et de la gravité des crises d'asthme et, par ricochet, de la dose de médicament administrée.

5. L'ostéoporose

En renforçant les os, l'exercice combat directement l'**ostéoporose**, cette dégénérescence des os qui les rend aussi cassants qu'une branche morte. Comme le démontrent des études sur le bras dominant des joueurs de tennis (le bras droit pour un droitier), le radius, le cubitus et l'humérus du bras sollicité sont plus gros et plus denses que ceux du bras moins utilisé. D'autres études effectuées auprès de joueurs de balle molle américains présentent des résultats semblables.

Le traitement d'une personne atteinte d'ostéoporose devrait comprendre l'exercice physique, puisqu'on a démontré que l'exercice peut, lorsqu'il est associé à une alimentation riche en calcium, freiner le processus de décalcification des os. En outre, l'effort physique améliore le tonus musculaire, la coordination, l'équilibre et les réflexes, ce qui réduit les risques de chute, cause première des fractures de la hanche chez les femmes de plus de 50 ans, lesquelles sont les plus sujettes à l'ostéoporose. Enfin, l'exercice diminue la douleur dans le bas du dos, fréquente chez les personnes ostéoporotiques.

La pratique régulière d'une activité physique aide également à soulager les symptômes associés à la fibrose kystique, à la polyarthrite rhumatoïde, à la sclérose en plaques, à la dystrophie musculaire, à la maladie de Parkinson, à la fibromyalgie et à l'emphysème. Somme toute, il existe peu de médicaments aux effets thérapeutiques aussi nombreux.

Les bienfaits psychologiques
de l'activité physique

Nous avons parlé des effets de l'exercice sur les muscles, les os et les organes. Mais, selon vous, qu'est-ce que Julie, une étudiante de 18 ans, constate après sa séance d'exercices ? Qu'elle a moins de gras dans le sang ? Que ses muscles utilisent mieux l'oxygène ? Que sa pression sanguine s'améliore ? Bien sûr que non ! Elle constate plutôt qu'elle est totalement détendue, elle qui, une heure plus tôt, avait les épaules en pignon, les mâchoires serrées et la nuque raide. Le premier effet qu'elle perçoit est donc de nature psychologique. Les recherches ont d'ailleurs confirmé que l'exercice améliore nos états d'âme, et ce, de bien des façons.

1. Un relaxant aux effets immédiats

Un exercice léger de quelques minutes, un peu de marche par exemple, entraîne une réduction marquée et quasi instantanée de l'activité électrique dans les muscles, ce qui produit une baisse immédiate de la tension nerveuse. Les personnes crispées, dont les muscles sont sous haute tension électrique, si on peut dire, sont celles qui profitent le plus de cette baisse de tension. Une séance de 30 minutes d'exercice modéré permet, quant à elle, de réduire l'anxiété pendant 2 à 4 heures. C'est ce qu'on appelle un bon rendement! Des chercheurs ont constaté que les personnes physiquement actives sont généralement plus détendues et résistent mieux à une situation stressante que les personnes sédentaires.

2. Une distraction utile

L'exercice peut vous distraire de vos tracas. Cet effet est particulièrement important pour les personnes constamment envahies par des pensées négatives, ce qui est fréquent dans les cas de dépression. L'exercice améliore également la confiance en soi en redonnant à qui le pratique le contrôle de son corps. En somme, en libérant le corps, l'activité physique libère en quelque sorte l'esprit.

3. Un narcotique tout à fait légal

L'activité physique agit comme un narcotique. En effet, des études récentes ont démontré que l'exercice augmente le taux de **sérotonine** dans le sang, un neurotransmetteur qui favorise la détente et la bonne humeur. Or, les personnes déprimées ont des taux de sérotonine anormalement bas. En outre, les exercices de longue durée (plus de 45 minutes) augmentent la sécrétion d'**endorphines**, des hormones euphorisantes de la même famille que la morphine. Ces effets sont d'autant plus intéressants qu'on peut en profiter en toute légalité, sans débourser un sou et sans subir d'effets secondaires néfastes.

Dans les cas de dépression légère ou modérée, l'exercice s'avère aussi efficace que les antidépresseurs et la psychothérapie. Le docteur Bob Hales, un psychiatre américain de l'université de Georgetown, utilise d'ailleurs depuis des années l'effet « narcotique » de l'activité physique pour traiter ses patients déprimés. Il leur suggère de jogger modérément pendant environ une heure, ce qu'il estime suffisant pour déclencher la libération des endorphines et, avec elles, un peu d'euphorie. Enfin, dans les cas de dépression grave, l'activité physique pratiquée dès le début du traitement peut empêcher le patient de sombrer dans une dépression encore plus profonde (Zoom).

4. Un coup de pouce pour l'image de soi

L'activité physique entraîne des changements physiques qui peuvent améliorer une image de soi assombrie par la déprime. Par exemple, on peut se sentir mieux dans sa peau lorsqu'on a des muscles plus fermes et moins enrobés de tissu adipeux, et qu'on a une plus grande facilité à se mouvoir. De surcroît, plus on est en forme, plus on a de l'énergie pour accomplir des choses. De quoi tenir à distance l'inertie quand le moral est à zéro.

ZOOM

L'exercice :
aussi efficace que les antidépresseurs

Une étude récente menée aux États-Unis confirme qu'un programme d'exercices est aussi efficace que les antidépresseurs les plus puissants pour réduire les symptômes de la dépression. L'étude portait sur 156 sujets dépressifs qui ont été divisés en 3 groupes : le groupe exercice, le groupe médicament et le groupe médicament plus exercice. Après 16 semaines de traitement, tous les patients étaient devenus moins dépressifs, y compris ceux du groupe exercice. «Prendre une pilule est une approche passive. On la prend et on attend l'effet. Avec l'exercice, c'est différent. Le patient a le sentiment de contrôler davantage son traitement, car il agit de façon concrète pour que son état s'améliore. De plus, l'exercice améliore l'estime de soi, ce qui fait défaut chez les gens dépressifs», écrit un des auteurs de l'étude publiée dans *Archives of Internal Medicine*.

5. Un moyen efficace de prévenir la dépression et le suicide chez les jeunes adultes

Des chercheurs du National Institute of Mental Health, aux États-Unis, ont suivi pendant 8 ans 1 900 femmes en bonne santé mentale. Au terme de l'étude, les femmes physiquement actives présentaient, d'après certains tests mesurant l'état de santé mentale, 50 % moins de risques que les autres de devenir déprimées au cours de la prochaine décennie. Une autre étude publiée dans la revue *Medicine & Science in Sports & Exercise*, et menée auprès de 4 700 étudiants et étudiantes de niveau collégial, révèle que les comportements suicidaires étaient de 2 à 3 fois moins présents chez ceux et celles qui étaient membres d'une équipe sportive que chez ceux et celles qui ne pratiquaient aucun sport. En somme, l'activité physique s'avère un merveilleux tonique pour le moral, sans compter qu'elle coûte deux fois rien et qu'elle peut être prescrite à toute personne en panne sur le plan émotionnel.

À chaque état d'âme
son exercice

Le choix de l'exercice, de sa durée, du moment où on le fait et de son intensité dépend de la nature et de la gravité du problème émotionnel.

I. Pour abaisser le niveau d'anxiété

Il est recommandé de faire 15 à 25 minutes d'exercice modéré en fin de journée ou en début de soirée. C'est le soir que l'anxiété atteint son maximum. Les exercices de musculation (qui nous donnent une impression de vigueur retrouvée) et les activités physiques faisant appel à la fois au physique et au mental (taï chi, voile, escalade, etc.) sont particulièrement efficaces pour combattre l'anxiété.

2. Pour contrer une petite déprime

Il est préférable de faire de l'exercice le matin, puisque c'est souvent au réveil que la déprime se manifeste. Un conseil : comme déprime rime avec inertie, il ne sert à rien de se forcer à faire des exercices exténuants. Des exercices légers au sortir du lit suffiront au début, quitte à ce qu'on les intensifie ultérieurement.

3. Pour mieux dormir

Trente minutes d'exercice modéré vers la fin de l'après-midi devraient détendre les muscles (des muscles tendus nuisent au sommeil) et le système sympathique, c'est-à-dire celui qui met le corps en état d'alerte lors d'un stress. Ajoutons que l'exercice augmente la fréquence des ondes alpha, associées au sommeil profond.

4. Pour ressentir l'effet euphorisant de l'exercice

Il faut pratiquer des activités physiques modérées (marche sportive, jogging, ski de fond, vélo, exerciseurs cardiovasculaires, etc.) pendant au moins 45 minutes. Cela semble suffisant pour provoquer une hausse de la concentration d'endorphines dans le sang et déclencher un effet narcotique tout à fait légal.

5. Pour prévenir un stress appréhendé

Faites 10 à 15 minutes d'exercice modéré avant l'événement susceptible de créer ce stress important. Prenez ensuite une bonne douche. Vous constaterez alors que vous êtes assez calme pour faire face à la musique !

L'exercice :
la locomotive de la santé

Plus vous ressentirez les bienfaits de l'activité physique, plus vous voudrez améliorer votre mode de vie. Il en va ainsi avec les gens physiquement actifs : ils ont tendance à surveiller leur alimentation, à contrôler leur niveau de stress et leur consommation d'alcool et de tabac. Par exemple, des études effectuées auprès d'adeptes du jogging et de la musculation ont révélé que 75 % à 80 % de ceux qui fumaient au départ ont par la suite abandonné cette habitude. En fait, le plus faible taux de fumeurs s'observe chez les individus, hommes et femmes, qui pratiquent des sports dans un cadre organisé (ligue de tennis, de badminton, de volley-ball, de ringuette, de hockey, etc.). Quant aux athlètes qui fument et prennent quelques bières après la rencontre sportive, ils constituent l'exception qui confirme la règle.

Nous avons vu que l'activité physique a un effet euphorisant. Ce qui est beaucoup moins connu, c'est son **effet dissuasif** sur la consommation de drogues. Cet effet s'explique de deux façons. D'une part, l'activité physique occupe les temps libres : or, pendant qu'on joue au badminton, qu'on soulève des haltères ou qu'on transpire sur un simulateur d'escalier, on ne pense pas au crack ou à la coke. Il semblerait même, selon les données recueillies par l'Institut canadien de la recherche sur la condition physique et le mode de vie, que les régimes d'entraînement vigoureux freinent l'usage de drogues mieux que tout autre type de programme antidrogue. Qui voudrait tirer une ligne de coke après un entraînement intensif de deux heures qui l'aura mis, de toute façon, dans un état second ! D'autre part, l'activité physique décourage la consommation de drogues en améliorant l'estime de soi. Les toxicomanes ont généralement une image négative d'eux-mêmes et de leur environnement. En retrouvant une certaine fierté et en rehaussant son image corporelle, on peut devenir plus enclin à modifier ses comportements.

Le revers de la médaille :
le surentraînement

Toute médaille a son revers. Dans le cas de l'activité physique, il faut éviter de sombrer dans l'excès. S'entraîner vigoureusement 4 à 5 heures par jour, 7 jours sur 7 et tous les jours de l'année, c'est abuser d'une bonne chose. Même si peu d'individus se livrent à ce genre d'abus, ceux qui le font s'exposent à des ennuis de santé. Lorsqu'il est surutilisé, le corps n'a pas le temps de récupérer, de réparer les fibres musculaires brisées ni de refaire le plein d'énergie. Alors, il se blesse de plus en plus souvent. Il finit aussi par souffrir d'anémie (l'abus de l'exercice diminue le taux de fer dans le sang), de fatigue générale et d'infections à répétition, en particulier aux voies respiratoires (trop d'exercice affaiblit le système immunitaire). Par conséquent, allez-y mollo ! Lorsque vous pratiquez des activités vigoureuses, accordez-vous des temps de repos. Par exemple, une ou deux journées par semaine sans exercice intense permettront à votre corps de refaire ses forces. Pour le reste, on peut être sans souci un accro de l'exercice, puisque ses bienfaits l'emportent haut la main sur ses inconvénients.

à vos méninges

Remarque : Il peut y avoir plus d'une bonne réponse par question.

1 À QUOI LA HAUSSE MARQUÉE DU TAUX D'OBÉSITÉ DANS LE MONDE EST-ELLE DUE PRINCIPALEMENT ?

- **a)** Une surconsommation d'aliments.
- **b)** Une diminution substantielle de la dépense calorique quotidienne.
- **c)** a et b.
- **d)** L'hérédité.
- **e)** Une surconsommation de glucides.
- **f)** Aucune des réponses précédentes.

2 LAQUELLE DES ASSERTIONS SUIVANTES EST FAUSSE ?

- **a)** Contrairement aux protéines du tissu nerveux, par exemple, celles des muscles se dégradent lorsqu'elles sont sous-utilisées.
- **b)** Les malaises ou les maladies « hypokinétiques » résultent d'un mode de vie sédentaire.
- **c)** L'exercice modifie le tissu musculaire mais pas le tissu osseux.
- **d)** Le gras abdominal serait le plus nuisible à la santé.
- **e)** Toutes les assertions précédentes sont exactes.

3 LA PRATIQUE RÉGULIÈRE DE L'ACTIVITÉ PHYSIQUE RÉDUIT SUBSTANTIELLEMENT LE RISQUE DE SOUFFRIR DES MALADIES SUIVANTES.

- **a)** L'asthme.
- **b)** Le diabète de type 1.
- **c)** La maladie coronarienne.
- **d)** Le cancer du côlon.
- **e)** Le cancer du sein.
- **f)** L'hypertension artérielle.
- **g)** Le diabète de type 2.
- **h)** La maladie d'Alzheimer.
- **i)** Le cancer de la peau.
- **j)** Le sida.

4 LAQUELLE DES ASSERTIONS SUIVANTES EST FAUSSE ?

○ **a)** L'exercice aide à combattre trois facteurs de risque majeurs associés à la maladie coronarienne: il réduit l'hypertension artérielle; il favorise le maintien d'un poids-santé; il encourage le fumeur à abandonner la cigarette.

○ **b)** L'exercice est bénéfique pour la personne diabétique; il ne lui permet pas toutefois de se passer d'insuline.

○ **c)** L'exercice peut déclencher une crise d'asthme mais, à long terme, il réduit le nombre des crises et leur sévérité.

○ **d)** La pratique d'un exercice, même léger, entraîne une réduction marquée et quasi instantanée de l'activité électrique dans les muscles.

○ **e)** Toutes les assertions sont vraies.

5 POUR RESSENTIR L'EFFET NARCOTIQUE (LIBÉRATION D'ENDORPHINES), QUEL TYPE D'EXERCICE FAUT-IL FAIRE ET PENDANT COMBIEN DE TEMPS ?

○ **a)** De la musculation pendant au moins 30 minutes.
○ **b)** Des étirements pendant au moins 15 minutes.
○ **c)** Des efforts anaérobiques de 30 secondes, 3 fois par jour.
○ **d)** Des efforts aérobiques pendant au moins 20 minutes.
○ **e)** Des exercices d'endurance musculaire pendant au moins 40 minutes.
○ **f)** Des efforts aérobiques pendant au moins 45 minutes.

6 ASSOCIEZ LES SITUATIONS NUISANT À LA SANTÉ (LISTE DE GAUCHE) ET LES SOLUTIONS POSSIBLES (LISTE DE DROITE).

Situations	Solutions
_____ **1.** Je suis très anxieux.	**a)** Jogger pendant une heure.
_____ **2.** Je me sens déprimé aujourd'hui.	**b)** Faire des pompes le matin.
_____ **3.** Je dors mal.	**c)** Faire 15 à 25 minutes d'exercice modéré en fin d'après-midi ou en début de soirée.
_____ **4.** Je voudrais prévenir un stress appréhendé.	**d)** Faire une séance d'exercice modéré le matin.
	e) Faire 10 à 15 minutes d'exercice modéré avant l'événement susceptible de créer une situation stressante.
	f) Faire de la musculation après le souper.
	g) Faire 30 minutes d'exercice modéré en fin d'après-midi.

7 **ON DIT QUE L'EXERCICE EST LA LOCOMOTIVE DE LA SANTÉ. LEQUEL (LESQUELS) DES ÉNONCÉS SUIVANTS LE DÉMONTRE(NT) ?**

○ **a)** Des études effectuées auprès d'adeptes du jogging et de la muscula-tion ont révélé que 75 % à 80 % de ceux qui fumaient au départ ont abandonné cette habitude en cours de route.

○ **b)** Selon les données recueillies par l'Institut canadien de la recherche sur la condition physique et le mode de vie, les régimes d'entraîne-ment vigoureux freinent l'usage de drogues mieux que tout autre type de programme antidrogue.

○ **c)** L'activité physique s'avère être pour le moral un merveilleux tonique, qui coûte deux fois rien et qui peut être prescrit à toute personne en panne sur le plan émotionnel.

○ **d)** Plus vous ressentirez les bienfaits de l'activité physique, plus vous voudrez améliorer votre mode de vie. Il en va ainsi avec les gens physiquement actifs ; ils ont tendance à surveiller leur alimentation, leur niveau de stress et leur consommation d'alcool et de tabac.

○ **e)** Tous les énoncés le démontrent.

8 **COMPLÉTEZ LES PHRASES SUIVANTES.**

a) Parmi les facteurs de risque _____ (les plus nuisibles) et modifiables de la maladie coronarienne (l'inactivité physique, l'hyper-tension artérielle, un taux élevé de mauvais cholestérol et de trigly-cérides et le tabagisme), l'inactivité physique est de loin le facteur le plus _____ dans la population.

b) Les maladies hypokinétiques sont des problèmes de santé associés à un _____ .

c) Un individu _____ peut perdre jusqu'à _____ g de muscle par année.

d) Le tissu osseux pouvant, comme le tissu musculaire, se _____ , il suffit en général de _____ pour mettre un terme à sa dégradation.

e) Le gras _____ est celui qui pénètre le plus facilement dans le sang.

f) La recherche a clairement démontré que les personnes _____ sont plus souvent _____ , coûtent plus cher à la société en frais médicaux et vivent moins longtemps que les personnes _____ .

9 NOMMEZ CINQ CONSÉQUENCES SUR
LA SANTÉ D'UNE VIE SÉDENTAIRE.

- _____
- _____
- _____
- _____
- _____

10 NOMMEZ CINQ EFFETS BÉNÉFIQUES
SUR LA SANTÉ DE L'EXERCICE.

- _____
- _____
- _____
- _____
- _____

11 NOMMEZ TROIS CANCERS QUE L'EXERCICE
PEUT AIDER À PRÉVENIR.

- _____
- _____
- _____

pour en savoir plus

LECTURES SUGGÉRÉES

- Bernstein, L., B.E. Henderson, R. Hanisch et coll., « Physical exercise and reduced risk of breast cancer in young women », *J. Natl. Cancer Inst.* (1994), 86(18):1403-1408.

- Blair, S.N., H.W. Kohl III, C.E. Barlow, R.S. Paffenbarger Jr, L.W. Gibbons et C.A. Macera, « Changes in physical fitness and all-cause mortality : a prospective study of healthy and unhealthy men », *JAMA* (1995), 273:1093-1098.

- Blair, S.N., H.W. Kohl III, R.S. Paffenbarger Jr, D.G. Clark, K.H. Cooper et L.W. Gibbons, « Physical fitness and all-cause mortality : a prospective study of healthy men and women », *JAMA* (1989), 262: 2395-2401.

- Bouchard, C., R.J. Shepard et T. Stephens, *Physical Activity, Fitness, and Health : Consensus Statement,* Human Kinetics Publishers, 1993.

- D'Amour, Y., *Activité physique, santé et maladie,* Montréal, Québec/Amérique, 1988.

- Kramer M.M., et C.L. Wells, « Does physical activity reduce risk of estrogen-dependent cancer in women ? », *Medicine and Science in Sports and Medicine* (1996), 28(3): 322-334.

- Larouche, R., Mémoire présenté à la Commission des états généraux sur l'éducation au Québec, Éditions L'Impulsion, 1995.

- Lobstein, D.D., B.J. Mosbacher et A.H. Ismail, « Depression as a powerful discriminator between physically active and sedentary middle-aged men », *J. Psychosom. Res.* (1983), 27: 69-76.

- McArdle, W.D., F.I. Katch et V.L. Katch, *Essentials of Exercise Physiology,* Lea & Fibeger, 2000.

- McTiernan A., « Exercise and Breast Cancer : Time to Get Moving ? », *The New England Journal of Medicine* (1997), 336 (18):1311-1314.

- Ornish, D., « Reversing heart disease through diet, exercise, and stress management : an interview with Dean Ornish », *J. Am. Diet. Assoc.* (1991), 91(2):162-165.

- Pate, R.R., et coll., « Physical activity and public health : a recommendation from the Centers for Disease Control and Prevention and the American College of Sports Medicine », *JAMA* (1995), 273:402-407.

- Willmore, J.H., D.L. Costill, « Physiologie du sport et de l'exercice », 2e édition, Paris, De Boeck Université, 2002.

SITES INTERNET À VISITER

Bande sportive.com
http://www.bandesportive.com/

Institut canadien de la recherche sur la condition physique et le mode de vie
http://www.cflri.ca/icrcp/plan/

Kino-Québec
http://www.kino-quebec.qc.ca/

Medicine and Science in Sports and Exercise
http://www.ms-se.com/

Ministère de la Santé et des Services sociaux (Québec)
http://www.msss.gouv.qc.ca/

Pierre Duchesneau, éducateur physique
http://www.collegesherbrooke.qc.ca/~duchenpi/index.html

The Physician and Sport Medicine
http://www.physsportsmed.com/

Santé Canada_Vie saine-Activité physique
http://www.hc-sc.gc.ca/francais/vie_saine/physique.html

bilan

2.1 Votre niveau actuel d'activité physique

Maintenant que vous connaissez les dangers d'une vie sédentaire pour la santé, vous vous posez sûrement la question suivante : suis-je une personne sédentaire ou physiquement active ? Et si vous êtes déjà une personne active, vous vous demandez aussi : mon niveau d'activité physique est-il suffisant pour que j'en retire des bénéfices pour ma santé ? Le bilan qui suit devrait vous aider à répondre à ces questions.

Quantité d'exercice	Niveau d'activité physique	Bénéfices pour la santé	Amélioration des déterminants de la condition physique (chap.10)
○ 1. Je fais moins de 30 minutes d'activité physique d'intensité faible* par jour.	Très faible, mais au moins vous en faites un peu.	Plutôt faibles.	Très faible.
○ 2. Je fais au moins 30 minutes d'activité physique d'intensité faible par jour.	Faible.	Faibles à moyens.	Aucune.
○ 3. Je fais tous les jours ou presque au moins 30 minutes d'activité physique modérée.	Moyen.	Moyens.	Moyenne.
○ 4. Je pratique 2 à 3 fois par semaine, à raison de 30 à 60 minutes, une activité physique d'intensité modérée à élevée.	Moyen à élevé.	Moyens à élevés.	Moyenne à élevée.
○ 5. Je pratique 3 à 5 fois par semaine, à raison de 45 à 75 minutes, une activité physique d'intensité modérée à élevée.	Élevé.	Élevés.	Élevée.
○ 6. Je pratique plus de 5 fois par semaine, à raison de 45 à 90 minutes, une activité physique d'intensité modérée à élevée.	Élevé à très élevé.	Élevés, mais gare au surentraînement. (p. 33)	Élevée à très élevée.

* Vous trouverez dans le Bilan du chapitre 1 une définition des différents niveaux d'intensité de l'activité physique.

2.2 Votre engagement vis-à-vis de l'activité physique

Maintenant que vous avez fait le point sur votre niveau d'activité physique, vous pouvez vous poser la question suivante : que suis-je prêt à faire pour être physiquement plus actif ou pour maintenir mon niveau d'activité si je suis déjà actif ?

Cochez dans le tableau qui suit les engagements que vous souhaitez prendre ; dans un mois, vous cocherez ceux que vous aurez respectés.

Je m'engage à...	Je vais le faire dès maintenant.	Un mois plus tard, je tiens toujours le coup...	Signature d'un témoin (le cas échéant)
marcher le plus souvent possible.			
faire au moins 30 minutes d'activités physiques modérées par jour.			
utiliser l'escalier plutôt que l'ascenseur.			
choisir la marche, la bicyclette ou le patin à roulettes pour les courtes distances.			
éviter de demeurer inactif pendant de longues périodes comme lorsqu'on regarde la télévision ou qu'on fait un travail intellectuel.			
multiplier les occasions de bouger au lieu de les éviter.			
suivre un programme de mise en forme ou m'en faire un sur mesure et l'appliquer.			
pratiquer un sport qui me plaît.			
améliorer mes habiletés motrices pour me donner le goût de pratiquer une activité physique.			
effectuer l'activité suivante : _____ _____			

1. Au total, vous avez pris _____ engagement(s) et vous en avez respecté _____ .

2. Pour quelle raison n'avez-vous pas, le cas échéant, respecté certains de vos engagements?

○ J'ai manqué de temps.

○ J'ai manqué de motivation.

○ Je n'étais pas aussi prêt à passer à l'action que je le pensais.

○ Il aurait fallu que je ne sois pas seul dans ma démarche.

○ Autre(s) raison(s) : _____

3. Finalement, croyez-vous être capable de faire de la pratique régulière de l'activité physique une habitude de vie?

Expliquez brièvement votre réponse.

_____

_____

_____

_____

Malbouffe ou bonne bouffe?

chapitre 3

Objectifs

- Déterminer les écarts alimentaires les plus fréquents.

- Décrire les conséquences de ces écarts alimentaires sur la santé.

- Expliquer la notion d'alimentation saine à partir du concept des pyramides alimentaires.

- Déterminer six façons concrètes d'améliorer ses habitudes alimentaires.

- Expliquer en quoi les régimes amaigrissants sont néfastes pour la santé.

- Faire le bilan de son alimentation et y apporter des correctifs à court terme s'il y a lieu.

Aujourd'hui, peu de gens ignorent que la santé va de pair avec une alimentation saine. C'est que la recherche scientifique a prouvé, ces dernières années, le rapport de causalité entre alimentation et santé et que ce savoir a été largement diffusé. Pourtant, selon les enquêtes nutritionnelles les plus récentes, le régime alimentaire des Québécois, comme de l'ensemble des Nord-Américains, comprend généralement encore trop de gras, trop de sel, trop de sucre, et reste trop pauvre en fruits, en légumes et en céréales à grains entiers. Ce type de régime alimentaire inadéquat, que nous appellerons malbouffe*, mène tout droit à l'athérosclérose, au diabète de type 2, à certains types de cancer, à l'hypertension artérielle et à l'obésité (tableau 3.1). Il faut aussi souligner que, à cause de ses effets catastrophiques sur la santé, la malbouffe est une des causes principales de l'explosion des coûts de santé sur le continent nord-américain.

> **Mange en mars du poireau et en mai de l'ail sauvage. Et toute l'année d'après, le médecin se tournera les pouces.**
> Vieux dicton gallois

TABLEAU
3.1 Alimentation et santé : un lien étroit

Si votre régime alimentaire est...	...vous courez le risque de souffrir un jour des problèmes de santé suivants :
trop riche en calories par rapport à votre dépense énergétique	athérosclérose, hypertension, obésité, ostéoarthrite (membres inférieurs), diabète de type 2 et certains cancers (sein, côlon, prostate, endomètre, vessie et rein)
trop riche en mauvais gras (gras saturés et hydrogénés)	athérosclérose et, selon certaines recherches, cancer du sein, du côlon et de la prostate
trop riche en sel	hypertension
trop riche en sucres raffinés*	diabète de type 2, athérosclérose
trop pauvre en fruits et légumes	certaines maladies cardiovasculaires et certains cancers
trop pauvre en produits céréaliers à grains entiers	constipation chronique, diverticulose et maladies cardiovasculaires

* On fait référence ici aux sucres simples à assimilation rapide (sucre blanc granulé, sucre brun, sucre liquide) qu'on retrouve, souvent en grandes quantités, dans les aliments préparés, les sucreries et les boissons gazeuses.

* Stella et Joël de Rosnay ont traité de ce sujet dans leur ouvrage intitulé *La Mal Bouffe* (Olivier Orban, 1979).

S'il décourage à première vue, ce constat nous permet cependant de reconnaître clairement nos écarts alimentaires. Pour manger mieux, il suffit de corriger ces écarts. Cela ne veut pas dire qu'il faut manger le moins possible, compter ses calories à chaque repas, peser ses portions, mettre une croix sur le burger double ou encore suivre un régime amaigrissant (p. 57). Au contraire, ces solutions peuvent même conduire à l'obsession, voire à des troubles alimentaires graves comme l'anorexie et la boulimie (Zoom).

Quelles sont alors les actions concrètes qui permettraient de corriger ces écarts sans tomber dans d'autres excès? Avant de répondre à cette question, il faut ouvrir une parenthèse et se demander à quoi nous servent les aliments.

Le rôle crucial
des aliments

Les aliments que nous absorbons jour après jour sont transformés en substances qui fournissent de l'énergie aux cellules et assurent la croissance, le bon fonctionnement et la réparation des tissus. On appelle ces substances des **nutriments.** De fait, une grande partie des aliments deviennent une source d'énergie, c'est-à-dire qu'ils sont transformés en ATP, la forme d'énergie chimique qui alimente les activités de la cellule. Il sera davantage question de cette source d'énergie universelle au chapitre 7.

Les experts en nutrition ont regroupé ces nutriments essentiels à une bonne santé en **six grandes familles**: les glucides, les lipides, les protéines, les vitamines, les minéraux et l'eau. Le tableau 3.2 explique à quoi sert chacun de ces nutriments et où on peut les trouver. Une description détaillée des propriétés des vitamines et des minéraux est proposée dans le Compagnon Web.

Des solutions toutes simples
pour mieux manger

Fermons maintenant la parenthèse et revenons à la question posée précédemment: «Quelles sont les actions concrètes qui permettraient de corriger ces écarts alimentaires sans tomber dans d'autres excès?» La première action concrète est en fait une démarche. Il s'agit de comparer votre alimentation avec un modèle d'alimentation saine reconnu par les nutritionnistes.

Chose surprenante, il n'y a pas de modèle unique, mais plusieurs modèles. Les figures 3.1 à 3.3 (p. 48 à 50) en présentent trois, sous la forme de pyramides alimentaires: la **pyramide canadienne**, la **pyramide méditerranéenne** et la **pyramide asiatique**. Ces pyramides ont un point en commun: les unes comme les autres, d'après la recherche, améliorent le bien-être et l'espérance de vie en bonne santé dans la mesure où elles garantissent un apport varié et complet d'aliments appartenant aux six grandes familles de nutriments.

ZOOM
ZOOM

Les cas d'anorexie et de boulimie en hausse

L'insistance, pour ne pas dire l'obsession, des médias et des publicistes à nous présenter des ventres ultra-plats, des tailles de guêpes et des mannequins ultra-maigres pourrait expliquer en grande partie la montée dans notre société de deux troubles alimentaires graves : l'anorexie et la boulimie. Au Canada, les statistiques montrent que plus de 200 000 personnes de 13 à 40 ans souffrent de ces troubles alimentaires. Il s'agit d'une hausse de 600 % en 30 ans, selon l'Association québécoise d'aide aux personnes souffrant d'anorexie nerveuse et de boulimie. Il y a pis encore : le taux de mortalité chez les anorexiques au Québec n'a pas baissé depuis 20 ans, il se situe toujours autour de 15 %.

L'anorexie se caractérise par une recherche obsessionnelle de la minceur et l'adoption d'un régime alimentaire hypocalorique. Les personnes anorexiques – la plupart du temps des adolescentes – subissent une importante perte de poids à la suite de privations et d'un excès d'exercice physique. Elles sont généralement insatisfaites de leur image corporelle, glorifient la minceur et s'alimentent très peu, de peur de perdre le contrôle sur leur poids. Les signes annonciateurs de l'anorexie sont :

• une perte de poids sensible (au moins 15 % du poids normal, sans raisons médicales connues) ;
• des préoccupations et des obsessions par rapport aux aliments à faible teneur en gras ou en calories ;
• l'apparition de rituels et d'habitudes alimentaires particulières ;
• l'exercice pratiqué de manière excessive ;

• un retrait social et émotif ;
• la peur de devenir gros ou grosse ;
• une perception erronée de son image corporelle (se voir comme une personne grosse alors qu'on est déjà très amaigrie).

La boulimie, elle, se caractérise par des épisodes de rage alimentaire au cours desquels de grandes quantités de nourriture sont avalées en peu de temps. La personne boulimique utilise ensuite des moyens pour débarrasser son corps de l'excès de nourriture en se faisant vomir, en utilisant des laxatifs ou des diurétiques, en prenant des coupe-faim, ou encore en faisant beaucoup d'exercice. Cette maladie touche la plupart du temps les femmes, mais on la retrouve aussi chez les hommes. Les signes de la boulimie sont :

• des épisodes de rage alimentaire ;
• des comportements associés à la purge tels que des vomissements provoqués, l'usage de laxatifs ou de diurétiques, des marathons d'exercice ;
• des sautes d'humeur fréquentes ;
• un gonflement inhabituel près de la mâchoire (hypertrophie des glandes salivaires) ;
• le retrait des activités normales ou l'isolement.

La gravité de ces troubles alimentaires exige une intervention rapide pour aider les personnes boulimiques ou anorexiques à se défaire de ces comportements autodestructeurs. On trouvera, à la fin de ce chapitre, sous la rubrique **Pour en savoir plus**, des suggestions de lecture et des sites Internet sur le sujet.

TABLEAU

3.2

Les six grandes familles
de nutriments

Nutriments	À quoi servent-ils?	Où les trouve-t-on?
Glucides	Alimentent en énergie les cellules nerveuses, les globules rouges et les muscles pendant l'effort physique.	**Glucides complexes:** fruits, légumes, lait, grains. **Glucides simples:** sucreries.
Lipides	Entrent dans la constitution des membranes cellulaires et des fibres nerveuses. Fournissent jusqu'à 70% de l'énergie du corps au repos. Facilitent l'absorption des vitamines liposolubles. Servent d'isolant contre le froid et de coussin protecteur pour les organes.	**Lipides insaturés:** huiles végétales (maïs, tournesol, olive, etc.), graines, noix, poissons. **Lipides saturés:** produits animaux (viande et produits laitiers), huiles de palme et de coco, huiles hydrogénées.
Protéines	Constituent le matériau de base des cellules. Participent à la formation de l'hémoglobine, des anticorps, des enzymes et des hormones. Servent à la croissance, à la réparation et à la reconstitution des différents tissus.	Produits animaux (viande rouge, poisson, volaille, fruits de mer, œufs et produits laitiers), légumineuses et noix.
Vitamines	Rendent possible l'utilisation des glucides, des lipides et des protéines par les cellules. Accélèrent les réactions chimiques.	Fruits, légumes, grains, poisson et produits animaux.
Minéraux	Renforcent certaines structures (dents, squelette). Contribuent au bon fonctionnement de l'organisme.	En quantité variable, dans presque tous les aliments que nous consommons.
Eau	Constitue de 50 % à 60% du poids d'un adulte. Est le deuxième élément vital, après l'oxygène.	Eau du robinet, jus, fruits, légumes, boissons de toutes sortes.

Les trois pyramides se distinguent toutefois sur certains points. Ainsi, la pyramide canadienne est d'une grande précision en ce qui a trait aux nombres minimal et maximal de portions par jour. Les quantités sont même précisées. Les deux autres pyramides ont une approche moins directive : elles ne donnent que le nombre de fois par jour, par semaine ou par mois que l'on doit manger tel ou tel aliment. On se fie au bon jugement de la personne en ce qui a trait aux quantités. Autre différence, la pyramide canadienne rassemble dans la même catégorie les viandes et leurs substituts (légumineuses et grains entiers). Les deux autres pyramides placent plutôt les viandes et leurs substituts dans des catégories distinctes ; les viandes sont même subdivisées en trois catégories (viande rouge, volaille, poisson et fruits de mer) ; de plus, la consommation de viande rouge est limitée à une fois par mois.

La pyramide canadienne

DESSERTS ET SUCRERIES: **À L'OCCASION**

Fromage
50 g

2 tranches

Yogourt
175 g

250 mL

PRODUITS LAITIERS: **2 À 4 PORTIONS** PAR JOUR*

Tofu
100 g

Haricots
125 à 150 mL

1 ou 2 œufs

Viande ou volaille
50 à 100 g

Beurre d'arachides
2 c. à soupe

Poisson
50 à 100 g

VIANDE ET SUBSTITUTS: **2 À 3 PORTIONS** PAR JOUR*

Un légume
ou un fruit
de grosseur
moyenne

Salade
250 mL

Jus 125 mL

Légumes ou fruits
surgelés ou en
conserve 125 mL

LÉGUMES ET FRUITS: **5 À 10 PORTIONS** PAR JOUR*

Céréales
30 g

Une
tranche
de pain

Un petit
pain

Un pain
pita

1 bagel

Pâtes
alimentaires

Riz

PRODUITS CÉRÉALIERS: **5 À 12 PORTIONS** PAR JOUR*

ACTIVITÉ PHYSIQUE QUOTIDIENNE

* Si vous êtes physiquement actif ou enceinte, le nombre de portions devrait se rapprocher du maximum.

FIGURE 3.2 La pyramide
méditerranéenne

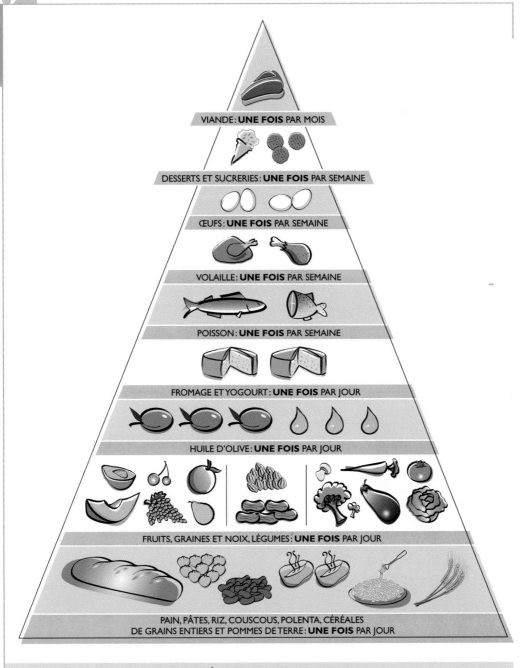

VIANDE: **UNE FOIS** PAR MOIS

DESSERTS ET SUCRERIES: **UNE FOIS** PAR SEMAINE

ŒUFS: **UNE FOIS** PAR SEMAINE

VOLAILLE: **UNE FOIS** PAR SEMAINE

POISSON: **UNE FOIS** PAR SEMAINE

FROMAGE ET YOGOURT: **UNE FOIS** PAR JOUR

HUILE D'OLIVE: **UNE FOIS** PAR JOUR

FRUITS, GRAINES ET NOIX, LÉGUMES: **UNE FOIS** PAR JOUR

PAIN, PÂTES, RIZ, COUSCOUS, POLENTA, CÉRÉALES
DE GRAINS ENTIERS ET POMMES DE TERRE: **UNE FOIS** PAR JOUR

ACTIVITÉ PHYSIQUE QUOTIDIENNE

© 2000 Oldways Preservation & Exchange Trust.

3.3 La pyramide asiatique

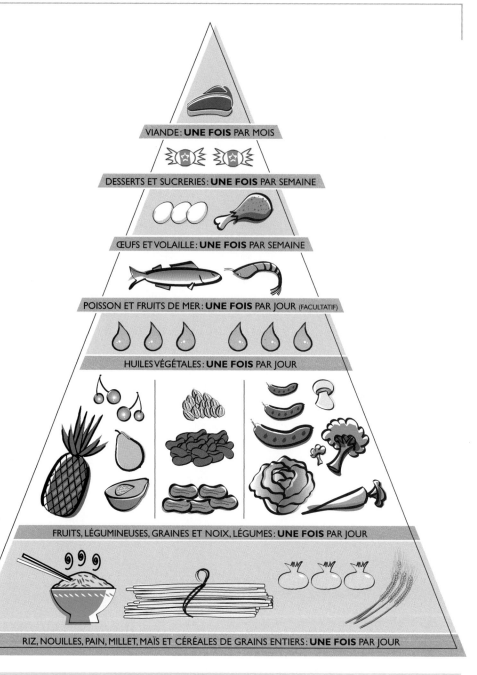

VIANDE : **UNE FOIS** PAR MOIS

DESSERTS ET SUCRERIES : **UNE FOIS** PAR SEMAINE

ŒUFS ET VOLAILLE : **UNE FOIS** PAR SEMAINE

POISSON ET FRUITS DE MER : **UNE FOIS** PAR JOUR (FACULTATIF)

HUILES VÉGÉTALES : **UNE FOIS** PAR JOUR

FRUITS, LÉGUMINEUSES, GRAINES ET NOIX, LÉGUMES : **UNE FOIS** PAR JOUR

RIZ, NOUILLES, PAIN, MILLET, MAÏS ET CÉRÉALES DE GRAINS ENTIERS : **UNE FOIS** PAR JOUR

ACTIVITÉ PHYSIQUE QUOTIDIENNE

© 2000 Oldways Preservation & Exchange Trust.

En faisant le bilan de votre alimentation à partir des indications de la page 69, vous pourrez choisir de comparer votre alimentation avec l'une ou l'autre de ces pyramides, puisque leurs effets bénéfiques sur la santé s'équivalent. Si ce bilan révèle un ou plusieurs écarts alimentaires, voici cinq autres actions concrètes pour les corriger.

1. Coupez d'abord dans le mauvais gras.

Aujourd'hui, sur les 2 000 et quelques calories que nous consommons en moyenne chaque jour, presque 35 % proviennent d'aliments gras, alors que cette proportion n'était que de 27 % au début du XXe siècle! C'est trop, disent les experts, qui recommandent de réduire la proportion de gras à moins de 30 %. Mais attention, il y a du bon et du mauvais gras. Les nutritionnistes canadiens et américains s'entendent pour dire que c'est la proportion de mauvais gras qu'il faut surtout réduire. En fait, la proportion de mauvais gras ne devrait pas dépasser 10 % de notre consommation calorique quotidienne.

Le mauvais gras, ou gras saturé. Ce type de gras obstrue les artères en formant des plaques de graisse (**athéromes**). Il est aussi associé à l'hypertension artérielle, au cancer du côlon, du rectum, de la prostate, du sein et des ovaires. Le **mauvais gras** se retrouve principalement dans les aliments d'origine animale (lait, beurre, yogourt, viande et charcuterie), les fritures, les croustilles, les frites, les craquelins et les produits à base d'huiles durcies ou hydrogénées. Ces dernières sont issues d'un procédé industriel, l'**hydrogénation**, qui consiste à ajouter de l'hydrogène à l'huile liquide afin de la rendre solide. Or, l'huile hydrogénée contient une forme de gras saturés, les **acides gras trans**, qui comptent parmi les plus nuisibles à la santé. Le beurre d'arachide commercial est un exemple classique de produit hydrogéné. À l'état naturel, il contient une huile qui tend à remonter à la surface; il faut alors brasser le tout pour le rendre homogène. L'industrie alimentaire a résolu le problème en hydrogénant le produit. Résultat: le beurre d'arachide industriel reste toujours ferme et homogène; par contre, il est aussi désormais très riche en huile hydrogénée. Heureusement, les fabricants mettent sur le marché de plus en plus de produits contenant peu d'huile hydrogénée, voire n'en contenant pas du tout. C'est une bonne nouvelle pour nos artères!

Le bon gras, ou gras insaturé. Ce type de gras est essentiel au bon fonctionnement du corps; il ne favorise pas le cancer, ne bouche pas les artères et constitue même un fabuleux réservoir d'énergie. En effet, gramme pour gramme, le gras contient deux fois plus de calories que le sucre ou les protéines, tout en occupant moins d'espace dans les cellules. Le **bon gras** (comprenant notamment les acides gras essentiels oméga 3 et 6, que notre corps ne fabrique pas) abonde dans les huiles végétales (huiles de canola, d'olive, de soya, de tournesol, de maïs, etc.), les noix, les graines et le poisson. Si vous consommez régulièrement ces aliments, vous ingérez par le fait même beaucoup de bon gras. Celui-ci se trouve sous deux formes, toutes deux utiles à l'organisme: le gras **monoinsaturé** et le gras **polyinsaturé**.

Comment réduire à 10% ou moins la proportion de mauvais gras dans l'apport calorique quotidien? Il vous est toujours possible de tout calculer au gramme près en mangeant avec une calculatrice et une balance à vos côtés, mais cela risquerait de vous couper l'appétit. Vous obtiendrez d'aussi bons résultats en réduisant globalement votre consommation d'aliments riches en gras saturés ou hydrogénés. En clair, consommez un peu moins de hamburger-frites, de poutines, de croustilles, de charcuterie, de viandes grasses et de poulet pané, et consommez un peu plus de produits laitiers légers (lait, yogourt, crème glacée à 1 % ou à 2 %), d'huiles végétales vierges, de viandes maigres (volaille, gibier, veau, etc.), de poisson frais et de fruits de mer (figure 3.4).

3.4 FIGURE   Bon gras, mauvais gras

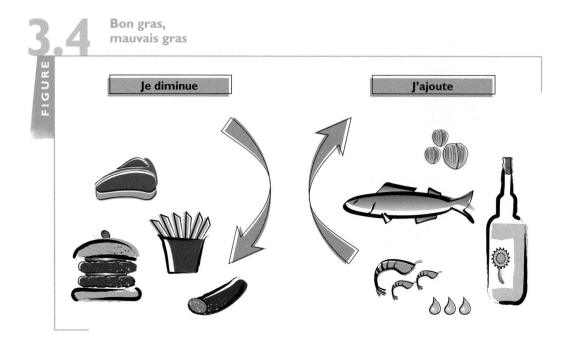

Je diminue

J'ajoute

Quant à l'**huile hydrogénée**, il faut la détecter en lisant la liste des ingrédients et l'étiquette nutritionnelle imprimées sur l'emballage des aliments préparés (figure 3.5), puisqu'elle n'existe pas à l'état naturel. Chaque fois que l'un ou l'autre des termes «hydrogéné», «partiellement hydrogéné», «shortening végétal» ou «lipides trans» apparaît sur la liste des ingrédients ou sur l'étiquette nutritionnelle, changez de produit si vous le pouvez. Étonnamment, certaines barres de céréales «santé» contiennent de tels produits. Plus vous boycotterez ces produits, plus les fabricants les remplaceront par des produits plus sains. La nouvelle étiquette nutritionnelle de Santé Canada comprend désormais des informations sur les types de gras (y compris les gras trans), la quantité de glucides simples (sucres) et de fibres alimentaires, les apports en vitamines A et C, en calcium et en fer.

FIGURE 3.5 — Lisez les emballages pour dépister l'huile hydrogénée

A. Lisez la liste des ingrédients.

Pot de beurre d'arachide industriel
INGRÉDIENTS : arachides, solides de glucose, sel, huile végétale hydrogénée.

Pot de beurre d'arachide 100 % naturel
INGRÉDIENTS : arachides.

B. Lisez aussi l'étiquette nutritionnelle.

Valeur nutritive	
pour 1 tasse (264 g)	
Quantité	% valeur quotidienne
Calories 260	
Lipides 13 g	**20 %**
Saturés 3 g	**25 %**
+ Trans 2 g	
Cholestérol 30 mg	
Sodium 660 mg	**28 %**
Glucides 31 g	**10 %**
Fibres 0 g	**0 %**
Sucres 5 g	**0 %**
Protéines 5 g	
Vitamine A 4 %	Vitamine C 2 %
Calcium 15 %	Fer 4 %

2. Colorez vos assiettes avec des fruits et des légumes.

Dire que les fruits et les légumes sont bons pour notre santé est l'évidence même. C'est que, sous leur forme naturelle, ces aliments contiennent une grande quantité de vitamines, de minéraux et de fibres alimentaires, lesquels diminuent les risques de cancer. Les fruits et légumes regorgent aussi de **glucides complexes** — des sucres à assimilation lente qui régularisent l'appétit et le taux de sucre dans le sang — et de substances qu'on ne retrouve pas dans d'autres aliments : stérols, flavonoïdes et certains composés sulfurés qui abaissent le taux de **mauvais cholestérol** dans le sang (LDL). Voici une suggestion à la portée de tous : partez chaque matin en apportant un ou deux fruits ou légumes (une carotte, par exemple) que vous croquerez en vous rendant au cégep ou au travail. Après quelques jours, cette obligation deviendra une bonne habitude à laquelle vous prendrez plaisir.

3. Mangez davantage de céréales à grains entiers et de légumineuses.

La principale qualité des céréales à grains entiers (blé, orge, riz, millet, sarrasin, soya, avoine, etc.) et des légumineuses (haricots, lentilles, pois chiches, etc.), c'est leur grande richesse en fibres alimentaires. Ces résidus, longtemps considérés comme inutiles parce que le système digestif ne peut les assimiler, abaissent le taux de mauvais cholestérol, préviennent les hémorroïdes, combattent la constipation aussi bien qu'un laxatif, abondent en vitamines E et B, et, surtout, semblent réduire les risques de souffrir d'un cancer du côlon. Il existe deux types de fibres alimentaires : les fibres solubles et les fibres insolubles. Les **fibres solubles** (avoine et orge, en particulier) attirent les molécules de cholestérol et les entraînent avec elles dans les matières fécales. Les **fibres insolubles** (son de blé, surtout) rendent les selles plus molles, ce qui facilite leur évacuation et diminue par le fait même le temps de contact des substances potentiellement cancérigènes avec la paroi des intestins.

Les fibres aident aussi à combattre une maladie de plus en plus répandue en Occident : la **diverticulose**. Celle-ci se caractérise par la formation de petites poches à même la paroi des intestins. Ces cavités, appelées diverticules, sont de véritables nids à infection, sans compter qu'elles peuvent se déchirer et infecter l'intérieur de l'abdomen. La popularité grandissante des repas préparés, habituellement pauvres en fibres alimentaires, pourrait expliquer la montée de cette maladie. Ce type de repas produit en effet des selles dures, ce qui rend leur évacuation difficile. La pression sur les parois intestinales étant plus forte, il arrive que celles-ci cèdent par endroits et forment des diverticules.

Nous devrions consommer chaque jour au moins 30 g de fibres pour pouvoir profiter pleinement de leurs bienfaits. Hélas ! nous n'en consommons en moyenne que 15 g ! Pour atteindre la quantité recommandée, il suffit de manger plus souvent des aliments riches en fibres (tableau 3.3). Si vous n'avez pas l'habitude de consommer beaucoup de fibres, ajoutez-les graduellement à votre alimentation et buvez beaucoup d'eau (6 à 8 tasses par jour) afin d'éviter les ballonnements. Le tableau 3.4 indique comment passer, graduellement, d'une alimentation pauvre en fibres à une alimentation riche en fibres. Un dernier conseil : jetez vos laxatifs si vous avez l'habitude d'en prendre. Des études récentes indiquent qu'en plus de rendre les intestins paresseux, ils pourraient être cancérigènes.

TABLEAU 3.3 Quelques aliments très riches en fibres alimentaires

Aliments (en portions)	Contenu en fibres (en grammes)
125 mL (1/2 tasse) de céréales à base de son de blé	14,0
3 figues séchées de grosseur moyenne	13,9
125 mL de haricots rouges cuits	7,5
125 mL de haricots blancs cuits	6,8
5 dattes séchées de grosseur moyenne	6,7
125 mL de pois cuits	4,7
1 poire moyenne avec peau	4,7
1 tige de brocoli cru	4,2
250 mL de spaghettis de blé entier cuits	3,9
125 mL de lentilles cuites	3,7
125 mL d'avoine cuite	3,7

TABLEAU

3.4

Comment faire passer sa consommation
quotidienne de fibres de 15 g à plus de 30 g?

Menu faible en fibres	Fibres	Menu riche en fibres	Fibres
DÉJEUNER			
125 mL (1/2 tasse) de jus d'orange frais	0,2 g	1 orange	2,4 g
250 mL (1 tasse) de flocons de maïs	0,8 g	2 gros biscuits de blé filamenté	6,6 g
125 mL (1/2 tasse) de lait 2 %	---	125 mL (1/2 tasse) de lait 2 %	---
1 rôtie de pain blanc	0,4 g	1 rôtie de pain de blé entier	2,7 g
15 mL (1 c. à soupe) de beurre d'arachide crémeux	0,9 g	15 mL (1 c. à soupe) de beurre d'arachide croquant	1,1 g
Café au lait	---	Café au lait	---
Sous-total	**2,3 g**	Sous-total	**12,8 g**
DÎNER			
250 mL (1 tasse) de jus de tomate	1,7 g	125 mL (1/2 tasse) de carottes miniatures	1,9 g
Salade de poulet et riz	0,8 g	Salade de poulet Waldorf :	4,9 g
• 90 g (3 oz) de poulet		• 90 g (3 oz) de poulet	
• 250 mL (1 tasse) de laitue Iceberg hachée		• 250 mL (1 tasse) de laitue romaine hachée	
• 125 mL (1/2 tasse) de riz blanc		• 1/2 pomme avec peau en cubes	
• Vinaigrette		• 125 mL (1/2 tasse) de raisins frais	
		• 15 mL (1 c. à soupe) de noix de Grenoble hachées	
		• 125 mL (1/2 tasse) de riz brun	
		• Vinaigrette	
125 mL (1/2 tasse) de yogourt à la vanille		125 mL (1/2 tasse) de yogourt à la vanille et 4 demi-abricots secs hachés	1,0 g
Sous-total	**2,5 g**	Sous-total	**7,8 g**
COLLATION			
1 kiwi	2,6 g	1 kiwi	2,6 g
Sous-total	**2,6 g**	Sous-total	**2,6 g**
SOUPER			
200 mL (3/4 tasse) de crème de poireaux	2,6 g	200 mL (3/4 tasse) de crème de poires et poireaux	3,1 g
1 petit pain croûté	1,0 g	1 petit pain multigrains	2,0 g
90 g (3 oz) de saumon grillé	---	90 g (3 oz) de saumon grillé	---
125 mL (1/2 tasse) de pommes de terre en purée	2,2 g	1 pomme de terre au four entière avec peau	4,6 g
125 mL (1/2 tasse) de fleurons de brocoli cuits à la vapeur	2,0 g	125 mL (1/2 tasse) de fleurons de brocoli cuits à la vapeur avec 15 mL (1 c. à soupe) d'amandes grillées	2,6 g
Pêche Melba (2 demi-pêches, crème glacée aux fraises, biscuits au beurre)	1,6 g	Pêche melba (2 demi-pêches, crème glacée aux fraises, biscuits Graham)	1,8 g
Tisane à la framboise	---	Tisane à la framboise	---
Sous-total	**9,4 g**	Sous-total	**14,1 g**
TOTAL POUR LA JOURNÉE	**16,8 g**		**37,3 g**

4. Salez moins.

Nous avons besoin de sel comme nous avons besoin de gras. Par exemple, pour que nos muscles et nos nerfs fonctionnent bien, notre corps a besoin d'une certaine quantité de sodium. Notre régime alimentaire lui fournit généralement plus que la dose nécessaire. En fait, nous consommons en moyenne l'équivalent de trois à quatre cuillerées à thé de sel par jour, alors qu'une seule suffirait à combler nos besoins. Notre penchant pour les aliments préparés, les produits en conserve, la restauration rapide, les viandes transformées, les sauces, les croustilles et les produits de boulangerie commerciaux (craquelins, gâteaux, etc.) explique en grande partie l'excès de sel dans notre alimentation. Au total, 75 % du sel que nous consommons aujourd'hui provient des produits alimentaires industriels déjà salés. Seulement 10 % du sel consommé est fourni naturellement par les aliments, et 15 % est ajouté par le consommateur même. La consommation du sel est donc devenue passive, puisque c'est en grande partie l'industrie alimentaire — plutôt que le consommateur — qui décide quelle quantité de sel est ajoutée aux aliments.

Une forte consommation pose problème parce que le sel augmente le risque d'hypertension artérielle chez certaines personnes. Il semble, en effet, que 10 % à 20 % de la population est particulièrement susceptible de souffrir de cette maladie, en raison d'une hypersensibilité au sel — comparable à l'hypersensibilité au pollen chez d'autres. Hélas! on ne peut savoir qui est hypersensible au sel et qui ne l'est pas. Il est donc sage de modérer sa consommation de sel. Pour y arriver :

- goûtez vos aliments avant de les saler ;
- remplacez le plus souvent possible le sel par des épices, des fines herbes, quelques gouttes de citron, de l'ail ou de l'oignon ;
- diminuez votre consommation d'aliments transformés (dîners congelés, pizzas, soupes en sachet, etc.), notamment les repas excessivement salés des grandes chaînes de restaurants-minute.

5. Enfin, de grâce, déjeunez !

Si vous faites partie des 40 % de Québécois qui ne déjeunent pas, vous sautez le repas probablement le plus important de la journée. Plusieurs études confirment, en effet, que prendre un bon déjeuner le matin permet de fournir un meilleur rendement scolaire, d'avoir plus d'énergie au cours d'éducation physique et aussi d'apprendre avec plus de facilité au lieu de s'endormir à 11 heures à la bibliothèque ou pendant un cours, à cause du coup de pompe causé par un taux de sucre trop bas (**hypoglycémie**) ! Comme l'expriment si bien les racines du mot — dé- et jeûner —, en prenant un repas le matin on met fin à un jeûne de plusieurs heures, ce qui favorise la remontée de la glycémie à un niveau optimal avant de se remettre au travail.

De plus, en ne déjeunant pas, on risque à la longue de ralentir son **métabolisme de base**, c'est-à-dire l'énergie dépensée par le corps au repos pour maintenir les fonctions vitales (respiration, rythme cardiaque, élimination des déchets cellulaires, etc.). Or, un métabolisme plus lent fait qu'on brûle moins de calories à la minute pour ses besoins vitaux et donc qu'on stocke davantage de calories jour après jour, ce qui peut faire prendre du poids.

Sauter son déjeuner, enfin, c'est perdre une belle occasion de commencer la journée par une bonne dose de vitamines, de minéraux, de fibres et de calcium. Par exemple, un simple bol de céréales à grains entiers accompagné de lait et d'un fruit ou de jus de fruits satisfait plus de 33 % des besoins quotidiens en fibres alimentaires et plus de 30 % des besoins en vitamines A, B et C, sans compter les apports substantiels en fer, en zinc, en magnésium, en potassium, en phosphore et en calcium. Un bon déjeuner fournit donc de 30 % à 40 % des nutriments nécessaires pour vivre en bonne santé. Alors, au lieu de le sauter, consultez nos suggestions de déjeuners pour personnes pressées à la page 59. Vous en trouverez sûrement une qui vous conviendra.

L'arnaque
des régimes miracle

« Fantastique ! j'ai perdu 7 kilos en 5 semaines ! » « Je fonds à vue d'œil ! » « Après une semaine, je pèse déjà 2 kilos de moins ! » « Mes vêtements ne me vont plus ! » Ces commentaires enthousiastes émanent de personnes qui ont suivi un régime amaigrissant et qui ont effectivement perdu du poids, beaucoup de poids. Il ne peut en être autrement quand on supprime 500, 700, voire 1 000 calories dans son alimentation quotidienne ! Ces régimes miracle proposent tous une réduction substantielle de l'apport énergétique quotidien, proposition intégrée la plupart du temps à une démarche prétendument scientifique, mais en réalité tout à fait farfelue. Ce manque de rigueur scientifique a permis de générer une multitude de régimes : au jus de raisin, aux pamplemousses, aux œufs, aux glucides, à l'index glycémique, aux protéines liquides, aux lipides, voire au vinaigre ! Certains gourous de l'industrie des régimes vont même jusqu'à prêcher que, pour perdre du poids, ce qui compte, ce n'est pas la quantité totale d'aliments qu'on absorbe, mais l'ordre dans lequel on les absorbe ! De quoi rendre perplexes les coureurs de marathon ultra-minces qui mangent glucides, lipides et protéines dans l'ordre le plus aléatoire !

Malheureusement pour les personnes qui croient encore au père Noël, si les régimes ont du succès à court terme, ils sont un échec retentissant à long terme. Neuf fois sur dix, ceux qui ont suivi un régime reprennent le poids perdu. Déçus, ils en essaient un autre, puis un autre, faisant ainsi, tour à tour, descendre et monter leur poids comme s'il s'agissait d'un yo-yo ! Pis encore, une étude révèle que, après 20 ans de régimes, les personnes sont finalement plus grasses qu'au début de leur aventure hypocalorique (figure 3.6).

Pourquoi cet échec ? C'est simple. Chez les personnes qui suivent un régime, la reprise du poids perdu est facilitée par la baisse du métabolisme de base. En effet, tout régime hypocalorique impose à l'organisme une coupure calorique qui le force à passer en mode « écono », question de réduire la dépense énergétique et d'assurer ainsi la survie des fonctions vitales. Ce mécanisme de protection est

FIGURE

3.6

**Les régimes amaigrissants
qui font engraisser**

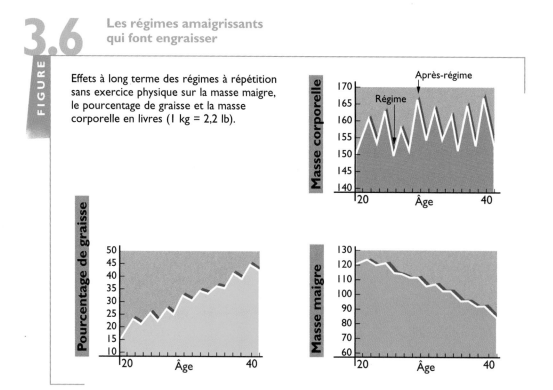

Effets à long terme des régimes à répétition
sans exercice physique sur la masse maigre,
le pourcentage de graisse et la masse
corporelle en livres (1 kg = 2,2 lb).

même inscrit dans les gènes. Plus la coupure calorique est importante, plus le métabolisme ralentit. Par exemple, les régimes à moins de 1 000 calories par jour peuvent provoquer, en très peu de temps, une chute de l'activité métabolique de 45 % !

Si les régimes n'étaient qu'inefficaces, il n'en résulterait, après tout, qu'une perte de temps et d'argent. Mais ils sont aussi malsains. Ils affectent d'abord notre psychisme. Expérimenter une panoplie de régimes — pas toujours jojo — pour constater en bout de ligne qu'on est aussi gras qu'au début peut nous rendre d'humeur désagréable et très irritable, voire nous plonger dans une profonde déprime. En outre, les régimes amaigrissants contribuent à l'apparition de troubles alimentaires comme l'anorexie et la boulimie. Ces plans anti-kilos, parfois tout simplement insensés, affectent aussi notre santé physique, car ils provoquent une fonte du tissu musculaire. Privé de l'apport habituel en calories, l'organisme se protège en ralentissant le métabolisme (comme il a été dit), et aussi en ménageant les réserves de glucose, une source d'énergie capitale pour le cerveau. L'organisme doit alors faire appel davantage aux protéines des muscles pour s'approvisionner en carburant énergétique. Dans le cas des régimes sévères (1 000 calories et moins par jour), la fonte des muscles peut représenter jusqu'à 25 % du poids perdu. Cette fonte musculaire s'accompagne d'une importante perte d'eau, ce qui explique la baisse rapide du poids qu'on observe dans les premiers jours d'un régime. Comble de malheur, la diminution de la masse musculaire accentue, à son tour, le ralentissement du métabolisme de base déjà observé. C'est que le muscle est un tissu très actif dans le processus métabolique. Si la masse musculaire diminue, le métabolisme ralentit forcément. On estime que, pour chaque demi-kilo de muscle perdu, on accumule de 30 à 40 calories supplémentaires par jour, et ce, même si on ne mange pas plus qu'avant.

De plus, les régimes n'affecteraient pas que les muscles : ils affaibliraient aussi les os, comme l'indique une étude menée pendant 18 mois auprès de 230 femmes et parue dans l'*American Journal of Clinical Nutrition*. Au terme de l'étude, les femmes du groupe avec régime (115 participantes) avaient perdu deux fois plus de densité osseuse à la hanche que celles du groupe sans régime (121 participantes).

En somme, 40 ans de régimes miracle et 50 milliards de dollars plus tard, les Nord-Américains ne sont pas plus maigres ; ils sont, au contraire, plus gras. Le régime hypocalorique n'est assurément pas une approche saine et il ne permet même pas de perdre efficacement du poids. La solution alors ? Adopter un régime qui colle à l'une des pyramides alimentaires et, surtout, brûler davantage de calories, puisque le problème causant l'embonpoint se situe plus à la sortie (la dépense de calories) qu'à l'entrée (l'absorption de calories).

Quelques repas
à se mettre sous la dent

Il est de mise de terminer un chapitre sur l'alimentation par des mesures concrètes pour vous amener à corriger vos écarts alimentaires, s'il y a lieu de le faire bien sûr. Nous vous proposons donc des repas qui s'inspirent des trois pyramides alimentaires. Vous trouverez aussi sur le site des diététistes du Canada (voir à la fin du chapitre la rubrique « Pour en savoir plus ») le **planificateur de repas**, un outil extraordinaire qui vous aidera à concocter votre propre menu santé. Soulignons également que, au chapitre 14, vous trouverez des suggestions de repas et de collations à prendre avant et après la pratique d'une activité physique.

Déjeuners

Déjeuner rapide

Si vous êtes en retard à votre cours, prenez au moins :

- Un jus de fruits, un verre d'eau (ne l'oubliez pas !) et une demi-tasse d'un mélange de fruits séchés, de graines et de noix
- **Ou** encore emportez deux fruits (banane, pomme, poire, prune…).

Déjeuner complet

Si vous avez plus de temps, prenez :

- Un jus de fruits, un verre d'eau, une ou deux rôties tartinées de beurre d'arachide 100% naturel, avec un peu de miel (facultatif) et une banane coupée en tranches
- **Ou** un bol de céréales genre muslix*
- **Ou** deux œufs brouillés ou au miroir avec des rôties*
- **Ou** une rôtie, une demi-tasse d'un mélange de noix, graines et fruits séchés mélangés incorporés dans une demi-tasse de yogourt nature*
- **Ou** un morceau de fromage sur une gaufre, une orange en quartiers et un verre de lait*
- **Ou** une portion de fromage cottage, une pêche ou une poire en morceaux sur un muffin anglais avec un verre de lait*
- **Ou** un yogourt à la vanille avec une banane coupée en rondelles sur une crêpe garnie de beurre d'arachide 100% naturel*
- **Ou** un demi-pamplemousse, quelques morceaux de fromage et un verre de lait*
- **Ou** des amandes et un yogourt aux fruits*

* Sans oublier le jus de fruits et le verre d'eau.

Dîners et soupers

Pour diminuer ou augmenter le nombre de portions, il suffit de diviser ou de multiplier les quantités indiquées dans la recette selon le nombre de portions voulues.

Sandwich roulé aux œufs brouillés et au fromage

Rien de mieux qu'un sandwich roulé pour un repas sur le pouce. Il est possible de doubler, de tripler ou de quadrupler cette recette. Donne 1 portion.

- 1 tortilla de blé entier de 20 cm (8 po)
- Huile végétale en aérosol
- 1 œuf ou deux blancs d'œufs
- 10 mL (2 cuillerées à thé) de lait à 1 % ou écrémé
- Sel et poivre fraîchement moulu
- 15 mL (1 cuillerée à soupe) de cheddar maigre râpé
- 25 mL (2 cuillerées à soupe) de poivrons rouges en petits dés

1. Chauffer la tortilla conformément aux directives données sur l'emballage.
2. Vaporiser d'huile végétale une petite poêle.
3. Dans un petit bol, fouetter l'œuf ou les blancs d'œufs avec le lait.
4. Chauffer la poêle à feu moyen ; ajouter le mélange d'œufs et de lait et cuire à point, en remuant et en laissant se former des petits morceaux.
5. Mettre la tortilla dans une assiette ; y déposer les œufs au centre, et saler et poivrer. Parsemer de fromage râpé et des poivrons en dés.
6. Replier les côtés de la tortilla par-dessus la garniture ; rabattre le bas et rouler pour bien retenir la garniture. Servir.

Mini-pizzas subito presto

Si vous manquez de temps le matin, assemblez les pizzas la veille et gardez-les au réfrigérateur. Il ne vous restera plus alors qu'à les mettre au four. Idéales pour un dîner léger ou la collation.
Donne 2 à 4 portions.

- 1 ou 2 muffins anglais ou bagels de blé entier, coupés en deux
- 75 mL (1/3 de tasse) de sauce tomate, commerciale ou maison
- 175 mL (3/4 de tasse) de mozzarella partiellement écrémé râpé
- 50 mL (1/4 de tasse) de poivrons verts ou rouges en dés ou de champignons tranchés (facultatifs)

Préchauffer le four ou le grille-pain four à 200 °C (ou 400 °F).

1. Déposer les moitiés de muffins anglais ou de bagels sur une plaque à pâtisserie (la dimension dépend du type de four).
2. Tartiner 20 mL (4 cuillerées à thé) de sauce tomate sur chacune des moitiés.
3. Parsemer de fromage râpé et des garnitures, s'il y a lieu.
4. Cuire au four pendant 5 à 7 minutes ou jusqu'à ce que le fromage fasse des bulles.

Servir immédiatement.

Taboulé aux tomates et aux concombres

Spécialité végétarienne du Moyen-Orient à base de céréales entières, facile à préparer.
Donne 4 portions.

- 175 mL (3/4 de tasse) de boulgour moyen ou fin
- 75 mL (1/3 de tasse) de basilic frais finement haché
- 150 mL (2/3 de tasse) de persil frais finement haché
- 75 mL (1/3 de tasse) de menthe fraîche finement hachée
- 75 mL (1/3 de tasse) d'oignons verts finement hachés
- 25 mL (2 cuillerées à soupe) de jus de citron frais
- 25 mL (2 cuillerées à soupe) d'huile d'olive extravierge
- 175 mL (3/4 de tasse) de concombres anglais en petits dés
- 175 mL (3/4 de tasse) de tomates en petits dés
- Sel et poivre fraîchement moulu

1. Mettre le boulgour dans une passoire et le rincer sous l'eau courante.
2. Le verser dans un grand bol; recouvrir de 2,5 cm (1 po) d'eau; laisser tremper de 45 à 60 minutes ou jusqu'à ce que le boulgour soit tendre.
3. Égoutter dans une passoire et presser le boulgour pour en retirer l'excédent d'eau.
4. Dans un grand bol, bien mélanger le basilic, le persil, la menthe, les oignons verts, le jus de citron, l'huile d'olive, les concombres et les tomates, ainsi que le boulgour.
5. Saler et poivrer au goût. Laisser reposer entre 10 et 15 minutes avant de servir.

Pâtes au fromage de chèvre et aux tomates

Délicieuse salade qui égaiera vos repas ou vos pique-niques.
Donne 8 portions.

- 8 à 10 tomates italiennes, non pelées (environ 0,75 kg ou 1,5 livre)
- 125 mL (1/2 tasse) de feuilles de basilic grossièrement hachées
- 45 mL (3 cuillerées à soupe) d'olives noires tranchées
- 25 mL (2 cuillerées à soupe) d'huile d'olive extravierge
- 25 mL (2 cuillerées à soupe) de vinaigre balsamique
- 90 g (3 oz) de fromage de chèvre très maigre émietté
- 375 g (3/4 livre) de pâtes courtes
- Sel et poivre fraîchement moulu

1. Hacher grossièrement les tomates au robot culinaire.
2. Les mettre dans un grand bol et y ajouter le basilic, les olives, l'huile, le vinaigre et le fromage. Réserver.
3. Cuire les pâtes en suivant les instructions données sur l'emballage.
4. Les égoutter et les incorporer au mélange de tomates. Saler et poivrer au goût.

Soupe asiatique au poulet et aux nouilles

Une soupe-repas prête en un tournemain. Vous pouvez bien sûr doubler la recette. Il est bon de garder du poulet désossé et sans peau au congélateur pour préparer rapidement des sautés et des soupes de ce genre. Il suffit de déposer les morceaux de poulet sur une plaque à pâtisserie recouverte d'une pellicule de plastique, de recouvrir d'une autre feuille de plastique et de mettre au congélateur. Une fois les lanières congelées, les placer dans un contenant ou un sac en plastique que vous remettrez au congélateur. Donne 2 portions.

- 750 mL (3 tasses) de bouillon de poulet à faible teneur en sel
- 15 mL (1 cuillerée à soupe) de gingembre râpé
- 150 g (6 oz) de lanières de blanc de poulet (environ 2 petites poitrines)
- 75 g (3 oz) de vermicelles fins comme des cheveux d'ange
- 750 mL (3 tasses) de pousses d'épinard
- 10 mL (2 cuillerées à thé) de sauce soja à faible teneur en sel
- 5 mL (1 cuillerée à thé) d'huile de sésame
- 25 mL (2 cuillerées à table) d'oignons verts hachés pour garnir

1. Chauffer le bouillon et le gingembre dans une casserole de taille moyenne à feu moyen ; amener à ébullition.
2. Ajouter le poulet ; baisser le feu et faire mijoter 4 minutes. Monter la chaleur à moyen-élevé.
3. Ajouter les pâtes et cuire pendant 4 minutes ou jusqu'à ce que les pâtes soient presque tendres.
4. Ajouter les épinards et faire mijoter jusqu'à ce qu'ils s'affaissent, soit environ 2 minutes.
5. Retirer du feu ; incorporer la sauce soja et l'huile de sésame. Garnir d'oignons verts hachés avant de servir.

Saumon grillé et salade de légumes méditerranéenne

Plat à la fois sain et savoureux.

Donne 4 portions.

- 150 g (6 oz) de filets de saumon
- 25 mL (2 cuillerées à soupe) d'huile d'olive extravierge
- 45 mL (3 cuillerées à soupe) de vinaigre balsamique
- Sel et poivre fraîchement moulu
- 1 poivron rouge, coupé en lanières de 1 cm (1/3 po)
- 3 tomates de grosseur moyenne ou deux grosses, coupées en tranches de 1 cm (1/3 po)
- 1 oignon rouge moyen, coupé en tranches de 1 cm (1/3 po)
- Huile végétale en aérosol
- 125 mL (1/2 de tasse) de basilic frais haché

1. Badigeonner légèrement les grilles du barbecue ou les vaporiser d'huile végétale.
2. Préchauffer le barbecue.
3. Dans un plat, mélanger 15 mL (1 cuillerée à soupe) d'huile d'olive et 15 mL (1 cuillerée à soupe) de vinaigre balsamique.
4. Ajouter les filets de saumon et bien les recouvrir du mélange. Saler et poivrer. Laisser mariner 10 minutes.
5. Placer les légumes dans une assiette et les vaporiser d'huile végétale.
6. Déposer les légumes sur la grille du barbecue, côté huilé vers le bas. Griller pendant 3 ou 4 minutes ou jusqu'à ce que les marques de la grille soient apparentes. Les retourner et faire griller pendant 3 ou 4 minutes.
7. Les enlever et les mettre dans un bol de taille moyenne. Ajouter 15 mL (1 cuillerée à soupe) d'huile d'olive, 25 mL (2 cuillerées à soupe) de vinaigre balsamique et le basilic haché. Bien mélanger en prenant soin de ne pas défaire les tranches d'oignon en rondelles; saler et poivrer au goût. Réserver.
8. Déposer le saumon sur la grille, côté peau sur le dessus. Griller pendant 3 ou 4 minutes. À l'aide d'une spatule, tourner le saumon et poursuivre la cuisson durant 4 ou 5 minutes ou jusqu'à ce qu'il soit cuit.

Mettre la salade de légumes grillés dans une assiette et déposer le saumon par-dessus. Servir immédiatement.

à vos méninges

Remarque : Il peut y avoir plus d'une bonne réponse par question.

3

1 NOMMEZ CINQ PROBLÈMES DE SANTÉ ASSOCIÉS À LA MALBOUFFE.

- _____
- _____
- _____
- _____
- _____

2 IDENTIFIEZ DEUX TROUBLES ALIMENTAIRES GRAVES.

- _____
- _____

3 NOMMEZ DEUX SYNONYMES DE « HUILE HYDROGÉNÉE » UTILISÉS SUR L'ÉTIQUETTE DES PRODUITS ALIMENTAIRES.

- _____
- _____

4 QUELLES SONT LES SIX GRANDES FAMILLES DE NUTRIMENTS ?

- _____
- _____
- _____
- _____
- _____
- _____

5 PARMI LES PROBLÈMES DE SANTÉ SUIVANTS, LESQUELS SONT FAVORISÉS PAR UN APPORT INSUFFISANT EN FIBRES ALIMENTAIRES ?

○ **a)** Hémorroïdes.
○ **b)** Cancer du sein.
○ **c)** Constipation.
○ **d)** Diverticulose.
○ **e)** Maux d'estomac.

6 COMMENT NOTRE CONSOMMATION QUOTIDIENNE DE SEL SE SITUE-T-ELLE PAR RAPPORT À NOS BESOINS RÉELS ?

○ **a)** Elle est de 10 à 12 fois trop élevée.
○ **b)** Elle est de 5 à 7 fois trop élevée.
○ **c)** Elle est de 2 à 4 fois trop élevée.
○ **d)** Elle est adéquate.
○ **e)** Aucune des réponses précédentes.

7 COMMENT QUALIFIERIEZ-VOUS LES GLUCIDES COMPLEXES ?

○ **a)** Ce sont des sucres à éviter.
○ **b)** Ce sont des sucres à assimilation rapide.
○ **c)** Ce sont des sucres qui se trouvent dans les fruits et légumes.
○ **d)** Ce sont des sucres à assimilation lente.
○ **e)** Aucune des réponses précédentes.

8 QUELLE QUANTITÉ DE FIBRES ALIMENTAIRES DEVRAIT-ON CONSOMMER CHAQUE JOUR ?

○ **a)** 10 g.
○ **b)** 30 g.
○ **c)** 15 g.
○ **d)** 20 g.
○ **e)** 40 g.

9   QUELS SONT LES AVANTAGES D'UN BON DÉJEUNER ?

○ **a)** Permet de fournir un meilleur rendement scolaire.

○ **b)** Favorise le sommeil.

○ **c)** Donne plus d'énergie pour le cours d'éducation physique.

○ **d)** Favorise la remontée de la glycémie le matin.

○ **e)** Permet de réduire le nombre de collations.

10   QUE DOIT-ON FAIRE EN TOUT PREMIER LIEU POUR SAVOIR SI ON MANGE BIEN OU MAL ?

○ **a)** Compter ses calories tous les jours.

○ **b)** Déterminer son poids-santé.

○ **c)** Connaître d'abord son métabolisme de base.

○ **d)** Comparer son alimentation à un modèle alimentaire sain.

○ **e)** Compter le nombre de repas et de collations qu'on prend chaque jour.

11   SI VOTRE MÉTABOLISME DE BASE RALENTIT,

○ **a)** c'est parce que vous brûlez plus de calories qu'avant.

○ **b)** c'est parce que vous brûlez moins de calories qu'avant.

○ **c)** c'est parce que vous n'avez pas modifié votre dépense énergétique.

○ **d)** vos réserves de graisse risquent d'augmenter.

○ **e)** votre masse musculaire risque d'être modifiée.

12   DANS QUELLE PROPORTION LES RÉGIMES MIRACLE SONT-ILS UN ÉCHEC ?

○ **a)** 5 fois sur 10.

○ **b)** 7 fois sur 10.

○ **c)** 9 fois sur 10.

○ **d)** 3 fois sur 10.

○ **e)** 10 fois sur 10.

13 PARMI LES EFFETS SUIVANTS, LEQUEL OU LESQUELS SONT ASSOCIÉS À UN RÉGIME MIRACLE ?

○ **a)** Une hausse du métabolisme de base.

○ **b)** La fonte musculaire.

○ **c)** Une constipation chronique.

○ **d)** Une perte de tissus osseux.

○ **e)** Une baisse du métabolisme de base.

14 ASSOCIEZ LES ALIMENTS GRAS (LISTE DE GAUCHE) ET LES TYPES DE GRAS (LISTE DE DROITE).

Aliments gras	Types de gras
_____ **1.** Croustilles (chips).	**a)** Gras insaturés.
_____ **2.** Huile de tournesol.	**b)** Acide gras trans.
_____ **3.** Barre granola à base d'huile hydrogénée.	**c)** Gras saturés.
_____ **4.** Gras de bœuf.	
_____ **5.** Poutine.	
_____ **6.** Graines de lin.	

15 COMPLÉTEZ LES PHRASES SUIVANTES.

a) Selon les enquêtes nutritionnelles les plus récentes, le régime alimentaire des Québécois comprend généralement encore trop de _____ , trop de _____ , trop de _____ , et reste trop pauvre en _____ , en légumes et en _____ à grains entiers.

b) Les trois pyramides alimentaires présentées dans ce chapitre ont un point en commun : les unes comme les autres garantissent un apport _____ et _____ d'aliments appartenant aux six grandes familles de _____ .

c) Au total, 75 % du sel que nous consommons aujourd'hui provient des produits alimentaires _____ déjà _____ .

pour en **savoir plus**

LECTURES SUGGÉRÉES

• Bourque, D., *À dix kilos du bonheur; l'obsession de la minceur, ses causes, ses effets, comment s'en sortir*, Montréal, Éditions de l'Homme, 1991.

• Brault-Dubuc, M., et L. Caron-Lahaie, *Valeur nutritive des aliments*, 8e édition, Saint-Lambert, Société Brault-Lahaie, 1998.

• De Rosnay, S., et J., *La Mal Bouffe*, Paris, Olivier Orban, 1979.

• Lambert-Lagacé, L., *Une cuisine sage*, Montréal, Éditions de l'Homme, 1990.

• Orbach, S., *Maigrir : la fin de l'obsession*, Montréal, Éditions de l'Homme, 1988.

• Santé et Bien-Être Social Canada, *Guide alimentaire canadien pour manger sainement*, Ottawa, Approvisionnements et Services Canada, 1992.

• Santé Québec, Bertrand, L. (sous la dir. de), *Les Québécoises et les Québécois mangent-ils mieux ?* Rapport de l'enquête québécoise sur la nutrition, ministère de la Santé et des Services sociaux, gouvernement du Québec, 1995.

• Santé Québec, *L'alimentation des Québécoises et des Québécois, de la connaissance à l'action*, ministère de la Santé et des Services sociaux, gouvernement du Québec, 2001.

SITES INTERNET À VISITER

Association québécoise d'aide aux personnes souffrant d'Anorexie Nerveuse Et de Boulimie (On trouve sur ce site une liste des ressources hospitalières qui s'occupent de ces troubles alimentaires.)
http ://www.generation.net/~anebque/francais/f-home.htmL

Fondation des maladies du cœur du Québec
http ://www.forumscv.qc.ca/fmcq.htmL

Fondation des maladies du cœur du Canada
http ://ww1.fmcoeur.ca/Page.asp ?PageID=903

Les diététistes du Canada (On trouve sur ce site un outil extraordinaire: le planificateur de repas.)
http ://www.dietitians.ca/french/frames.htmL

Santé Canada
http ://www.hc-sc.gc.ca/francais/

Végétarisme.org (pour en savoir plus sur le végétarisme)
http ://www.vegetarisme.org/

3.1 Votre bilan alimentaire

On l'a dit, bien s'alimenter doit être quelque chose de simple. Les pyramides alimentaires présentées dans ce chapitre sont justement des bijoux de concision et de clarté (figures 3.1 à 3.3, p. 48 à 50). En un coup d'œil, il est possible de juger si on mange bien ou mal. En fait, ces pyramides proposent une alimentation variée, sans interdit ni discours moralisateur. Elles suggèrent de consommer, chaque jour, un certain nombre de portions d'aliments dans chacun des principaux groupes alimentaires désignés par les nutritionnistes. Quant aux aliments plus pauvres sur le plan nutritif (frites, hot-dogs, beurre, bonbons, etc.), les pyramides alimentaires ne les interdisent pas, elles proposent plutôt qu'on les consomme avec modération.

Votre alimentation ressemble-t-elle à celle qui est préconisée par ces pyramides ?

1) Pour le savoir, commencez par choisir la pyramide qui, à vue d'œil, ressemble le plus à votre régime alimentaire actuel ou qui, encore, vous semble la mieux adaptée à votre environnement culturel.

2) Remplissez ensuite le tableau correspondant à la pyramide choisie en essayant de vous remémorer ce que vous mangez jour après jour dans une semaine type, samedi et dimanche inclus. (Vous pouvez utiliser le journal alimentaire présenté dans *L'équipier.*) Votre relevé terminé, n'oubliez pas de tirer les conclusions qui s'imposent en cochant la case appropriée à la fin du tableau. Notez aussi, s'il y a lieu, vos écarts alimentaires.

3) Une fois votre bilan alimentaire terminé, passez au bilan 3.2. On vous y invite à prendre des mesures immédiates pour corriger les écarts alimentaires constatés ou encore pour maintenir votre alimentation actuelle, s'il s'avère qu'elle est déjà équilibrée et variée.

A BILAN EN FONCTION DE LA PYRAMIDE ALIMENTAIRE CANADIENNE

Inscrivez dans la case appropriée le nombre de portions ingérées de chacun des quatre groupes alimentaires.

Portions recom-mandées/ jour	Lundi	Mardi	Mercredi	Jeudi	Vendredi	Samedi	Dimanche	Nombre moyen de portions/ jour
Produits céréaliers: 5 à 12								
Légumes et fruits: 5 à 10								
Produits laitiers: 2 à 4								
Viande et substituts: 2 à 3								
Sucreries: avec modération								

Tirez vos conclusions...

En général, je respecte les recommandations de la pyramide alimentaire canadienne:

○ Oui   ○ Non

Si non, j'ai constaté les écarts alimentaires suivants:

Je ne mange pas assez de
- ○ Produits céréaliers
- ○ Légumes et fruits
- ○ Produits laitiers
- ○ Viande et substituts

Je mange trop de
- ○ Sucreries
- ○ Produits laitiers
- ○ Viande et substituts

B BILAN EN FONCTION DE LA PYRAMIDE ALIMENTAIRE MÉDITERRANÉENNE

Inscrivez dans la case appropriée le nombre de fois par jour, par semaine ou par mois que vous avez consommé les aliments mentionnés dans la pyramide alimentaire méditerranéenne.

Recommandations	Par jour	Par semaine	Par mois
Viande : une fois par mois			
Sucreries : une fois par semaine			
Œufs : une fois par semaine			
Volaille : une fois par semaine			
Poisson : une fois par semaine			
Fromage et yogourt : une fois par jour			
Huile d'olive : une fois par jour			
Fruits : une fois par jour			
Graines et noix : une fois par jour			
Légumes : une fois par jour			
Pain, pâtes, riz, couscous, polenta, céréales de grains entiers et pommes de terre : une fois par jour			

Tirez vos conclusions...

En général, je respecte les recommandations de la pyramide alimentaire méditerranéenne :

◯ Oui   ◯ Non

Si non, j'ai constaté les écarts alimentaires suivants :

Je ne mange pas assez de

◯ Œufs
◯ Volaille
◯ Poisson
◯ Fromage et yogourt
◯ Huile d'olive
◯ Fruits, graines, noix et légumes
◯ Pain, pâtes, riz, couscous, polenta, céréales de grains entiers et pommes de terre

Je mange trop de

◯ Sucreries
◯ Viande rouge

C BILAN EN FONCTION DE LA PYRAMIDE ALIMENTAIRE ASIATIQUE

Inscrivez dans la case appropriée le nombre de fois par jour, par semaine ou par mois que vous avez consommé les aliments mentionnés dans la pyramide alimentaire asiatique.

Recommandations	Par jour	Par semaine	Par mois
Viande : une fois par mois			
Sucreries : une fois par semaine			
Œufs et volaille : une fois par semaine			
Poisson et fruits de mer : une fois par jour (facultatif)			
Huiles végétales : une fois par jour			
Fruits : une fois par jour			
Légumineuses, graines et noix : une fois par jour			
Légumes : une fois par jour			
Riz, nouilles, pain, millet, maïs et céréales de grains entiers : une fois par jour			

Tirez vos conclusions...

En général, je respecte les recommandations de la pyramide alimentaire asiatique :

○ Oui   ○ Non

Si non, j'ai constaté les écarts alimentaires suivants :

Je ne mange pas assez de

○ Œufs et volaille
○ Poisson et fruits de mer
○ Huiles végétales
○ Fruits
○ Légumineuses, graines et noix
○ Légumes
○ Riz, nouilles, pain, millet, maïs et céréales de grains entiers

Je mange trop de

○ Sucreries
○ Viande rouge

3.2 Votre engagement vis-à-vis de l'alimentation

Maintenant que vous avez fait le point sur la façon dont vous vous alimentez, vous pouvez vous poser la question suivante : que suis-je prêt à faire pour améliorer ou maintenir la qualité de mon alimentation ?

Cochez dans le tableau qui suit les engagements que vous souhaitez prendre ; dans un mois, vous cocherez ceux que vous aurez respectés.

Je m'engage à...	Je vais le faire dès maintenant.	Un mois plus tard, je tiens toujours le coup...	Signature d'un témoin (le cas échéant)
corriger mes écarts alimentaires constatés dans le bilan 3.1.			
manger à des heures régulières le plus souvent possible.			
réduire ma consommation d'aliments riches en mauvais gras (gras saturés et hydrogénés).			
augmenter ma consommation d'aliments riches en bon gras (gras insaturés).			
manger davantage de fruits et de légumes.			
manger davantage de légumineuses et de céréales de grains entiers.			
saler un peu moins ma nourriture.			
déjeuner tous les matins.			
éviter de prendre un repas copieux tard dans la soirée.			
éviter de manger des repas-minute riches en gras saturés et en sel plus de 2 fois par semaine.			
boire l'équivalent de 6 verres d'eau par jour.			
prendre la (les) mesure(s) suivante(s) : ____________ ____________			

1. Au total, vous avez pris _____ engagement(s) et vous en avez respecté _____ .

2. Pour quelle raison n'avez-vous pas, le cas échéant, respecté certains de vos engagements?

○ J'ai manqué de temps.

○ J'ai manqué de motivation.

○ Je n'étais pas aussi prêt à passer à l'action que je le pensais.

○ Il aurait fallu que je ne sois pas seul dans ma démarche.

○ Autre(s) raison(s) : _____

3. Finalement, croyez-vous être capable d'adopter à long terme des habitudes alimentaires saines ou, si votre alimentation est déjà saine, de la maintenir telle qu'elle est?

Expliquez brièvement votre réponse.

_____

_____

_____

_____

chapitre 4

Stressé ou détendu ?

Objectifs

- O Définir ce qu'est le stress.

- O Décrire les effets physiologiques immédiats du stress.

- O Décrire les symptômes associés à une surcharge de stress.

- O Expliquer les effets sur la santé d'une surcharge de stress.

- O Déterminer des stratégies visant à mieux contrôler son niveau de stress.

- O Faire le bilan de son niveau de stress et l'interpréter.

- O Prendre des engagements à court terme visant à contrôler son niveau de stress.

C'était en 1903. Voyant venir le boom technologique et l'accélération du rythme de vie, un médecin hongrois réputé, Francis Volgyesi, risqua une prédiction devant ses pairs. «À moins de changer notre manière de vivre, prévint-il, le siècle qui s'amorce sera celui de "l'âge des nerfs"». Il avait vu juste! Le stress, celui qui nous met les «nerfs en boule», qui nous donne froid aux pieds et fait battre le cœur en chamade, atteint aujourd'hui pratiquement tout le monde, y compris les enfants. On estime même que plus de la moitié des consultations chez le médecin au Québec sont reliées au stress!

> **L'absence complète de stress est la mort. C'est le stress désagréable, ou détresse, qui est nuisible.**
> Hans Selye

Le stress
est nécessaire pour vivre

Pourtant, ce qu'on dépeint souvent comme le «mal du siècle» n'est, en soi, ni bon ni mauvais. Le stress est simplement une **réaction d'adaptation** – plus ou moins forte – de l'organisme face à une situation donnée. Que cette situation déclenche une joie immense, une peur bleue ou une douleur aiguë, la **réaction d'adaptation est non spécifique** (pour reprendre l'expression utilisée par l'auteur de la théorie du stress, le Canadien Hans Selye), **c'est-à-dire qu'elle est toujours la même.**

Cette réaction d'adaptation met le corps sous tension comme s'il venait d'être branché sur une prise de courant. En une fraction de seconde, les terminaisons nerveuses reliées aux divers organes libèrent de l'adrénaline (à 80 %) et de la noradrénaline. Ces neurotransmetteurs, associés à l'action de certaines hormones, provoquent alors immédiatement une série de réactions physiologiques (figure 4.1) qui ne visent qu'une chose : préparer le corps à l'action. C'est ce qui se produit lorsqu'on retire brusquement sa main au contact d'une eau trop chaude, qu'on sursaute de peur au cinéma ou qu'on éclate de joie parce qu'on a réussi un examen auquel on croyait avoir échoué. Dans ces cas-là, l'énergie accumulée par l'état d'alerte est consommée, donc libérée, et le niveau de stress diminue. C'est, si on veut, le calme après la tempête. Souvent, on ressent même, après coup, une «bonne fatigue».

En fait, une certaine dose de stress n'affecte pas la santé et peut, au contraire, être bénéfique. Par exemple, face à un nouveau défi d'ordre mental ou physique, le corps subit une poussée d'adrénaline qui rend alerte, plus énergique, plus motivé. Qu'on songe ici à l'acteur ou à l'athlète, qui ont besoin de stress pour être performants. Certaines personnes deviennent même accrochées au «grand frisson» que procure l'adrénaline. Cette sensation procurée par l'état physiologique est une dimension importante de la passion du jeu ou de la pratique des sports extrêmes.

Dans une situation d'urgence, par exemple quand on sent céder sous ses pieds la mince couche de glace d'un lac ou qu'on donne un coup de volant pour éviter un accident de la route, l'état d'alerte physiologique déclenché par le stress peut même nous sauver la vie.

FIGURE 4.1

Les effets physiologiques immédiats du stress

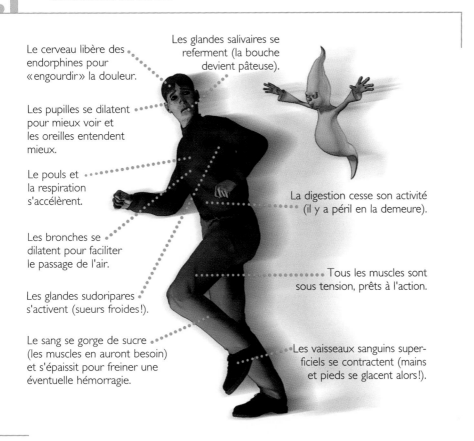

Le cerveau libère des endorphines pour « engourdir » la douleur.

Les glandes salivaires se referment (la bouche devient pâteuse).

Les pupilles se dilatent pour mieux voir et les oreilles entendent mieux.

Le pouls et la respiration s'accélèrent.

La digestion cesse son activité (il y a péril en la demeure).

Les bronches se dilatent pour faciliter le passage de l'air.

Tous les muscles sont sous tension, prêts à l'action.

Les glandes sudoripares s'activent (sueurs froides !).

Le sang se gorge de sucre (les muscles en auront besoin) et s'épaissit pour freiner une éventuelle hémorragie.

Les vaisseaux sanguins superficiels se contractent (mains et pieds se glacent alors !).

Quand le stress
rend malade

Malheureusement, le stress n'est pas toujours bénéfique. Par exemple, si une présentation que vous devez faire devant la classe vous stresse au plus haut point depuis des jours, la réaction d'adaptation, moins forte que lors d'un stress aigu, n'en garde pas moins votre corps sous tension pendant des heures. L'énergie accumulée pour permettre au corps de réagir n'est pas libérée mais contenue ; en effet, le cerveau maintient l'état d'alerte parce que le conflit émotif n'est pas résolu (figure 4.2). Ce type de stress, que les experts appellent le **stress émotionnel**, semble de plus en plus répandu de nos jours (Zoom, p. 79).

Encore là, ce n'est pas tant le stress émotionnel qui nuit à la santé que la réaction ou l'apparente absence de réaction devant la situation stressante. Si, de façon régulière, on ne parvient pas à contrôler ce type de stress, on devient alors au fil des jours une personne de plus en plus tendue. Cette surcharge de stress altère progressivement la santé. Au début, on ne ressent que les **symptômes du «surstress»** :

- pouls rapide (palpitations) ;
- muscles tendus ;
- raideur au niveau de la nuque et du haut du dos ;
- fatigue ;
- anxiété ;
- maux de tête plus fréquents
- irritabilité ;
- hyperactivité ;

- apparition de tics nerveux ;
- manque de concentration ;
- problèmes de peau (apparition de boutons, d'eczéma, etc.) ;
- problèmes digestifs (brûlures d'estomac, constipation, diarrhée, etc.) ;
- difficulté à s'endormir (Zoom, p. 80) ;
- etc.

FIGURE

4.2 Quand le stress finit bien... ou mal

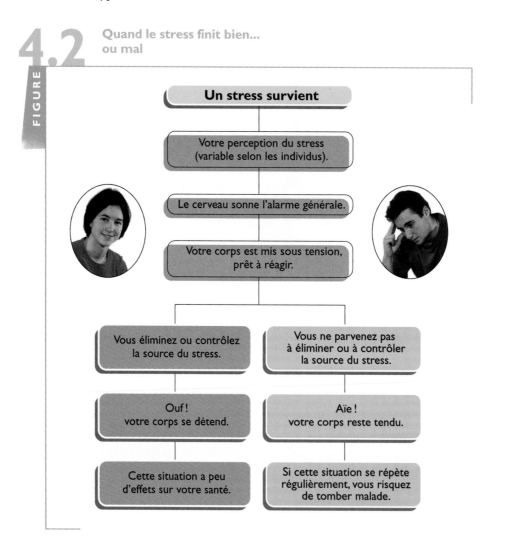

Un stress survient

Votre perception du stress (variable selon les individus).

Le cerveau sonne l'alarme générale.

Votre corps est mis sous tension, prêt à réagir.

Vous éliminez ou contrôlez la source du stress.

Vous ne parvenez pas à éliminer ou à contrôler la source du stress.

Ouf ! votre corps se détend.

Aïe ! votre corps reste tendu.

Cette situation a peu d'effets sur votre santé.

Si cette situation se répète régulièrement, vous risquez de tomber malade.

ZOOM

Quelques exemples
de stress émotionnel

La vie quotidienne favorise les situations génératrices de stress émotionnel. En voici quelques exemples :

- l'épuisante combinaison travail-études ;

- l'attente prolongée dans un bouchon de circulation ;

- les sautes d'humeur du patron qu'on endure sans broncher ;

- les tensions familiales engendrées par une séparation ou un divorce ;

- l'angoisse causée par l'attente de résultats scolaires incertains ;

- la crainte de perdre son emploi ou de ne pas en trouver ;

- les difficultés financières qui s'accumulent ;

- la présentation d'un exposé en classe ;

- l'anxiété causée par de nouvelles responsabilités ;

- le travail répétitif qui ennuie ;

- le changement dans les études (nouvelle école) ou le travail ;

- une peine d'amour ;

- etc.

Cependant, si elle devient chronique, presque quotidienne, la surcharge de stress favorise l'apparition de maladies psychosomatiques, c'est-à-dire de maladies qui sont causées essentiellement par un piètre état psychologique. Ainsi une personne trop stressée risque d'avoir de sérieux problèmes de santé :

- maladies du cœur (infarctus, notamment) ;
- hypertension ;
- dépression grave ;
- asthme sévère ;
- arthrite rhumatoïde.

Un cumul de situations de stress émotionnel non contrôlé peut même favoriser l'apparition d'un cancer. On sait aujourd'hui, grâce notamment aux recherches en **neuropsychoimmunologie** (science qui étudie la relation entre la santé mentale et le système immunitaire), que la tension nerveuse qui s'accumule finit par affaiblir le système immunitaire.

En outre, pour fuir la nervosité ou l'anxiété, une personne stressée peut être tentée de boire davantage d'alcool, de consommer de façon abusive des médicaments ou des drogues qui améliorent (temporairement) son humeur, de manger exagérément ou encore de se retirer toute seule dans son coin. À court terme, ces faux-fuyants peuvent apporter un soulagement, mais à la longue ils ne font qu'affaiblir un organisme déjà épuisé par une surcharge de stress non contrôlé.

ZOOM

Si vous manquez de sommeil

Pour mener à bien un programme de plus en plus chargé, beaucoup de gens n'hésitent pas à sabrer dans leurs heures de sommeil. Or, le manque de sommeil expose à toutes sortes de problèmes : diminution de la mémoire, troubles de la concentration, manque d'énergie, sautes d'humeur, réflexes plus lents, augmentation des risques d'accidents et de blessures, diminution de la résistance à la maladie, etc. Certains individus ne dorment que cinq heures par nuit et s'en portent bien. D'autres ont besoin de 8 heures de sommeil, et les bébés, de 16 ! Cependant, la récupération n'est pas qu'une question d'heures de sommeil. Ce qui compte le plus, c'est la qualité du sommeil. Si vous vous levez le matin aussi fatigué que la veille, prenez note des six règles suivantes, qui pourront vous aider à mieux dormir :

1. Couchez-vous et levez-vous à des heures régulières. Selon la théorie de l'horloge interne, notre corps a besoin d'un horaire fixe pour bien dormir.

2. Si le sommeil ne vous vient pas au bout de 15 à 20 minutes, levez-vous et prenez un bain chaud ou faites un peu de lecture jusqu'à ce que vous ayez sommeil de nouveau.

3. L'activité physique favorise le sommeil. Alors faites-en régulièrement.

4. Si vous grignotez au cours de la soirée, optez pour une collation légère ou simplement pour un verre de lait. Le lait contient du tryptophane, un acide aminé qui faciliterait le sommeil.

5. L'abus d'alcool en soirée va certes vous faire dormir, mais quel gâchis le matin !

6. Si vous ne parvenez pas à vous endormir parce que vous n'avez pas terminé un travail ou accompli une tâche quelconque, levez-vous et travaillez-y un peu. Quand vous aurez l'esprit en paix, vous pourrez vous endormir plus facilement.

Des stratégies
anti-stress

Mais comment vivre les situations de stress émotionnel de façon que la santé n'en souffre pas ? Il n'existe pas de solutions simples pour contrôler le stress généré par ces situations. Néanmoins, diverses stratégies peuvent vous aider à avoir la haute main sur votre niveau de stress. En voici quelques-unes.

1. Évaluez d'abord votre niveau de stress.

C'est bien la première chose à faire. Peut-être, après tout, n'êtes-vous pas aussi stressé que vous l'imaginez. Vous pouvez faire cette évaluation à partir d'un test simple et rapide mis au point par l'Association canadienne de la santé mentale et la Fondation des maladies du cœur. Ce test, intitulé *Votre niveau de stress*, se trouve à la fin du chapitre (p. 90).

2. Mettez le doigt sur ce qui vous stresse.

Il importe de déterminer clairement ce qui crée chez vous une tension. Pour y parvenir, soyez attentif aux réactions de votre corps dans diverses situations et face à certaines personnes. Demandez-vous si c'est une personne, un endroit, un événement en particulier qui vous crispe, qui fait accélérer votre pouls, qui vous rend les mains moites et froides, qui vous noue l'estomac, qui vous donne un mal de tête ou des raideurs dans la nuque, qui vous fait transpirer (aux aisselles, notamment), qui vous cause des démangeaisons, qui vous fait serrer les mâchoires... Si vous pouvez nettement associer l'une ou l'autre de ces réactions à une personne, à un lieu ou à un événement précis, c'est qu'il s'agit pour vous d'un **stresseur,** c'est-à-dire d'un stimulus causant des réactions physiques et émotives.

3. Évitez autant que possible les sources de stress.

Évidemment, la logique veut qu'on élimine d'abord les causes du stress. Par conséquent, évitez si possible les situations, les événements et les individus qui vous stressent le plus. Toutefois, ce n'est pas toujours possible ni même souhaitable. Par exemple, si la préparation à un examen ou à une entrevue vous stresse, ce ne serait pas une solution convenable que vous abandonniez vos études ou que vous cessiez de chercher du travail. Il serait alors préférable que vous essayiez de garder votre calme en utilisant, au besoin, les techniques de relaxation proposées plus loin.

4. Dédramatisez les situations stressantes.

Vous vous êtes fait une entorse et vlan ! c'est la catastrophe. Vous vous demandez comment vous débrouiller pour le travail, le sport et les sorties. Ou encore vous n'avez pas obtenu l'emploi souhaité et vous voilà déprimé pour le reste de la semaine. Mais pourquoi s'en faire autant ? Grossir les problèmes ne vous avancera guère. Essayez plutôt d'analyser calmement la situation en vous demandant si elle vaut que vous vous mettiez dans tous vos états. Souvent, vous serez surpris de constater que l'éléphant n'est en fait qu'une souris ! Selon les experts en la matière, **notre manière de percevoir et de gérer le stress influe beaucoup plus sur notre état psychologique que le stress lui-même.** Un truc : développez votre sens de l'humour ; c'est très efficace pour épancher les tensions.

5. Soyez optimiste.

Le phénomène est bien connu des sportifs : un joueur ou une équipe qui arrive sur le terrain en étant déjà convaincu de perdre connaîtra effectivement la défaite. Le conditionnement de l'esprit peut être très puissant. Remarquez que le contraire, soit l'optimisme béat, est aussi générateur d'échec. Développez plutôt votre capacité de percevoir, sans lunettes roses, ce qu'il y a de bon dans chaque personne, dans chaque situation. L'optimisme réaliste éloigne le découragement et permet donc de mieux affronter les situations de stress. Il est aussi caractéristique des personnes qui arrivent à maintenir leur équilibre intérieur en tout temps, même au plus fort de la tempête.

6. N'hésitez pas à vous servir des « chasse-stress ».

Si, pour toutes sortes de raisons, vous ne pouvez éviter le stress, prenez les moyens qu'il faut pour en atténuer les effets sur votre santé. Ainsi, il existe des méthodes très efficaces pour réduire son niveau de stress. Comme chaque personne réagit différemment au stress, il importe que vous trouviez la ou même les méthodes qui fonctionneront dans votre cas, c'est-à-dire celles qui vous calmeront. En voici quatre qui ont l'avantage d'être simples, économiques et accessibles à tous.

L'activité physique.   N'importe quel exercice diminue le niveau de stress parce qu'il permet au corps de réagir et, par conséquent, de diminuer la tension physiologique. Au chapitre 2, il a été longuement question des effets de l'exercice sur la santé mentale (p. 29 à 31).

Les techniques de relaxation.   Parce qu'elles s'attaquent directement à la tension musculaire, les techniques de relaxation (Zoom, p. 84) procurent, lorsqu'on les maîtrise, une détente musculaire presque instantanée et, par ricochet, un apaisement de l'esprit. Pratiquées régulièrement, elles agissent aussi sur le système cardiovasculaire puisqu'elles abaissent le pouls et la pression artérielle. Les techniques de relaxation peuvent éliminer ou du moins atténuer plusieurs des symptômes associés à une surcharge de stress (tableau 4.1, p. 86). Pour apprendre ces techniques et les maîtriser, l'idéal est de suivre des cours appropriés. Si ce n'est pas possible, vous pouvez faire des minipériodes de relaxation inspirées d'exercices simples et efficaces. Voici deux de ces exercices que vous pouvez pratiquer à peu près n'importe où et n'importe quand :

Exercice I

En position couchée ou assise, les yeux fermés, tendez tous les muscles de votre corps comme si vous deveniez une barre de fer. Maintenez-les contractés trois secondes, puis relâchez-les complètement, de la tête aux pieds. Ne retenez aucune tension musculaire. Vous remarquerez la sensation de détente que procure cet exercice fort simple. Répétez-le deux fois.

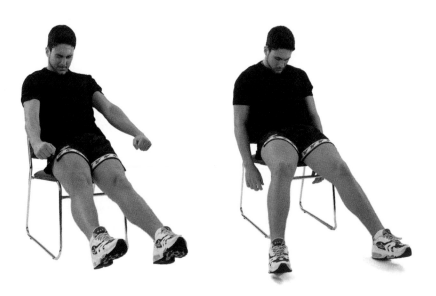

Exercice 2

En position assise, les yeux fermés, serrez les dents en tirant le coin des lèvres vers les oreilles. Tenez la position trois secondes : remarquez la tension dans les joues et les mâchoires. Ouvrez ensuite la bouche toute grande et gardez-la ouverte pendant trois secondes, puis relâchez les mâchoires. Cet exercice nous aide à prendre conscience des tensions accumulées à notre insu dans les muscles du visage. Répétez-le deux fois.

La respiration abdominale. Si le stress vous gagne, votre respiration risque de devenir brève et superficielle, voire de se bloquer à l'occasion.

Exercice

Pour y remédier, prenez une inspiration profonde en gonflant d'abord le ventre puis la cage thoracique. Ensuite, expirez lentement, lèvres pincées. Répétez trois ou quatre fois ce petit exercice respiratoire, après quoi vous serez déjà plus détendu.

Vous pouvez aussi réduire les effets du stress en vous faisant masser, en limitant votre consommation de café si vous en prenez beaucoup, en adoptant un animal ou encore en couchant sur papier vos états d'âme. Mais, peu importe ce que vous ferez, agissez rapidement, avant que le stress ne vous tue à petit feu.

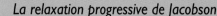

Quelques techniques
de relaxation

Il existe plusieurs techniques pour se détendre (relaxation progressive de Jacobson, training autogène de Schultz, méditation, visualisation, yoga, taï chi, etc.). Il serait trop long de décrire ici toutes ces techniques. En voici quelques-unes parmi les plus populaires au Québec.

La relaxation progressive de Jacobson

Cette méthode est fondée sur un paradoxe : tendre le muscle pour mieux le détendre ! Les exercices consistent en effet à contracter un groupe de muscles, par exemple les muscles de la jambe droite, puis à les relâcher complètement en se concentrant sur la sensation de détente qui envahit alors la région. On passe ainsi tous les muscles, y compris ceux de la figure. Cette méthode, facile à maîtriser, se pratique habituellement en position couchée (de préférence sur le dos). Une séance complète de relaxation progressive peut durer plus de deux heures. Cependant, il existe des versions abrégées, d'une durée de 15 à 20 minutes. On peut même se contenter de cinq minutes en limitant les exercices aux zones musculaires les plus tendues (voir nos exercices aux pages 82-83).

Le training autogène de Schultz

Cette technique inspirée de l'hypnose vise à détendre le corps et l'esprit. Les exercices passifs où domine la suggestion mentale provoquent une sensation de lourdeur, de chaleur ou encore de fraîcheur dans tous les muscles. Pour obtenir l'effet désiré (lourdeur, chaleur ou fraîcheur), on prononce mentalement une phrase d'autosuggestion : « Je sens mon bras droit devenir lourd... », « Je sens mon front devenir frais... », etc. Bien exécuté, le training autogène alourdit et réchauffe réellement le corps. Des chercheurs ont même enregistré une hausse de 4°C de la température de la main chez des sujets bien entraînés. Cette technique de relaxation se pratique allongé sur le dos ou assis confortablement. Une séance dépasse facilement les 30 minutes. Mais on peut déjà obtenir une détente profonde après une séance de seulement 5 à 10 minutes.

La méditation

Cette technique est sûrement la plus simple des méthodes d'autorelaxation. Pour la maîtriser, il suffit d'être confortablement assis, les yeux fermés de préférence, et de répéter mentalement, pendant 10 à 20 minutes, un son spécifique (par exemple le son « om »), que les hindous appellent « mantra ». Il existe plusieurs mantras, donc plusieurs niveaux de méditation. À la place du son, on peut prononcer un mot ou visualiser une image qui nous aide à nous détendre. On peut s'asseoir sur une chaise, à l'indienne ou encore s'adosser à un mur ; l'important, c'est d'être à l'aise.

Le yoga

C'est une des gymnastiques douces les plus connues au Québec. Le yoga intègre savamment l'art de respirer, celui d'assouplir les muscles et celui de méditer, au moyen d'une centaine de positions appelées «asanas». Ces positions, dans lesquelles on respire tantôt normalement, tantôt profondément, doivent être maintenues pendant 20 à 30 secondes; c'est pourquoi on parle souvent de «poses» de yoga. Si vous êtes patient, vous pourrez maîtriser les asanas les plus difficiles après deux ou trois ans de pratique assidue. L'effet physique le plus remarquable du yoga est l'étonnante souplesse dont héritent les muscles.

Le taï chi

Si le yogi bouge peu, le «taï-chiiste», lui, bouge continuellement. Il déploie, lentement et en silence, ses bras et ses jambes dans toutes les directions en une suite de mouvements amples et circulaires. Cela donne une impression de grande légèreté, comme si on dansait dans une eau profonde. Même la respiration, parfaitement synchronisée avec les mouvements du corps, se fait au ralenti. La pratique du taï chi suppose la maîtrise d'une série de mouvements enchaînés, exécutés lentement, il va de soi, et dans un ordre rigoureux. Bref, il s'agit d'une gymnastique douce qui améliore d'une part l'équilibre dynamique et la posture, d'autre part la souplesse, l'endurance et la coordination musculaires. Un cours de taï chi commence toujours par une séance d'échauffement à base d'exercices légers. Après l'échauffement, on pratique, sous la supervision du professeur, divers enchaînements qui deviennent par la suite des chorégraphies complètes. Pendant les premiers cours, on doit respirer aussi naturellement que possible. Une fois que les mouvements de base sont maîtrisés, on vise une respiration profonde.

La visualisation

L'imagerie mentale est l'équivalent d'une simulation d'actions réelles. Plus on la pratique, plus les images deviennent claires et précises. Certains athlètes qui visualisent, par exemple, une course de ski de fond vont même jusqu'à ressentir le froid et entendre le bruit que font les skis sur la neige. L'imagerie mentale n'est pas profitable que dans le domaine des sports. On peut recourir à cette technique pour se préparer, par exemple, à une entrevue, à un exposé ou à une rencontre importante. Comment fait-on? Rien de plus simple. Calez-vous dans un fauteuil, les yeux fermés, et repassez le film de l'entrevue, de l'exposé ou de la rencontre. Imaginez les questions qu'on va vous poser et comment vous allez y répondre. Visualisez comment vous serez assis devant vos interlocuteurs. Ou encore imaginez-vous en train de faire votre exposé devant la classe. Voyez où sont vos mains sur le lutrin. Ressentez vos muscles dans le cou et les épaules. Ensuite répétez cet exercice de visualisation plusieurs fois. Quand vous aurez à affronter réellement la situation, vous vous sentirez rassuré parce que vous l'aurez déjà vécue plusieurs fois dans votre tête.

TABLEAU

Les principaux effets du stress
et de la relaxation*

Les effets de la relaxation sur le corps ont été clairement démontrés par plus de 400 études scientifiques. Voici un aperçu de ces effets et de ceux engendrés par le stress. Certains des bienfaits associés à la relaxation peuvent être obtenus après seulement quelques minutes de relaxation profonde.

	Stress	Technique de relaxation
Pouls	accélère	ralentit
Pression artérielle chez l'hypertendu	augmente	diminue (10% à 15%)
Respiration	accélère	ralentit
Fréquence des ondes alpha**	diminue	augmente
Tension musculaire	augmente	diminue
Sommeil	perturbe	facilite
Migraines	en augmente la fréquence et l'intensité	en diminue la fréquence et l'intensité
Tolérance à la douleur	diminue***	augmente
Apprentissage d'une activité sportive	gêne	facilite
Aptitude à communiquer	détériore	améliore
Vaisseaux sanguins	contracte	dilate

* Il a aussi été démontré que les séances de relaxation donnent de bons résultats dans les cas d'asthme, de tachycardie (cœur qui bat trop vite), d'eczéma, de psoriasis, de douleurs prémenstruelles, de brûlures d'estomac, de constipation, de bégaiement et d'autres troubles du langage.

** Les ondes alpha sont associées au sommeil profond, celui qui nous permet de récupérer.

*** Les dentistes connaissent bien cet effet.

à vos méninges

Remarque : Il peut y avoir plus d'une bonne réponse par question.

1 **ÉNUMÉREZ CINQ EFFETS PHYSIOLOGIQUES IMMÉDIATS DU STRESS.**

- _____
- _____
- _____
- _____
- _____

2 **NOMMEZ TROIS « CHASSE-STRESS » EFFICACES.**

- _____
- _____
- _____

3 **ÉNUMÉREZ CINQ SYMPTÔMES ASSOCIÉS AU « SURSTRESS ».**

- _____
- _____
- _____
- _____
- _____

4 **PARMI LES STRATÉGIES SUIVANTES, LESQUELLES PEUVENT VOUS AIDER À MIEUX GÉRER VOTRE NIVEAU DE STRESS ?**

- ○ **a)** Évaluer d'abord son niveau de stress.
- ○ **b)** Prendre la vie quotidienne avec un grain de sel.
- ○ **c)** Dédramatiser les situations stressantes.
- ○ **d)** Se lever et se coucher à heures fixes.
- ○ **e)** Utiliser au besoin les techniques de relaxation.

5 **PARMI LES ASSERTIONS SUIVANTES, LAQUELLE DÉFINIT LE MIEUX LE STRESS ?**

○ **a)** C'est un mal de vivre chronique.

○ **b)** C'est un état de tension psychique.

○ **c)** C'est le mal du siècle.

○ **d)** C'est une réaction d'adaptation non spécifique de l'organisme.

○ **e)** C'est une réaction du corps à une situation tendue.

6 **DANS LA LISTE D'EFFETS QUI SUIT, LESQUELS PEUVENT ÊTRE ATTRIBUÉS AUX TECHNIQUES DE RELAXATION ?**

○ **a)** On mange mieux.

○ **b)** On dort mieux.

○ **c)** On est plus souvent à l'heure.

○ **d)** On a moins de maux de tête.

○ **e)** On fait plus d'exercice.

7 **COMPLÉTEZ LES PHRASES SUIVANTES.**

a) Ce n'est pas tant le stress émotionnel qui nuit à la santé que la _____ ou l'apparente _____ de réaction devant la situation stressante.

b) Si le stress vous gagne, votre _____ risque de devenir _____ et superficielle, voire de se _____ à l'occasion.

c) L'imagerie _____ est l'équivalent d'une _____ d'actions réelles.

pour en savoir plus

LECTURES SUGGÉRÉES

- Caldwell, J.P., *Le sommeil*, Montréal, Guy St-Jean Éditeur, 1995.

- Carlson, R., *Ne vous noyez pas dans un verre d'eau*, Paris, J'ai lu, 1999.

- Houareau, M.J., *Les gymnastiques douces*, Paris, Retz Poche, 1990.

- Jacobson, E., *Savoir relaxer pour combattre le stress*, Montréal, Éditions de l'Homme, 1980.

- Robbins, A., *L'entraînement mental du sportif... que le non-sportif peut aussi lire*, Paris, Éditions Robert Laffont, 1989.

- Selye H., *Stress sans détresse*, Montréal, Éditions La Presse, 1974.

SITES INTERNET À VISITER

L'Association canadienne pour la santé mentale
http://www.cmha.ca/french/

L'Association/Troubles Anxieux du Québec
http://www.ataq.org/

L'unité de la promotion de la santé mentale de Santé Canada
http://www.hc-sc.gc.ca/hppb/sante-mentale/psm/index.html

Réseau canadien de la santé mentale
http://www.canadian-health-network.ca/2sante_mentale.html

bilan

4.1 Votre niveau de stress

Il existe de nombreux questionnaires destinés à évaluer le niveau de stress. Mais certains sont tellement élaborés qu'il devient stressant de les remplir ! Le questionnaire qui suit n'entre pas dans cette catégorie. Simple et rapide à remplir, il vous permet de connaître en un tournemain votre niveau de stress.

À vous de jouer maintenant. Répondez à toutes les questions en vous accordant 1 point pour chaque « oui » et 0 point pour chaque « non ».

Vous arrive-t-il SOUVENT...	oui	non
1. de négliger votre alimentation ?		
2. d'essayer de tout faire en même temps ?		
3. de perdre contrôle facilement ?		
4. de vous fixer des buts irréalistes ?		
5. de ne pas voir l'humour dans des situations qui amusent les autres ?		
6. de dormir mal ou trop peu ?		
7. de faire des « montagnes » avec des riens ?		
8. d'attendre que les autres agissent à votre place ?		
9. d'avoir de la difficulté à prendre des décisions ?		
10. de déplorer votre manque d'organisation ?		
11. d'éviter les gens qui ne partagent pas vos idées ?		
12. de tout garder en vous ?		
13. de négliger de faire de l'exercice physique ?		
14. d'être inquiet à propos de vos résultats scolaires ou de penser que vous n'étudiez pas dans un domaine qui vous convient ?		
15. de vous plaindre d'un manque d'argent ?		
16. d'utiliser des somnifères ou des tranquillisants sans ordonnance ?		

Vous arrive-t-il SOUVENT...	oui	non
17. de vous sentir physiquement ou mentalement fatigué?		
18. de vous fâcher lorsqu'on vous fait attendre?		
19. de ne pas vous occuper de vos symptômes de stress?		
20. de remettre les choses à plus tard?		
21. de ne pas trouver de temps pendant la journée pour vous détendre?		
22. de potiner?		
23. d'avoir l'impression de courir toute la journée?		
24. d'être incapable de vous concentrer?		
25. d'avoir des relations tendues avec vos proches (parents, frères, sœurs, etc.)?		
TOTAL:		

Ce que votre résultat signifie...

Entre 1 point et 6 points. Votre stress est faible. Vous êtes vraiment très décontracté! Faites attention cependant car, en essayant à tout prix d'éviter les problèmes, vous pourriez rater des occasions de relever de nouveaux défis.

Entre 7 points et 13 points. Votre stress est moyen. Vous jouissez d'un bon équilibre. Votre stress et votre capacité à le contrôler se compensent.

Entre 14 points et 20 points. Votre stress est élevé. Attention! Vous approchez de la zone dangereuse. Mettez en application les conseils de relaxation (exercices et techniques, p. 82 et suivantes) et refaites le test dans un mois.

20 points et plus. Votre stress est très élevé. Urgence! Arrêtez-vous dès maintenant, cherchez de l'aide (thérapeute, proche, ami, etc.) et réexaminez votre mode de vie. Entre-temps, faites de l'exercice et pratiquez la relaxation avant que le couvercle de la marmite ne saute!

4.2 Votre engagement vis-à-vis du stress

Maintenant que vous avez fait le point sur votre niveau de stress, vous pouvez vous poser la question suivante : que suis-je prêt à faire pour maintenir mon niveau de stress actuel, s'il est faible ou modéré, ou pour le faire baisser, s'il est élevé ?

Cochez dans le tableau qui suit les engagements que vous souhaitez prendre ; dans un mois, vous cocherez ceux que vous aurez respectés.

Je m'engage à...	Je vais le faire dès maintenant.	Un mois plus tard, je tiens toujours le coup...	Signature d'un témoin (le cas échéant)
mettre le doigt sur ce qui me stresse.			
éviter autant que possible les situations, les événements et les individus qui me stressent.			
dédramatiser les situations stressantes.			
être plus optimiste.			
améliorer la qualité de mon sommeil (voir p. 80).			
utiliser, au besoin, une technique de relaxation pour me détendre.			
effectuer l'activité suivante : _____ _____			

I. Au total, vous avez pris _____ engagement(s) et vous en avez respecté _____ .

2. Pour quelle raison n'avez-vous pas, le cas échéant, respecté certains de vos engagements?

○   J'ai manqué de temps.

○   J'ai manqué de motivation.

○   Je n'étais pas aussi prêt à passer à l'action que je le pensais.

○   Il aurait fallu que je ne sois pas seul dans ma démarche.

○   Autre(s) raison(s) : _____

3. Finalement, croyez-vous être capable de gérer votre stress efficacement?

    Expliquez brièvement votre réponse.

_____

_____

_____

_____

chapitre 5

Le tabac
et l'alcool
dépendant ou pas ?

Objectifs

- Connaître les méfaits du tabagisme et de l'abus d'alcool sur la santé.

- Connaître les moyens à prendre pour cesser de fumer et pour éviter l'abus d'alcool.

- Faire le bilan de sa dépendance à la nicotine et à l'alcool.

- Prendre des engagements fermes vis-à-vis de sa dépendance au tabac ou à l'alcool.

Ce chapitre est consacré aux deux dépendances les plus répandues sur la planète : le tabagisme et l'abus d'alcool. À elles seules, ces deux habitudes tuent, chaque année, des millions de personnes. Elles nous coûtent, au Québec seulement, des milliards de dollars en soins de santé et en journées de travail perdues, sans parler des coûts sociaux énormes qu'elles engendrent. Nous amorçons la réflexion sur ces deux « tueurs en série » par celui qui est le plus mortel sur la planète : le tabagisme — une habitude nocive très répandue et qui continue de se répandre.

> Nos habitudes commencent par des plaisirs dont nous n'avons pas besoin et se terminent par des nécessités dans lesquelles nous ne trouvons aucun plaisir.
>
> Thomas McKeown

Le tabagisme :
la plus mortelle des dépendances

Vous ne fumez pas ? Tant mieux ! Mais si vous fumez, cette première partie du chapitre 5 vous concerne au plus haut point. Après tout, cette habitude inventée de toutes pièces par l'industrie du tabac il n'y a même pas 100 ans tue, bon an mal an, 4 millions de personnes. Imaginez un peu : c'est comme si 50 % de la population du Québec disparaissait en un an (tableau 5.1) ! De plus, avant de tuer le fumeur, le tabagisme détériore sa santé et sa qualité de vie, comme le montre la figure 5.1.

TABLEAU 5.1 Plus mortelle que toutes les guerres réunies !

La cigarette...	C'est comme si...
tue, de nos jours, plus de 4 millions de fumeurs chaque année.	50 % de la population du Québec mourait en un an.
a tué en 10 ans plus de 32 millions de fumeurs.	100 % de la population du Canada avait été décimée en une décennie.
a tué en 25 ans plus de 50 millions de fumeurs.	90 % de la population de la France avait disparu en un quart de siècle.

Fait inquiétant, le tabagisme ne régresse pas : au contraire, **on fume de plus en plus tôt**. Il n'est pas rare maintenant de voir des jeunes de moins de 12 ans qui fument déjà quelques cigarettes par jour. Si ces jeunes fumeurs continuent à fumer, leur santé s'en ressentira dès le début de la trentaine, comme on l'observe chez les personnes qui ont commencé à fumer en bas âge.

Cela dit, l'objectif visé ici n'est pas d'insister sur ce que vous savez probablement déjà, à savoir que le tabac est nuisible, mais plutôt de renforcer votre désir de cesser de fumer — si vous êtes fumeur. Si vous voulez écraser — comme 90 % des fumeurs le veulent —, vous savez mieux que quiconque que ce n'est pas chose facile.

FIGURE 5.1   Le portrait d'un tueur en série : le tabac

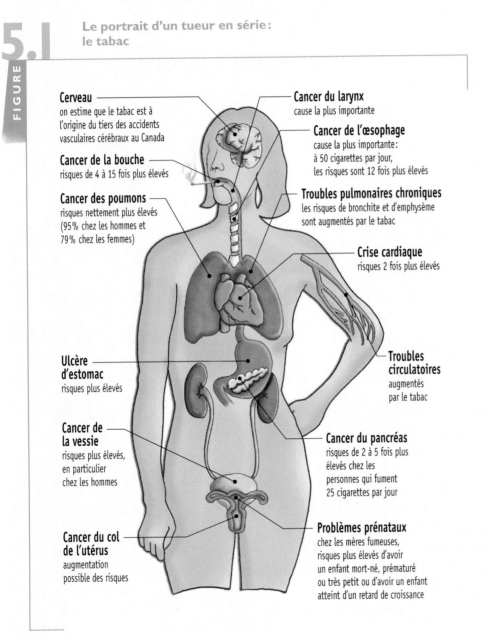

Cerveau
on estime que le tabac est à l'origine du tiers des accidents vasculaires cérébraux au Canada

Cancer de la bouche
risques de 4 à 15 fois plus élevés

Cancer des poumons
risques nettement plus élevés (95 % chez les hommes et 79 % chez les femmes)

Ulcère d'estomac
risques plus élevés

Cancer de la vessie
risques plus élevés, en particulier chez les hommes

Cancer du col de l'utérus
augmentation possible des risques

Cancer du larynx
cause la plus importante

Cancer de l'œsophage
cause la plus importante : à 50 cigarettes par jour, les risques sont 12 fois plus élevés

Troubles pulmonaires chroniques
les risques de bronchite et d'emphysème sont augmentés par le tabac

Crise cardiaque
risques 2 fois plus élevés

Troubles circulatoires
augmentés par le tabac

Cancer du pancréas
risques de 2 à 5 fois plus élevés chez les personnes qui fument 25 cigarettes par jour

Problèmes prénataux
chez les mères fumeuses, risques plus élevés d'avoir un enfant mort-né, prématuré ou très petit ou d'avoir un enfant atteint d'un retard de croissance

Pourquoi est-il si difficile de cesser de fumer ? Parce que, comme la cocaïne et l'héroïne, la nicotine contenue dans le tabac crée une **dépendance physiologique**. Cette dépendance apparaît chez le fumeur dès les premières bouffées. En effet, il suffit de quelques cigarettes pour en devenir dépendant. Si l'habitude persiste, ce qui est souvent le cas, la dépendance physiologique se double d'une **dépendance psychologique**. Fumer est alors associé à des moments agréables ou encore devient un moyen de supporter le stress. On fume :

- le matin en commençant la journée,
- pendant la pause au travail pour accompagner son café,
- après le souper pour se relaxer,
- après une dispute ou une colère,
- avant un examen ou une entrevue pour se calmer,
- au bar pour se donner une contenance,
- dans un embouteillage pour passer le temps,
- quand on s'ennuie,
- quand on a envie de se récompenser,
- etc.

Bref, une fois que l'on est devenu un vrai « nicotinomane », tous les prétextes sont bons pour en allumer une.

Pour en finir avec le tabac

Se défaire d'une telle habitude n'est donc pas facile. D'ailleurs, des milliers d'ex-fumeurs ont fait plusieurs rechutes avant d'écraser pour de bon. Néanmoins, chaque jour, des centaines y arrivent. Il n'en tient qu'à vous d'en faire autant. Aujourd'hui, vous avez le choix entre éteindre votre dernière cigarette ou allumer la dix millième, au grand dam de votre santé. Mais si vous êtes décidé à rompre avec cette habitude, tenez compte des conseils suivants.

Évaluez d'abord votre degré de dépendance. Vous trouverez à la fin du chapitre (p. 111) un test qui vous permettra d'évaluer jusqu'à quel point vous êtes un accroc du tabac. Votre degré de dépendance à la nicotine vous donnera une idée du degré de difficulté auquel vous ferez face lorsque vous tenterez de cesser de fumer.

Demandez-vous quand et pourquoi vous fumez. Posez-vous cette question chaque fois que vous allumez une cigarette et notez vos réponses. Celles-ci vous permettront de connaître les situations qui déclenchent chez vous l'envie de fumer. Libre à vous ensuite de les éviter. Vous trouverez à la fin du chapitre (p. 112) un formulaire qui pourra vous aider à faire ce petit bilan. Il est tout simple mais il révélera très efficacement ce qui vous pousse à fumer et les satisfactions que vous en retirez.

Quelques conseils

pour cesser de fumer... en douceur !

Les cigarettes les plus faciles à couper sont celles dont vous n'avez pas besoin. Réfléchissez avant d'allumer une cigarette et posez-vous la question : « Dois-je prendre cette cigarette ? » Si la réponse est « non », ne la fumez pas. Vous pourriez alors vous dire : « Je commence à contrôler ma consommation de cigarettes. »

Pour avoir plus de contrôle, retardez graduellement le moment de votre prochaine cigarette. Lorsque vous avez envie de fumer, faites autre chose ou redirigez votre pensée.

Essayez de retarder le moment de votre première cigarette de la journée ou éliminez certaines cigarettes à divers autres moments, comme à la pause de l'après-midi ou après le dîner.

Vous pouvez aussi diminuer votre consommation de cigarettes en ne fumant qu'une demi-cigarette à la fois. Tracez une ligne au milieu et ne fumez ensuite que jusqu'à cette ligne. La prochaine fois que vous ressentirez le besoin de fumer, allumez ce qui reste de la cigarette.

Enfin, si vous décidez de diminuer le nombre de cigarettes que vous fumez, n'essayez pas de compenser en couvrant les trous d'air au bout du filtre ou en inhalant plus profondément la fumée.

N'attendez pas la méthode miracle pour passer à l'action. Beaucoup de fumeurs reportent leur décision en espérant qu'un jour une méthode miracle viendra faire le travail à leur place. C'est impossible. La plupart des ex-fumeurs ont abandonné la cigarette sans l'aide d'une méthode particulière. Ce qu'il faut tout d'abord, c'est vous décider ; le reste suivra, même si cela risque d'être difficile.

Prenez la décision au bon moment. Entreprendre de devenir un non-fumeur en période de grand stress ou de déprime, c'est courir à l'échec. Prenez plutôt cette décision quand tout va plutôt bien dans votre vie. Par exemple, nombreux sont ceux qui ont décidé de passer à l'acte pendant leurs vacances ou encore pour faire plaisir à leur nouvel amoureux. Mettez toutes les chances de votre côté.

Si vous ne pouvez arrêter d'un coup, réduisez du moins votre consommation. La recherche a démontré que ceux qui ne peuvent pas — ou ne veulent pas — cesser de fumer sont toutefois capables de réduire leur consommation de cigarettes. Ainsi, vous pouvez cesser de fumer graduellement en réduisant d'abord la quantité de cigarettes que vous fumez chaque jour. En diminuant votre consommation, vous aurez une idée de ce que sera votre vie sans tabac. Il est toujours plus facile de s'attaquer à un problème en réglant un à un chacun de ses aspects plutôt qu'en le prenant dans sa globalité : petit à petit, l'oiseau fait son nid. Consultez le Zoom ci-contre à ce sujet.

Faites de l'exercice. Il s'agit d'une saine façon d'occuper son temps tout en améliorant sa santé. Le fait de renouer avec l'activité physique a d'ailleurs convaincu plus d'un fumeur d'abandonner la cigarette ou, sinon, de fumer moins. En cessant de fumer, vous augmenterez votre capacité aérobique de 5 à 7 %, et ce en moins de 48 heures. Ce résultat rapide peut être très motivant.

Surveillez votre alimentation. Il est fréquent de prendre quelques kilos quand on cesse de fumer. La raison en est fort simple : non seulement la cigarette tient la bouche et les doigts occupés, mais en plus elle coupe l'appétit. En arrêtant de fumer, on est donc porté à remplacer la pause-cigarette par une pause-bouffe. De plus, le métabolisme ralentit un peu dans les premières semaines de sevrage, ce qui facilite l'accumulation des calories, comme on l'a déjà vu. Donc, pendant les deux premiers mois de sevrage, surveillez votre alimentation. Un vieux truc : buvez de l'eau quand l'envie de manger (ou de fumer) vous prend, histoire d'apaiser votre estomac.

Ne tentez pas le diable ! Fuyez les lieux, les occasions et les gens qui pourraient vous inciter à fumer. C'est déjà assez difficile de tenir le coup sans se mettre le nez dans la fumée des autres !

Rappelez-vous que les bénéfices viendront rapidement. Dès les premières heures qui suivront l'abandon de cette habitude mortelle, vous vous sentirez mieux. D'ailleurs, en peu de temps, votre santé reprendra du poil de la bête (Zoom).

Ce qui va changer...

Dès les premiers jours, vous aurez une meilleure haleine, vos vêtements et vos cheveux ne sentiront plus la fumée, votre odorat sera meilleur, votre sommeil plus profond (la nicotine perturbe le sommeil) et vous tousserez moins. Après une semaine, votre sang sera déjà plus riche en oxygène de 5 à 10 %. Après un an, votre décision vous aura fait économiser au bas mot 3 000 $ (si vous fumiez un paquet par jour). De plus, quels que soient votre âge et le nombre d'années durant lesquelles vous avez fumé, l'abandon de la cigarette fera diminuer, dès la première année, les risques de crise cardiaque et de cancer du poumon. Dix ans après avoir complètement arrêté de fumer, ces risques ne seront pas plus élevés que chez la personne qui n'a jamais fumé. Si vous êtes enceinte et que vous cessez de fumer à partir du quatrième mois de grossesse, votre bébé sera plus gros et courra moins de risques de naître prématurément que si vous aviez continué à fumer.

Résistez à la tentation d'en allumer une «juste pour voir». Si vous cédiez à cette tentation, vous risqueriez la rechute, et ce peu importe le temps qui s'est écoulé depuis que vous avez cessé de fumer — un mois ou cinq ans...

Au besoin, faites-vous aider. Si vous vous sentez incapable d'arriver seul à arrêter de fumer, contactez des organismes voués à la lutte contre le tabagisme. Vous y trouverez des spécialistes et de la documentation qui vous aideront à tenir le coup. Voici quelques noms utiles : l'*Association pulmonaire du Québec* (qui fournit une trousse individuelle antitabac), la *Société canadienne du cancer*, le centre *Vivre mieux sans fumée*, la *Gang allumée* du Conseil québécois sur le tabac et la santé, le programme *Vie 100 fumer*, les YMCA, les CLSC et certains hôpitaux comme le Centre thoracique de Montréal. Tous ces organismes sont en mesure de vous aider. Consultez aussi la rubrique «Pour en savoir plus» à la fin du chapitre.

L'alcool :
quand la coupe déborde

C'est connu, l'alcool améliore l'humeur, rend plus sociable et accentue le plaisir sensoriel ; c'est que l'alcool agit sur le cerveau limbique, la partie qui gère les émotions. Consommé modérément, il s'avère bénéfique pour la santé. D'abord, il nous aide à nous relaxer en détendant nos muscles. Il nous protège contre les maladies cardiaques en augmentant le taux de bon cholestérol dans le sang et en rendant le sang plus liquide (il a un effet anticoagulant). Par son action sur le taux de sucre, il ferait aussi diminuer les risques de diabète de type 2 et de dégénérescence maculaire (une maladie de l'œil pouvant entraîner la perte de la vue).

Hélas ! le hic avec l'alcool, c'est justement quand on fait hic ! Consommé au-delà d'une certaine quantité (figure 5.2), l'alcool perturbe le jugement, diminue la coordination, ralentit le temps de réaction et rend téméraire. Prendre le volant dans ces conditions augmente de 40 % les risques d'avoir un accident de la route, et si celui-ci se produit, il est souvent mortel. Dans les pays industrialisés, la moitié des décès résultant d'un accident de la route sont imputables à une consommation abusive d'alcool. Parmi ces décès, on compte les personnes innocentes qui ont eu la malchance de se trouver dans la même voiture que le conducteur ivre ou qui ont été heurtées par cette voiture.

5.2 Quand la coupe déborde !

On se sent détendu.

On parle beaucoup ; la gêne disparaît. Si on prend le volant, on risque un accident.

L'humeur change. Le jugement est à la baisse et la coordination motrice diminue. Danger public sur la route !

Ça va de mal en pis. Le comportement social est en déroute. On titube et on risque de tomber. Les propos deviennent incohérents. *Bref, on est saoul !*

Conséquence de cette hécatombe routière : conduire en ayant un certain taux d'alcool dans le sang est maintenant considéré comme un acte criminel. Au Québec, la loi qui interdit strictement la conduite avec facultés affaiblies fixe l'**alcoolémie** tolérée au volant à 80 mg d'alcool par 100 mL de sang (0,08) et même à 0 mg dans le cas d'un permis probatoire. Beaucoup de personnes atteignent le taux de 0,08 en une heure, après seulement deux consommations. Une **consommation** est l'équivalent d'un verre de bière (340 mL ou 12 oz), d'un verre de vin (125 mL ou 4,5 oz) ou d'un verre de spiritueux (42 mL ou 1,5 oz). On n'a donc pas besoin d'avoir bu beaucoup pour conduire dans l'illégalité (tableau 5.2).

TABLEAU

5.2

Évaluation rapide du taux
d'alcool dans le sang*

HOMME					
Nombre de consommations	57 kg (125 lb)	68 kg (150 lb)	80 kg (175 lb)	91 kg (200 lb)	113 kg (225 lb)
1	34 mg	29 mg	25 mg	22 mg	17 mg
2	69 mg	58 mg	50 mg	43 mg	35 mg
3	103 mg	87 mg	75 mg	65 mg	52 mg
4	139 mg	116 mg	100 mg	87 mg	70 mg
5	173 mg	145 mg	125 mg	108 mg	87 mg

FEMME					
Nombre de consommations	45 kg (100 lb)	57 kg (125 lb)	68 kg (150 lb)	80 kg (175 lb)	91 kg (200 lb)
1	50 mg	40 mg	34 mg	29 mg	26 mg
2	101 mg	80 mg	68 mg	58 mg	50 mg
3	152 mg	120 mg	101 mg	87 mg	76 mg
4	203 mg	162 mg	135 mg	117 mg	101 mg
5	253 mg	202 mg	169 mg	146 mg	126 mg

Il est important de soustraire 15 mg d'alcool par heure à partir de la première consommation, car c'est à ce rythme que l'organisme élimine l'alcool. Un foie en mauvais état fonctionne moins bien et moins vite, et le processus d'élimination est ralenti. Une personne qui a des problèmes de santé devrait s'abstenir de consommer ou du moins boire très modérément.

* Fourni à titre indicatif, ce tableau d'Éduc'alcool doit être interprété avec prudence. Les réactions à l'alcool fluctuent beaucoup d'un individu à l'autre et chez une même personne selon les circonstances dans lesquelles l'alcool est absorbé. Par exemple, si vous buvez un soir où vous êtes fatigué, énervé ou sous médication, il se peut que vous ne soyez pas en état de conduire, même si les données de consommation inscrites dans ce tableau indiquent le contraire.

Il n'y a pas qu'au volant que l'alcool constitue un problème. On risque aussi de se blesser au travail, de faire une mauvaise chute, d'attraper ou de transmettre une MTS (éthanol ne rime pas avec condom), et même d'exercer de la violence verbale ou physique. Et lorsqu'il devient chronique, l'abus d'alcool (plus de 24 consommations hebdomadaires) affecte sérieusement la santé mentale et physique. Malnutrition, cirrhose du foie, hypertension artérielle, perte de mémoire, cancer de la bouche ou de la gorge, intoxication du fœtus pendant la grossesse, problèmes conjugaux et familiaux, état dépressif, relations désastreuses avec les autres, comportement antisocial, absences répétées au travail, sont souvent le lot des accros de la bouteille.

Quelques trucs pour éviter l'abus

La plupart des consommateurs d'alcool font rarement déborder la coupe. Mais les occasions de prendre un verre semblent aujourd'hui plus fréquentes que par le passé ; de plus, un buveur boit pendant un plus grand nombre d'années qu'autrefois, à cause de l'augmentation de l'espérance de vie. Voici donc quelques trucs pour éviter de succomber trop souvent à la tentation de Bacchus ou, à tout le moins, pour boire modérément (Zoom) et ne pas vous retrouver en situation d'illégalité.

ZOOM

Qu'est-ce que la consommation modérée d'alcool ?

Selon les études les plus récentes, on retire le maximum des effets protecteurs de l'alcool et on réduit au minimum ses effets nocifs en prenant de 6 à 10 consommations par semaine pour les femmes, et de 11 à 14 consommations par semaine pour les hommes. Il faut toutefois que cette consommation soit répartie à peu près également pendant la semaine, la consommation de grandes quantités annulant les effets bénéfiques de l'alcool. Par exemple, prendre 7 consommations les vendredi et samedi soirs, ce qui donne 14 consommations pour la semaine, est plus nocif que la prise quotidienne de 1 ou 2 consommations.

N'arrivez pas à la fête déshydraté.   Vous risqueriez d'avaler une bière rapidement pour étancher votre soif, ce qui ferait grimper tout aussi rapidement le taux d'alcool dans votre sang. Buvez deux ou trois verres d'eau avant de prendre votre première consommation. Évidemment, cela vaut aussi pour la bière que l'on prend après avoir joué au tennis ou au hockey. Comme l'effet diurétique de l'alcool fait perdre beaucoup d'eau, buvez aussi de l'eau après avoir consommé des boissons alcoolisées.

Prenez connaissance des mythes sur l'alcool.   Les on-dit sur l'alcool sont encore très nombreux dans notre société. Malheureusement, ils induisent en erreur beaucoup de gens. Consultez le Zoom de la page suivante pour savoir si ces rumeurs sont fondées ou pas.

ZOOM

Cinq mythes
tenaces sur l'alcool

Quand j'ai froid en ski de fond, je prends un peu d'alcool pour me réchauffer.
Certes, l'alcool réchauffe. Mais ça ne dure pas ! En ouvrant les capillaires situés sous la peau, il laisse filer la chaleur du corps. Après un certain temps, on finit par geler.

J'ai pris du café, ça dégrise !
Le café n'a aucun effet sur l'élimination de l'alcool dans le sang. Il peut seulement aider à rester éveillé.

J'ai dansé ; en transpirant j'ai donc éliminé l'alcool que j'ai ingéré.
La danse, aussi vive soit-elle, ne vous fera perdre que 3 % d'alcool par la transpiration. Si vous avez pris quelques bières, vous devrez danser toute la nuit pour être dégrisé !

Je peux conduire, je n'ai rien bu depuis une heure.
En une heure, le corps n'a le temps d'éliminer que l'alcool contenu dans une seule consommation (15 mg).

J'ai l'habitude de boire, ça me fait moins d'effet.
Il est vrai qu'une personne habituée à boire ressent moins les effets de l'alcool, mais cela ne change rien au taux d'alcool dans le sang. L'alcootest peut le confirmer !

Mangez avant de prendre un verre. L'alcool qui envahit un estomac vide pénètre très rapidement dans le sang. Sachez aussi que l'alcool contenu dans les spiritueux (whisky, vodka, cognac, etc.), les vins mousseux (le champagne, surtout) et les mélanges contenant de l'eau gazeuse (rhum et cola, par exemple) se rend plus vite dans le sang que celui qui est contenu dans la bière ou le vin, en raison de la concentration d'alcool et de la présence de gaz carbonique.

Buvez lentement. Le foie met une heure à éliminer la quantité d'alcool absorbée dans une consommation, et il n'existe aucun produit capable d'accélérer son travail. Par ailleurs, un mauvais état de santé et une alimentation malsaine ralentissent l'élimination de l'alcool par le foie.

Sachez refuser quand on insiste pour vous faire boire. Voici un répertoire d'excuses qui peuvent être utiles au moment opportun : « Non merci, je conduis » ; « Les alcools forts me rendent malade » ; « J'ai des problèmes de foie » ; « Si j'en prends trop, j'aurai mal à la tête » ; « Je prends des médicaments » ; « J'ai un examen demain matin » ; « Je dois me lever tôt pour aller travailler ».

Évitez les aliments très salés ou très sucrés. Les croustilles, les arachides et les sucreries incitent à boire davantage.

Devenez l'hôte parfait

Quand vous organisez une fête, vous pouvez aider vos invités à résister à l'attrait de l'alcool. Si vous appliquez les trucs suivants, vous serez sûrement considéré comme un hôte qui veille au bien-être de ses amis!

Servez des aliments riches en protéines ou en amidon. Des aliments comme le fromage, les fruits de mer, les craquelins ou les crudités ralentissent l'absorption de l'alcool dans le sang.

Choisissez un endroit assez vaste et bien aéré. Plus les gens sont serrés les uns sur les autres, plus ils ont chaud et plus ils ont soif.

Prévoyez assez de sièges. Les gens ont tendance à vouloir tenir un verre à la main lorsqu'ils sont debout : ils boivent donc plus en restant debout qu'en étant assis.

Offrez des boissons non alcoolisées ou faibles en alcool (0,5 %). Vous serez surpris de l'accueil qui leur sera réservé!

Animez la fête en faisant bouger vos invités. Occupez-les avec des jeux de société amusants. De cette façon, vous éviterez que la consommation d'alcool ne devienne la principale activité de la soirée!

à vos méninges

Remarque : Il peut y avoir plus d'une bonne réponse par question.

1   LA NICOTINE CONTENUE DANS LE TABAC CRÉE :

- ○ **a)** un déficit en oxygène dans le sang.
- ○ **b)** une dépendance physiologique.
- ○ **c)** une baisse de la concentration.
- ○ **d)** une hausse de la concentration de monoxyde de carbone.
- ○ **e)** Aucune des réponses précédentes.

2   VOUS ORGANISEZ UNE FÊTE AVEC DES AMIS. PARMI LES TRUCS ÉNUMÉRÉS CI-DESSOUS, LESQUELS PEUVENT AIDER VOS AMIS À NE PAS ABUSER DE L'ALCOOL ?

- ○ **a)** Servir des aliments riches en hydrates de carbone.
- ○ **b)** Choisir un endroit assez vaste et bien aéré.
- ○ **c)** Animer la fête en faisant bouger ses invités.
- ○ **d)** Servir des arachides salées et des croustilles.
- ○ **e)** Servir des aliments riches en protéines et en amidon.

3   LAQUELLE DES DÉPENDANCES SUIVANTES EST LA PLUS MORTELLE SUR LA PLANÈTE ?

- ○ **a)** L'abus de médicaments.
- ○ **b)** L'abus d'alcool.
- ○ **c)** L'abus de drogues.
- ○ **d)** Le tabagisme.
- ○ **e)** Toutes les réponses précédentes.

4   PARMI LES PROBLÈMES DE SANTÉ SUIVANTS, LEQUEL OU LESQUELS SONT ASSOCIÉS À UN ABUS D'ALCOOL PASSAGER ?

- ○ **a)** Perte d'appétit.
- ○ **b)** Diarrhée.
- ○ **c)** Perturbation du jugement.
- ○ **d)** Diminution de la coordination.
- ○ **e)** Constipation.

5 L'HABITUDE DE FUMER DES CIGARETTES EXISTE DEPUIS :

○ **a)** 50 ans.
○ **b)** 100 ans.
○ **c)** 300 ans.
○ **d)** le Moyen Âge.
○ **e)** l'Empire romain.

6 EN 25 ANS, LE TABAGISME A TUÉ L'ÉQUIVALENT DE :

○ **a)** 50 % de la population du Québec.
○ **b)** 100 % de la population du Canada.
○ **c)** 25 % de la population des États-Unis.
○ **d)** 90 % de la population de la France.
○ **e)** Aucune des réponses précédentes.

7 PARMI LES EFFETS BÉNÉFIQUES SUIVANTS, LEQUEL OU LESQUELS RESSENT-ON LORSQU'ON CESSE DE FUMER ?

○ **a)** Le métabolisme de base augmente.
○ **b)** On a une meilleure haleine.
○ **c)** On goûte mieux les aliments.
○ **d)** On a un meilleur odorat.
○ **e)** En une semaine, le sang est plus riche en oxygène de 5 à 10 %.

8 CHEZ BEAUCOUP DE PERSONNES, LE TAUX D'ALCOOL DANS LE SANG PEUT ATTEINDRE 80 MG PAR 100 ML EN UNE HEURE, APRÈS SEULEMENT :

○ **a)** une consommation.
○ **b)** deux consommations.
○ **c)** trois consommations.
○ **d)** quatre consommations.
○ **e)** cinq consommations.

9 SI VOUS ÊTES SORTI ET QUE VOUS AVEZ TROP BU, QUELLE(S) OPTION(S) S'OFFRE(NT) À VOUS ?

○ **a)** Vous couchez sur place.
○ **b)** Vous prenez un taxi.
○ **c)** Vous prenez du café pour dégriser.
○ **d)** Vous dansez beaucoup pour accélérer l'élimination de l'alcool de votre sang.
○ **e)** Vous rentrez avec un chauffeur que vous aviez désigné auparavant.

10. NOMMEZ CINQ PROBLÈMES DE SANTÉ ASSOCIÉS À L'ABUS CHRONIQUE D'ALCOOL.

- _____
- _____
- _____
- _____
- _____

11. ÉNUMÉREZ CINQ CONSEILS QUE VOUS DONNERIEZ À QUELQU'UN QUI VEUT CESSER DE FUMER.

- _____
- _____
- _____
- _____
- _____

12. NOMMEZ CINQ PROBLÈMES DE SANTÉ GRAVES CAUSÉS PAR LE TABAGISME.

- _____
- _____
- _____
- _____
- _____

13. COMPLÉTEZ LES PHRASES SUIVANTES.

a) Il n'y a pas qu'au volant que l' _____ constitue un problème. On risque de faire une mauvaise chute, d'attraper ou de transmettre une _____ , et même de faire montre de _____ verbale ou physique.

b) Beaucoup de fumeurs reportent leur décision d'arrêter de fumer en espérant qu'un jour une _____ viendra faire tout le travail à leur _____ .

c) La recherche a démontré que ceux qui ne peuvent ou ne veulent pas cesser de fumer sont toutefois capables de _____ leur consommation de cigarettes.

pour en savoir plus

LECTURES SUGGÉRÉES

Les jeunes et l'alcool, brochure de 15 pages du ministère de la Santé et des Services sociaux, Québec, 2001 (aussi disponible sur le site du ministère).

SITES INTERNET À VISITER

Campagne du ruban bleu
http://www.hc-sc.gc.ca/hecs-sesc/tabac/faits/rubansbleus/index.html

Conseils pour vous aider à vivre sans fumée
http://www.hc-sc.gc.ca/hppb/les-regions/ab-tno/programmes/f_tobacco_free.html

Éduc'alcool Québec
http://www.educalcool.qc.ca/doc.cfm?Ca=202&Doc=482

Parlons drogue et alcool (Santé-Québec)
http://www.parlonsdrogue.org/pages/fsjeunes.html

Vie 100 fumer (Santé Canada)
http://www.hc-sc.gc.ca/hecs-sesc/tabac/jeunesse/cesser/100.html

Tobacco Facts
http://www.tobaccofacts.org

RESSOURCES

Drogue Aide et référence (si vous avez besoin d'aide ou d'informations)
Montréal et environs: **(514) 527-2626**
Ailleurs: **1-800-265-2626**

Tel-jeunes (service confidentiel, 24 h sur 24, 7 jours sur 7)
Montréal et environs: **(514) 288-2266**
Ailleurs: **1-800-263-2266**

Centre canadien de lutte contre l'alcoolisme et les toxicomanies **1-800-214-4788**

Jeunesse, j'écoute **1-800-668-6868**

Centre national de documentation sur le tabac et la santé **1-800-267-5234**

Ligne Poumons neufs **1-888-768-6669**

L'Association pulmonaire du Québec **1-800-295-8111**

5.1 Le bilan de votre dépendance à la nicotine

A   JUSQU'À QUEL POINT ÊTES-VOUS DÉPENDANT DE LA NICOTINE?

L'échelle de tolérance à la nicotine de Fagerström est la meilleure façon de déterminer le niveau de dépendance à la nicotine. Si vous fumez, passez d'abord ce test avant de faire les autres bilans.

	0 point	1 point	2 points	points obtenus
Je fume ma première cigarette…	plus de 30 minutes après le réveil.	moins de 30 minutes après le réveil.	dès le lever.	
J'ai de la difficulté à m'abstenir de fumer là où c'est interdit.	Non.	Oui.	___	
Ce qui m'apporte le plus de satisfaction…	ce sont toutes les cigarettes, sauf la première de la journée.	c'est la première cigarette de la journée.	___	
Je fume chaque jour…	de 1 à 15 cigarettes.	de 16 à 25 cigarettes.	plus de 25 cigarettes.	
Je fume davantage le matin que le reste de la journée.	Non.	Oui.	___	
Si je suis malade et alité…	je ne fume pas.	je fume.	___	
La teneur en nicotine de mes cigarettes est…	faible.	modérée.	forte.	
J'inhale la fumée.	Jamais.	Parfois.	Toujours.	

Faites le total des points obtenus. _____

Ce que votre résultat signifie…

Entre 0 point et 3 points. Vous êtes peu dépendant ou pas du tout.

Entre 4 points et 6 points. Vous êtes moyennement dépendant.

Entre 7 points et 9 points. Vous êtes sérieusement dépendant.

10 points et plus. Vous êtes complètement dépendant.

B OÙ, QUAND ET POURQUOI FUMEZ-VOUS?

Le formulaire qui suit vous aidera à faire le bilan de ce qui vous pousse à fumer et des satisfactions que vous en retirez. Comme vous devrez l'avoir à portée de la main pendant toute une journée, faites-en une photocopie à partir de *l'Équipier* et pliez la copie en deux pour l'insérer dans votre paquet de cigarettes ou placez-la dans un autre endroit facilement accessible. Chaque fois que vous fumez, inscrivez sur le formulaire l'heure, l'endroit, la personne avec qui vous êtes (le cas échéant), votre humeur (bonne ou mauvaise) et votre besoin réel de fumer à ce moment précis. Vous verrez, c'est un exercice très instructif!

Dans la colonne intitulée «Humeur», inscrivez:

B: si vous vous sentez bien ou de bonne humeur avant de fumer;

M: si vous vous sentez en colère, triste ou de mauvaise humeur avant de fumer;

?: si vous n'êtes pas certain de la nature de vos sentiments avant de fumer.

Dans la colonne intitulée «Besoin», notez l'intensité (de 1 à 5) de votre besoin de fumer. Inscrivez:

1: si cette cigarette n'est pas du tout indispensable;

5: si vous avez désespérément besoin de cette cigarette.

Cigarette	Heure	Endroit	Avec qui?	Humeur (B,M ou?)	Besoin (1 à 5)
1re					
2e					
3e					
4e					
5e					
6e					
7e					
8e					
9e					
10e					
11e					
12e					
13e					

Cigarette	Heure	Endroit	Avec qui?	Humeur (B,M ou?)	Besoin (1 à 5)
14ᵉ					
15ᵉ					
16ᵉ					
17ᵉ					
18ᵉ					
19ᵉ					
20ᵉ					
21ᵉ					
22ᵉ					
23ᵉ					
24ᵉ					
25ᵉ					

Répondez maintenant à ces questions.

1. Combien de cigarettes consommées pendant la journée

    a)   satisfont un besoin désespéré de fumer? _____

    b)   ne satisfont aucun besoin particulier? _____

    c)   l'ont été alors que vous étiez de mauvaise humeur? _____
        de bonne humeur? _____

2. Compte tenu de ce qui vous pousse à fumer en général et des satisfactions que la cigarette vous procure, quelles conclusions en tirez-vous?

_____

_____

_____

_____

_____

C ÊTES-VOUS VRAIMENT PRÊT À CESSER DE FUMER?

Vous connaissez votre degré de dépendance à la nicotine (et donc le degré de difficulté qui vous attend si vous vous décidez à cesser de fumer). Vous connaissez ce qui vous pousse à fumer et les satisfactions que vous en retirez. Alors la question se pose : êtes-vous vraiment prêt à cesser de fumer ? Le court bilan qui suit vous aidera à y répondre.

Arrêteriez-vous de fumer si vous pouviez le faire facilement ?

○ Non (0 point)   ○ Oui (1 point)

Avez-vous réellement envie de cesser de fumer ?

○ Pas du tout (0 point)   ○ Moyennement (2 points)

○ Un peu (1 point)   ○ Beaucoup (3 points)

Pensez-vous réussir à cesser de fumer au cours des deux semaines à venir ?

○ Non (0 point)   ○ Vraisemblablement (2 points)

○ Peut-être (1 point)   ○ Certainement (3 points)

**Selon ce que vous entrevoyez aujourd'hui,
serez-vous un ex-fumeur dans six mois ?**

○ Non (0 point)

○ Peut-être (1 point)

○ Vraisemblablement (2 points)

○ Certainement (3 points)

Faites le total des points obtenus. _____

Ce que votre résultat signifie…

Entre 0 point et 2 points. Votre degré de motivation à cesser de fumer est faible (vous n'êtes pas vraiment décidé).

Entre 3 points et 6 points. Votre degré de motivation à cesser de fumer est moyen (vous commencez à être décidé).

7 points et plus. Votre degré de motivation à cesser de fumer est élevé (vous êtes vraiment décidé).

5.2 Votre engagement vis-à-vis de la cigarette

Maintenant que vous avez fait le point sur votre dépendance à la nicotine, vous pouvez vous poser la question suivante : que suis-je prêt à faire pour fumer moins ou cesser de fumer ?

Cochez dans le tableau qui suit les engagements que vous souhaitez prendre ; dans un mois, vous cocherez ceux que vous aurez respectés.

Je m'engage à...	Je vais le faire dès maintenant.	Un mois plus tard, je tiens toujours le coup...	Signature d'un témoin (le cas échéant)
faire comme la plupart des ex-fumeurs : arrêter de moi-même sans attendre la méthode-miracle.			
prendre ma décision au moment opportun.			
faire de l'exercice.			
éviter le plus possible les endroits et les occasions où on fume.			
diminuer graduellement ma consommation de cigarettes.			
passer un contrat avec un ami pour cesser de fumer à une date précise.			
prendre contact avec un organisme voué à la lutte contre le tabagisme.			
prendre la mesure suivante : _____ _____			

I. Au total, vous avez pris _____ engagement(s) et vous en avez respecté _____ .

2. Pour quelle raison n'avez-vous pas, le cas échéant, respecté certains de vos engagements?

○ J'ai manqué de temps.

○ J'ai manqué de motivation.

○ Je n'étais pas aussi prêt à passer à l'action que je le pensais.

○ Il aurait fallu que je ne sois pas seul dans ma démarche.

○ Autre(s) raison(s) : _____

3. Finalement, croyez-vous être capable de cesser de fumer dans un avenir rapproché?

Expliquez brièvement votre réponse.

_____

_____

_____

_____

5.3 Le bilan de votre dépendance à l'alcool

Le petit test qui suit vous permettra de mesurer votre degré de dépendance à l'alcool. Pour chaque question, choisissez la réponse qui décrit le mieux votre attitude à l'égard de l'alcool au cours des 12 derniers mois et inscrivez le nombre de points obtenus dans la case appropriée. Faites ensuite le total de vos points.

Rappelons qu'une consommation d'alcool est l'équivalent d'un verre de bière (340 mL ou 12 oz), d'un verre de vin (125 mL ou 4,5 oz) ou d'un verre de spiritueux (42 mL ou 1,5 oz).

	0 point	1 point	2 points	3 points	4 points	points obtenus
1. À quelle fréquence prenez-vous de l'alcool ?	Jamais.	Une fois par mois ou moins.	Deux à quatre fois par mois.	Deux ou trois fois par semaine.	Plus de trois fois par semaine.	
2. Combien de consommations d'alcool prenez-vous, en moyenne, par jour ?	Aucune ; une ou deux.	Trois ou quatre.	Cinq ou six.	Sept à neuf.	Dix ou plus.	
3. Vous arrive-t-il souvent de prendre six consommations ou plus en une même occasion ?	Jamais.	Moins d'une fois par mois.	Une fois par mois.	Une fois par semaine.	Tous les jours ou presque.	
4. Vous est-il arrivé, au cours des 12 derniers mois, de ne plus être capable d'arrêter de boire une fois que vous aviez commencé ?	Jamais.	Moins d'une fois par mois.	Une fois par mois.	Une fois par semaine.	Tous les jours ou presque.	
5. Vous est-il arrivé, au cours des 12 derniers mois, de ne pas faire ce que vous deviez faire à cause d'une trop grande consommation d'alcool ?	Jamais.	Moins d'une fois par mois.	Une fois par mois.	Une fois par semaine.	Tous les jours ou presque.	
6. Vous est-il arrivé, au cours des 12 derniers mois, de prendre un verre le matin pour vous aider à démarrer la journée après avoir trop bu la veille ?	Jamais.	Moins d'une fois par mois.	Une fois par mois.	Une fois par semaine.	Tous les jours ou presque.	
7. Vous êtes-vous senti, au cours des 12 derniers mois, coupable ou pris de remords après avoir trop bu ?	Jamais.	Moins d'une fois par mois.	Une fois par mois.	Une fois par semaine.	Tous les jours ou presque.	
8. Vous est-il arrivé, au cours des 12 derniers mois, d'être incapable de vous rappeler ce que vous aviez fait la veille parce que vous aviez trop bu ?	Jamais.	Moins d'une fois par mois.	Une fois par mois.	Une fois par semaine.	Tous les jours ou presque.	
9. Vous êtes-vous déjà blessé ou avez-vous déjà causé une blessure à une autre personne parce que vous aviez trop bu ?	Non.		Oui, mais pas au cours des 12 derniers mois.		Oui, au cours des 12 derniers mois.	
10. Vos parents, vos amis, votre médecin ou un autre travailleur de la santé s'inquiètent-ils de votre consommation d'alcool ou vous suggèrent-ils de la diminuer ?	Non.		Oui, mais pas au cours des 12 derniers mois.		Oui, au cours des 12 derniers mois.	

Faites le total des points obtenus. _____

Ce que votre résultat signifie…

Entre 0 point et 4 points. Vous n'avez aucune dépendance à l'alcool.

Entre 5 points et 7 points. Vous avez une certaine dépendance à l'alcool.

8 points et plus. Vous avez une forte dépendance à l'alcool.

5.4 Votre engagement vis-à-vis de l'alcool

Maintenant que vous avez fait le point sur votre dépendance à l'alcool, vous pouvez vous poser la question suivante : que suis-je prêt à faire pour éviter l'abus d'alcool et ses conséquences ?

Cochez dans le tableau qui suit les engagements que vous souhaitez prendre ; dans un mois, vous cocherez ceux que vous aurez respectés.

Je m'engage à...	Je vais le faire dès maintenant.	Un mois plus tard, je tiens toujours le coup...	Signature d'un témoin (le cas échéant)
boire lentement.			
avoir la volonté de dire « non » quand on insiste pour me faire boire.			
manger avant de prendre un verre.			
faire appel à l'opération **Nez rouge** ou à me faire reconduire par un ami ou un proche chaque fois que j'aurai dépassé la limite légale pour la conduite automobile.			
utiliser les alcootests disponibles dans les bars pour vérifier mon taux d'alcool.			
éviter de boire de la bière pour combattre la soif ; je prendrai d'abord de l'eau.			
éviter le piège de recourir à l'alcool pour « oublier » mes problèmes.			
prendre la mesure suivante : _____ _____			

1. Au total, vous avez pris _____ engagement(s) et vous en avez respecté _____ .

2. Pour quelle raison n'avez-vous pas, le cas échéant, respecté certains de vos engagements?

◯ J'ai manqué de temps.

◯ J'ai manqué de motivation.

◯ Je n'étais pas aussi prêt à passer à l'action que je le pensais.

◯ Il aurait fallu que je ne sois pas seul dans ma démarche.

◯ Autre(s) raison(s) : _____

3. Finalement, croyez-vous être capable d'éviter l'abus d'alcool?

Expliquez brièvement votre réponse.

_____

_____

_____

Faire le point
sur sa condition physique

La deuxième partie de cet ouvrage est entièrement consacrée au comportement qui a le plus d'influence sur votre santé: la pratique régulière de l'activité physique. Dans un premier temps, vous apprendrez à distinguer le vrai et le faux au pays des rumeurs sur l'activité physique. Vous serez ensuite transporté jusqu'au cœur de la cellule musculaire, question de voir quelles sont les sources d'énergie que le muscle utilise lorsqu'il est en pleine action. Enfin, vous serez invité à faire le bilan de vos capacités physiques, de votre posture et de vos besoins en activité physique.

Vingt et une rumeurs
à propos de l'activité physique

chapitre 6

Objectif

○ Distinguer le vrai et le faux dans les idées reçues sur l'exercice.

Vers la fin des années cinquante, il circulait une théorie sur l'activité physique qui disait à peu près ce qui suit : ne faites pas trop d'exercice, sinon vous épuiserez votre «banque génétique» de battements cardiaques. Les anti-exercice (il y en a toujours eu!) brandissaient cette théorie jusque dans les congrès de médecine sportive! À cette époque, on sommait les patients qui venaient de subir un infarctus de garder le lit pendant des semaines : on ne se rendait pas compte que leurs os pouvaient se décalcifier, qu'ils perdaient leur tonus musculaire et, même, qu'ils risquaient une autre crise cardiaque! Aujourd'hui, la théorie d'une banque de battements soulève l'hilarité, et on fait marcher le patient cardiaque le plus tôt possible après son infarctus, dans le but de renforcer son moral et son... cœur! La plupart des croyances populaires devraient subir ce sort : disparaître si elles sont erronées et ne durer que si elles sont fondées. Avant donc de plonger au cœur des théories scientifiques sur l'activité physique, nous ferons subir l'épreuve du détecteur de mensonges à 21 de ces rumeurs. Les voici.

1. Les suppléments de créatine sont sans danger.

Ni **VRAI** ni **FAUX** En fait, on ignore, pour le moment, les effets à long terme sur l'organisme d'une consommation régulière de suppléments de créatine. À court terme, on rapporte une plus grande fréquence de crampes musculaires. Il faut se rappeler qu'on ignorait aussi, il y a quelques années, les effets à long terme des stéroïdes anabolisants synthétiques. On sait aujourd'hui que ces substances peuvent endommager des organes comme le foie et les reins. On pourrait en arriver aux mêmes conclusions dans quelques années pour ce qui est des suppléments de créatine. Prudence, donc. Pour en savoir plus sur cette substance, ne manquez pas de lire la page 138 du prochain chapitre.

2. Si je m'entraîne tous les jours, je serai encore plus en forme.

FAUX. La recherche en physiologie de l'exercice montre clairement qu'il n'y a pas, entre ceux qui s'entraînent sept jours sur sept et ceux qui le font cinq fois par semaine, de différence sensible de gain de condition physique. Par contre, les risques de blessures musculo-squelettiques et de fatigue causées par le surentraînement augmentent significativement chez ceux qui s'entraînent intensément tous les jours.

3 Il peut être dangereux pour une femme enceinte de faire de l'exercice.

FAUX. Au contraire, l'exercice procure à la femme enceinte plusieurs avantages. Ainsi, la recherche révèle que les femmes enceintes et qui sont physiquement actives prennent moins de poids, se plaignent moins souvent de crampes nocturnes et de varices, souffrent moins de vergetures, sont de meilleure humeur, accouchent plus facilement (notamment, la phase d'expulsion est plus courte) et récupèrent plus rapidement en cas d'accouchement difficile. Néanmoins, il est souhaitable d'éviter la pratique des sports de contact et de ceux qui comportent un risque de chute (arts martiaux, sports collectifs, sports de raquette, équitation, planche à voile, etc.). En cas de doute, demandez l'avis du médecin avant d'entreprendre un programme d'exercice ou de pratiquer un sport risqué.

4 Quand on est sportive, il vaut mieux porter un soutien-gorge approprié.

VRAI. Les seins sont constitués de glandes mammaires et de graisse enveloppées par la peau, laquelle constitue, en fait, le seul soutien naturel du sein. Si la peau se distend, le sein tend à s'affaisser, ce qui est inévitable avec le vieillissement. L'exercice ne peut donc faire « tomber » les seins. Il les fait rebondir cependant, ce qui peut être désagréable quand on pratique un sport comme la danse aérobique ou le tennis. Plus le sein est volumineux, plus les rebonds sont dérangeants. Parfois, de petits ligaments reliant les glandes mammaires aux muscles pectoraux, les **ligaments de Cooper**, sont surétirés, ce qui peut entraîner l'hypersensibilité des seins après l'exercice. La solution ? Porter un soutien-gorge conçu pour le sport. Il en existe deux modèles : un qui encapsule chaque sein pour assurer un meilleur support et un autre qui compresse les seins afin de redistribuer leur masse sur toute la poitrine. Si vous pratiquez une activité où les bras bougent beaucoup (l'aéroboxe, par exemple), optez pour un modèle muni de bretelles élastiques : il empêche le bas du soutien-gorge de remonter sur les seins. Par contre, pour les exercices tels que le jogging ou le vélo, des bretelles non élastiques sont plus appropriées. Enfin, il est préférable que le soutien-gorge s'attache dans le dos et qu'il ne comporte pas de couture devant le mamelon.

5 Le muscle atrophié se transforme en graisse.

FAUX. Une cellule musculaire ne peut se transformer en cellule adipeuse, de même qu'une banane ne peut devenir un citron. Par contre, si on devient sédentaire, les protéines musculaires se dégradent et finissent par disparaître (**catabolisme**), de sorte que le volume des muscles diminue. Puisque l'inactivité physique a comme conséquence une faible dépense énergétique, les stocks de graisse, eux, augmentent. La combinaison de ces deux facteurs peut donner l'impression que le muscle, devenu flasque, s'est transformé en graisse.

6 On ne devrait pas faire d'exercice juste après un repas.

FAUX. En réalité, la pire chose qu'on puisse faire après un repas, c'est s'écraser devant le téléviseur, puisque c'est à ce moment que le corps stocke le maximum de calories. Une activité physique légère, un peu de marche par exemple, ne gêne en rien le processus de la digestion. Au contraire, elle le facilite en faisant augmenter légèrement le métabolisme. En effet, l'exercice double presque l'**effet thermique des aliments**, c'est-à-dire l'énergie dépensée par l'organisme pour digérer les aliments. Pour un individu de taille moyenne, l'exercice fait après les repas représente une dépense énergétique supplémentaire de 50 à 75 calories par jour. Mais attention ! Il ne faut pas prendre cela pour une invitation à courir un marathon ou à faire une partie de squash endiablée après un repas. Ces efforts très intenses exigent beaucoup trop d'oxygène dans les zones musculaires actives. Or, l'organisme favorise d'abord le travail musculaire ; donc, lorsqu'on pratique une activité physique intense, le corps réduit l'apport d'oxygène dans les organes de la digestion. Résultat : une digestion lente et laborieuse et, en prime, des points à l'abdomen !

7 L'exercice peut faire cesser les règles.

VRAI. Si vous faites vraiment beaucoup d'exercice, vos règles risquent de devenir irrégulières. Elles pourraient même cesser pendant quelques mois (ce qu'on appelle l'**aménorrhée secondaire**), comme cela se produit parfois chez les femmes qui s'entraînent intensément plusieurs heures par jour. Dans le cadre d'une étude, on a constaté l'apparition d'aménorrhée secondaire chez seulement 2 % des joggeuses occasionnelles, alors que 28 % des participantes à un marathon et 43 % des coureuses d'élite en ont été affectées. Une autre étude indique que 57 % des skieuses de fond des équipes d'élite de niveau collégial (16-19 ans) ont des règles irrégulières ou font de l'aménorrhée secondaire.

Les chercheurs ne connaissent pas la cause exacte de l'aménorrhée secondaire, mais ils croient que la diminution de la masse corporelle et de la masse grasse, associée à l'exercice intensif, y joue un rôle important. Ce phénomène n'est pas catastrophique, dans la mesure où il est réversible. Dès que l'entraînement diminue ou cesse, les règles réapparaissent. La fertilité future n'est donc pas compromise. Mais attention, l'absence de règles ne signifie pas qu'il faille négliger la contraception. Ce serait une erreur de le faire, comme l'a constaté Ingrid Christiaensen. Cette coureuse d'élite, qui avait l'habitude de ne pas avoir de règles pendant les mois où elle s'entraînait en vue d'un marathon, nota un jour une baisse de sa performance. Inquiète, elle consulta son médecin, qui lui apprit qu'elle était enceinte de cinq mois !

8 Une femme ne peut pas avoir d'aussi gros muscles qu'un homme, même si elle fait beaucoup de musculation.

VRAI. La raison est qu'il y a beaucoup moins de testostérone dans le sang de la femme. En effet, l'homme a le quasi-monopole de cette hormone, qui sert à fabriquer du tissu musculaire. C'est ce rôle essentiel de la testostérone qui la rend si populaire, sous forme de stéroïdes anabolisants, dans certaines salles de musculation. Les femmes peuvent donc lever des charges de métal sans crainte ; elles n'atteindront jamais le niveau d'hypertrophie des hommes. En revanche, elles auront des muscles aussi fermes que ceux des hommes.

9 On court moins de risques de souffrir d'un cancer de la peau si on se garde en forme.

FAUX. L'exercice protège contre certains types de cancers, mais pas contre le cancer de la peau. Les golfeurs et les cyclistes professionnels sont considérés comme des personnes à risque élevé pour ce type de cancer, surtout s'ils ont la peau claire et qu'ils ne se protègent pas suffisamment. Alors, n'oubliez pas la crème solaire ni le chapeau !

10 Si on sue beaucoup, c'est signe qu'on est en mauvaise forme.

FAUX. Il y a des athlètes de haut calibre qui excrètent des torrents de sueur et de parfaits sédentaires qui ne transpirent presque pas. En fait, la production de sueur n'a rien à voir avec la condition physique : elle dépend plutôt du nombre de glandes sudoripares que la nature nous a données.

11 Si on fait de l'exercice quand il fait très froid, on peut se geler les poumons.

FAUX. Même l'air qui pénètre à -24°C dans les voies respiratoires est réchauffé à une température variant entre 26,5°C et 32,2°C avant d'atteindre les bronches ! Il n'y a même pas de quoi se geler une bronchiole ! Par contre, et certains en ont fait l'expérience, respirer de l'air très froid peut irriter la gorge et provoquer la toux. Chez les asthmatiques et les angineux, l'exercice par temps froid peut déclencher une crise. Souvent, un foulard devant la bouche et le nez ou encore une cagoule réglera le problème.

12 Le meilleur moment pour faire de l'exercice est le matin.

FAUX. Certaines personnes aiment faire de l'exercice tôt le matin, d'autres l'après-midi ou le soir. L'important, c'est de suivre son horloge biologique. Si cette horloge fait de vous un lève-tôt, allez-y pour les exercices matinaux. Mais si se lever tôt est un vrai supplice ou que vous ne vous sentez pas en forme à l'heure du réveil, remettez l'activité physique à plus tard.

13 Les exercices localisés font maigrir là où l'on veut.

FAUX. Si c'était vrai, les dactylos auraient les doigts les plus maigres de la planète! En fait, cette croyance, encore fort répandue, n'a aucun fondement scientifique. Lorsque des muscles actifs ont besoin de graisse comme carburant, celle-ci est libérée dans la circulation sanguine pour leur être acheminée. Par conséquent, la graisse fournie aux muscles du ventre peut provenir, par exemple, d'un dépôt de tissu adipeux situé derrière l'omoplate! Des chercheurs ont comparé la circonférence des bras et le dépôt graisseux sous la peau des bras de joueurs de tennis de haut calibre. Les résultats montrent que la circonférence du bras frappeur (le bras droit pour la plupart) est nettement plus grande que celle de l'autre bras. C'est que le bras dominant est plus musclé. Cependant, le bras dominant n'est pas plus maigre que l'autre : la mesure du tissu adipeux n'indique aucune différence significative entre le bras gauche et le bras droit. Il est clair que le surentraînement du bras dominant ne s'accompagne pas d'une réduction locale des dépôts de graisse.

14 L'exercice n'est pas un moyen de maigrir efficace.

FAUX. Au contraire, c'est une des meilleures méthodes qui soient pour maigrir réellement, c'est-à-dire perdre de la graisse (tableau 6.1). En effet, beaucoup de régimes dits amaigrissants font surtout perdre du tissu musculaire et de l'eau.

TABLEAU
6.1 Changements survenus chez de jeunes femmes après 16 semaines d'entraînement cardiovasculaire

Plis cutanés en millimètres	Avant	Après	Changement absolu en millimètres	Changement en pourcentage
Triceps	22,5	19,4	−3,1	−13,8
Sous l'omoplate	19,0	17,0	−2,0	−10,5
Au-dessus de la crête iliaque	34,5	30,2	−4,3	−12,8
Abdomen	33,7	29,4	−4,3	−12,8
Devant de la cuisse	21,6	18,7	−2,9	−13,4
Total	131,3	114,7	−16,6	−12,6

I5 L'exercice favorise l'apparition de varices.

FAUX. La principale cause des varices, c'est la gravité, bien que, chez certaines personnes, un facteur génétique rende les parois des veines plus sensibles aux effets de la pression exercée par le sang. Pour comprendre l'effet de la gravité sur les veines, laissez pendre vos mains. Au bout de quelques secondes seulement, vous verrez les veines du dos de vos mains se gonfler de sang. Quand vous remonterez vos mains (ce qui diminue l'effet de la gravité), les veines se dégonfleront. Le même phénomène se produit dans les jambes lorsqu'on reste debout, presque immobile, pendant de longues périodes : les veines des jambes ont de plus en plus de mal à s'opposer à la gravité pour renvoyer le sang vers le cœur. Toutefois, dès qu'on se met à marcher, la pression du sang sur les parois des veines passe de 100 à 20 mm Hg. Pourquoi en est-il ainsi ? Tout simplement parce que, pendant la marche, les muscles des jambes se contractent et font refouler le sang vers le cœur (figure 6.1). En somme, une personne qui active ses mollets ne court pas plus de risques d'avoir des varices, mais en court moins. Ne dit-on pas des Tibétains, rompus aux longues marches sur le plateau himalayen, qu'ils possèdent trois cœurs : un dans la poitrine et un autre dans chaque mollet ? Si vous avez hérité d'une prédisposition aux varices, le port de **bas de compression** pourrait vous être utile. Certains sont d'ailleurs conçus expressément pour l'activité physique.

FIGURE 6.1 L'effet de « pompe » des muscles sur les veines

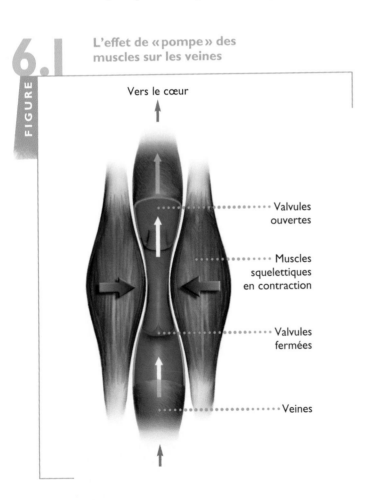

Vers le cœur

Valvules ouvertes

Muscles squelettiques en contraction

Valvules fermées

Veines

16 Il vaut mieux ne pas faire d'exercice si on est malade.

Ni **VRAI** ni **FAUX** Vous avez le rhume ou un mal de gorge, et vous vous demandez si vous devriez aller à votre cours de danse aérobique ce soir. Certains vous suggéreront de vous reposer le plus possible et d'éviter tout exercice. D'autres vous diront qu'au contraire, une bonne « suée » est ce qu'il y a de mieux pour faire « sortir le méchant ». Encore des avis contradictoires, direz-vous ! Pourtant, il existe une règle toute simple pour vous aider à prendre la bonne décision, la « règle du cou » : si vos symptômes sont localisés au-dessus du cou (nez congestionné ou qui coule, éternuements, mal de gorge, sensation de tête lourde), l'exercice est habituellement sans danger. Réduisez toutefois de moitié la longueur et l'intensité de la séance. Et si jamais vous vous sentiez mal, laissez tomber. Il suffit de se servir de son bon sens. Par contre, si vous ressentez des malaises au-dessous du cou (muscles endoloris, toux, fièvre, frissons, diarrhée, envie de vomir, etc.), ne pratiquez aucun exercice tant que ces symptômes persisteront. Autrement, vous pourriez vous déshydrater et vous affaiblir davantage.

17 L'exercice retarde le déclin des fonctions respiratoires associé au vieillissement.

VRAI. La capacité des poumons de faire circuler de l'air diminue au fil des ans. Par exemple, une personne de 80 ans a une capacité pulmonaire maximale de 40 % inférieure à celle qu'elle possédait à l'âge de 30 ans. Toutefois, on a observé chez des athlètes de 60 ans et plus une capacité respiratoire beaucoup plus élevée que celle qu'on retrouve habituellement à cet âge. La v**entilation maximale** (quantité d'air respirée en une minute lors d'un effort maximal) de certains de ces athlètes était même plus élevée que celle de personnes plus jeunes, mais sédentaires. L'exercice peut donc retarder le déclin de la fonction pulmonaire associé au vieillissement.

18 On ne devrait pas appliquer de glace sur une blessure (entorse, élongation, etc.) pendant plus de 20 minutes.

VRAI. Il faut environ 20 minutes à la glace pour freiner l'hémorragie et la réaction inflammatoire. Au-delà de ce laps de temps, le froid risque d'irriter les terminaisons nerveuses. Les personnes maigres, qui ont une couche de tissu adipeux plutôt mince, sont particulièrement exposées à ce risque. Par ailleurs, il est préférable d'envelopper le sac de glace d'une serviette sèche afin d'éviter qu'il soit en contact direct avec la peau. La glace « chimique » (comme le Ice Pak) peut être appliquée plus longtemps que la glace ordinaire parce qu'elle est moins froide (10 °C). On peut répéter l'application de glace plusieurs fois par jour.

19

On doit toujours passer un examen médical avant de commencer un programme de mise en forme.

FAUX. Seules les personnes qui souffrent de problèmes de santé particuliers doivent subir un examen médical avant d'entreprendre un programme d'activité physique. Pour savoir si vous faites partie de ce groupe, vous n'avez qu'à remplir le **Questionnaire sur l'aptitude à l'activité physique** (p. 152).

20

Faire de l'activité physique coûte cher: il faut du matériel, des chaussures et des vêtements spéciaux... et il faut même parfois payer pour utiliser des installations sportives.

FAUX. On peut faire de l'exercice physique presque partout et sans matériel! Monter un escalier à pied, porter un panier à provisions, du bois, des livres ou un enfant sont d'excellentes activités physiques d'appoint. La marche, qui est sans doute l'exercice physique le plus pratiqué et le plus vivement recommandé, ne coûte absolument rien. On trouve dans la plupart des villes des parcs, des zones riveraines ou d'autres zones piétonnes idéales pour marcher, courir ou jouer. Il n'y a pas besoin d'aller dans un gymnase, une piscine ou une installation sportive particulière pour faire de l'exercice physique.

21

Le manque d'activité physique est un problème propre aux pays industrialisés.

FAUX. Le manque d'exercice physique est une cause importante de décès, de maladie et d'incapacité aussi bien dans les pays industrialisés que dans les pays en développement. Les données de l'OMS sur les facteurs de risque de maladies chroniques donnent, en effet, à penser que le manque d'exercice physique – ou une vie sédentaire – est l'une des dix principales causes de décès et d'incapacité et ce, pour l'ensemble de la population mondiale. Plus de deux millions de décès sont attribués chaque année au manque d'exercice physique. Entre 60 % et 85 % des adultes du monde entier ne sont pas assez actifs physiquement pour protéger leur santé. Mener une vie sédentaire accroît la mortalité, quelle qu'en soit la cause, double les risques de maladie cardiovasculaire, de diabète et d'obésité, et augmente sensiblement le risque de cancer du côlon, d'hypertension, d'ostéoporose, de dépression et d'anxiété.

à vos méninges

6

Remarque : Il peut y avoir plus d'une bonne réponse par question.

1 PARMI LES ASSERTIONS SUIVANTES, LAQUELLE OU LESQUELLES SONT FONDÉES ?

○ **a)** On court moins de risques de souffrir d'un cancer de la peau si on se garde en forme.

○ **b)** Si on sue beaucoup, c'est signe qu'on est en mauvaise forme.

○ **c)** Le meilleur moment pour faire de l'exercice est le matin.

○ **d)** L'exercice retarde le déclin des fonctions respiratoires associé au vieillissement.

○ **e)** On doit toujours passer un examen médical avant de commencer un programme de mise en forme.

2 POURQUOI EST-IL BON QU'UNE FEMME ENCEINTE SE GARDE EN FORME ?

○ **a)** Les visites médicales peuvent être réduites.

○ **b)** Il y a moins de nausées en début de grossesse.

○ **c)** La récupération physique est plus rapide après l'accouchement.

○ **d)** Le métabolisme diminue pendant la grossesse.

○ **e)** Aucune des assertions précédentes.

3 POURQUOI UN MUSCLE INACTIF NE SE TRANSFORME-T-IL PAS EN GRAISSE ?

○ **a)** Parce que les cellules musculaires ne peuvent se transformer en cellules adipeuses.

○ **b)** Parce que les glucides en réserve dans le muscle sont éliminés par la voie urinaire.

○ **c)** Parce que les protéines se dégradent et sont éliminées par la voie urinaire.

○ **d)** Parce que les lipides en réserve dans le muscle sont métabolisés dans le foie.

○ **e)** Aucune des réponses précédentes.

4   QUE SIGNIFIE L'EXPRESSION
«EFFET THERMIQUE DES ALIMENTS»?

○ **a)** Une fois dans l'estomac, les aliments prennent la température
du corps.

○ **b)** L'organisme dépense des calories pour digérer les aliments.

○ **c)** La digestion des aliments ralentit le métabolisme de base.

○ **d)** Les aliments digérés libèrent de la chaleur.

○ **e)** Toutes les réponses précédentes.

5   VRAI OU FAUX?

a) L'arrêt des règles causé par un entraînement physique intense
est irréversible.   **V   F**

b) À entraînement musculaire équivalent, les femmes peuvent, en
général, avoir d'aussi gros muscles que les hommes.   **V   F**

c) On court moins de risques de souffrir d'un cancer de la peau si
on se garde en forme.   **V   F**

d) L'air froid qui pénètre dans les voies respiratoires est réchauffé avant
d'atteindre les bronches.   **V   F**

e) On peut maigrir du ventre si on fait des exercices pour les muscles
du ventre.   **V   F**

Muscle 101

chapitre 7

Objectifs

○ Expliquer ce qu'est l'ATP.

○ Faire la distinction entre un exercice aérobique et un exercice anaérobique.

○ Reconnaître les trois systèmes producteurs d'énergie et expliquer leur contribution respective lors d'exercices de durée et d'intensité différentes.

Aérobique ! Ce mot court sur toutes les lèvres dès qu'il est question de condition physique. Et pour cause, puisqu'un système musculaire bien développé et oxygéné est une assurance vie pour le cœur et une garantie pour la santé en général (chapitre 2). Toutefois, s'il vous arrivait de rencontrer un ours de mauvais poil, ce n'est pas votre performance aérobique qui vous sauverait, mais une petite molécule gorgée d'énergie, l'**adénosine triphosphate** ou ATP (figure 7.1). Cette molécule se retrouve dans toutes les cellules musculaires. L'énergie qu'elle libère est utilisée instantanément par les muscles et elle leur permet de se contracter. C'est donc grâce à l'ATP que vous pourriez détaler à toute vitesse.

La réserve d'ATP dont vos muscles disposent est cependant très limitée : après deux ou trois secondes d'effort maximal, elle est à sec. C'est plutôt inquiétant, surtout si l'ours vous poursuit toujours ! Heureusement, l'organisme renouvelle sans cesse le réservoir d'ATP dans les cellules musculaires, de sorte que vous pourriez continuer à courir, même si c'est un peu moins vite que tout au début. En effet, le corps peut compter sur trois systèmes pour alimenter les muscles en ATP : le système ATP-CP, le système à glycogène et le système à oxygène. Les deux premiers sont **anaérobies**, c'est-à-dire qu'ils produisent l'ATP sans apport d'oxygène. Ils nous donnent la rapidité et la force. Le troisième, plus lent, est **aérobie**, c'est-à-dire qu'il renouvelle l'ATP seulement en présence d'oxygène. Il nous donne de l'endurance dans l'effort. Ces trois systèmes assurent conjointement le renouvellement de l'énergie nécessaire aux cellules, et ce, 24 heures sur 24. Nos muscles sont à trois vitesses, quoi ! Nous verrons que la contribution relative de chacun de ces systèmes dépend toutefois de la durée et de l'intensité de l'effort fourni.

> Il y a très longtemps, parce que les muscles au travail lui faisaient penser à des souris s'activant sous la peau, un homme de science leur a donné le nom de muscles, du mot latin *mus* signifiant « petite souris ».
>
> Elaine N. Marieb

Le système ATP-CP :
le 9-1-1 des muscles

Vif comme l'éclair, le système ATP-CP nous permet d'entrer en action à tout moment et avec force, s'il le faut. C'est grâce à son intervention que nous pouvons, par exemple, courir pour attraper l'autobus, sauter par-dessus une flaque d'eau, soulever une valise lourde, frapper une balle de golf, freiner brusquement et même écraser un moustique.

Ce «9-1-1 musculaire» est toujours prêt à répondre aux appels d'urgence grâce à sa réserve d'ATP instantanément disponible, mais également grâce à une autre molécule, elle aussi riche en énergie : la **créatine phosphate** (CP). Comment cela se passe-t-il ? On a vu que l'ATP en réserve nous permet de soutenir un effort maximal, mais durant quelques secondes seulement. Aussitôt que le corps commence à puiser dans cette réserve, la créatine phosphate se met à fabriquer, à une vitesse phénoménale, de nouvelles molécules d'ATP.

On pourrait comparer la créatine phosphate à un accumulateur qui recharge la pile d'ATP au fur et à mesure que celle-ci se décharge. Comme le muscle contient 3 à 4 fois plus de créatine phosphate que d'ATP, la créatine phosphate permet de soutenir un effort maximal 3 à 4 fois plus longtemps que ne le ferait l'ATP seule, soit environ 9 à 15 secondes au lieu de 3. Après ce laps de temps, l'accumulateur tombe lui-même à plat, les réserves de CP étant épuisées. C'est au moment où le système ATP-CP fait défaut que les muscles passent en deuxième vitesse. Toutefois, ce moment peut être retardé chez ceux qui consomment des suppléments de créatine dans le but d'augmenter les réserves intramusculaires de créatine phosphate (Zoom, p. 138).

FIGURE 7.1

L'ATP : la pile qui alimente l'activité biologique

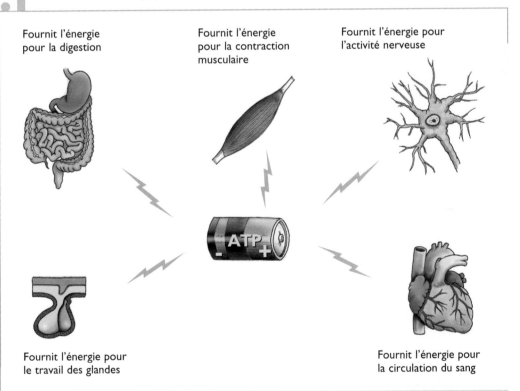

Fournit l'énergie pour la digestion

Fournit l'énergie pour la contraction musculaire

Fournit l'énergie pour l'activité nerveuse

Fournit l'énergie pour le travail des glandes

Fournit l'énergie pour la circulation du sang

Nos muscles puisent l'énergie nécessaire à leur fonctionnement dans les aliments. Mais ils ne peuvent pas utiliser cette énergie directement. En effet, les calories tirées des aliments sont emmagasinées, à la suite d'une série de réactions chimiques, dans un petit réservoir d'énergie qu'on appelle *adénosine triphosphate* (ATP). Ce composé biochimique constitue la source d'énergie universelle des cellules de tous les organismes vivants, de la fourmi à l'être humain, en passant par la marguerite.

ZOOM
ZOOM

À propos
de la créatine...

La créatine est une substance qui retarderait la fatigue découlant d'un effort physique. Disponible au Québec depuis moins de 10 ans, la créatine se vend en toute légalité. On peut s'en procurer au kilo – chez Costco, bien sûr – ou en plus petites quantités à la pharmacie du coin. Elle n'est pas bannie, du moins pas encore, par le **CIO** (Comité international olympique) ni par **Santé Canada**, qui la classe, pour l'heure, dans la catégorie des suppléments alimentaires. Et elle coûte de moins en moins cher, sans doute parce qu'on la consomme de plus en plus.

On peut se poser deux questions à son sujet : la créatine tient-elle réellement ses promesses ? Et, promesses tenues ou pas, la consommation de ce supplément nuit-elle à la santé ?

Un super-réservoir d'énergie

Expliquons d'abord ce qu'est la créatine. C'est un acide aminé riche en énergie qui est présent dans le muscle sous forme de créatine phosphate (**CP**). Sa présence dans l'organisme est assurée, notamment, par la consommation de viande, de volaille et de poisson qui en sont d'excellentes sources. Son rôle est de renouveler les minces réserves d'**ATP** (ou adénosine triphosphate), une molécule haute en énergie qui est en quelque sorte le carburant du moteur musculaire. La créatine refait le plein d'**ATP** dans les muscles, ce qui permet à ces derniers de fournir un effort intense plus long. Hélas, les réserves de créatine dans le muscle sont limitées et, une fois qu'elles sont épuisées, la fatigue musculaire apparaît rapidement.

Alors, un jour, certains malins se sont dit : « Et si on prenait des suppléments de créatine pour en augmenter les réserves dans les muscles ? » Depuis, les suppléments de créatine – qu'on consomme en poudre, en tablettes, en capsules ou sous forme liquide – ont détrôné les dangereux stéroïdes chez les athlètes de haut niveau, qui utilisent ainsi des « coups de pouce physiologiques » pour améliorer leur performance.

Les effets positifs

Une grande consommation de créatine augmente effectivement les réserves dans le muscle. Par exemple, l'ingestion de 20 g à 30 g de créatine tous les jours pendant 2 semaines augmente les réserves de créatine intramusculaire jusqu'à 30 %. En remplissant ainsi au maximum son réservoir d'énergie, n'importe qui peut faire des efforts intenses pendant plus de temps. La recherche a démontré que c'est bel et bien le cas. Le gain de performance dans ce type d'effort peut même dépasser les 15 %. Pour un athlète qui fait de la compétition, prendre de la créatine est tentant. Mais si les athlètes en prennent tous, personne n'est plus avantagé !

On observe aussi un gain de poids rapide chez les adeptes de ce supplément. Ce gain résulterait davantage, à court terme, d'une augmentation des réserves d'eau dans le corps que d'une augmentation de la masse musculaire. En effet, la créatine s'emmagasine dans les muscles en présence de beaucoup d'eau. Et à long terme, la consommation régulière de créatine finit par faire augmenter la masse musculaire parce que le « créatinomane » peut faire plus d'exercices intenses.

Les effets négatifs

La prise de suppléments de créatine ne semble pas aussi nuisible pour la santé que la consommation de stéroïdes anabolisants. Elle présente tout de même quelques inconvénients qui doivent être pris au sérieux.

1. Comme les suppléments de créatine permettent à l'utilisateur de faire plus d'exercices intenses, les risques de blessures musculaires ou ligamentaires augmentent. Cela se produit particulièrement chez les personnes qui ne sont pas habituées à faire beaucoup d'exercices intenses.

2. La prise de fortes doses de créatine (20 g à 30 g par jour pendant plus de 2 mois) augmente les risques de crampes musculaires, de nausées et de troubles digestifs.

3. L'ingestion de grandes quantités de créatine oblige l'athlète à boire de l'eau fréquemment afin de prévenir la déshydratation, puisque cet acide aminé attire l'eau avec lui dans les muscles.

4. L'ingestion de grandes quantités de créatine crée une surcharge de travail pour les reins. La quantité de créatine qui peut être emmagasinée dans le muscle est limitée. Le surplus prend le chemin des reins, qui doivent l'éliminer. Cette substance est donc déconseillée aux personnes ayant un problème d'insuffisance rénale.

5. On ignore, pour l'instant, si la consommation de suppléments de créatine est dangereuse à long terme pour la santé. La recherche a mis des années avant de conclure que les stéroïdes anabolisants sont nuisibles à la santé. En sera-t-il de même pour la créatine ?

La consommation de petites quantités de créatine (moins de 5 g par jour) semble ne pas causer de problèmes de santé à court terme. Mais il est nécessaire, au début notamment, d'en ingérer de grandes quantités pour constater un effet significatif sur les muscles et le rendement à l'effort. Enfin, pour qui n'est pas un athlète visant une haute performance et pour qui pratique surtout des activités aérobiques, donc légères ou modérées, les suppléments de créatine sont parfaitement inutiles.

Le système à glycogène :
un système puissant mais polluant

En plus de la réserve d'urgence ATP-CP, chaque cellule musculaire contient une petite quantité de sucre, emmagasinée sous forme de granules de **glycogène** (figure 7.2), une substance composée de molécules de glucose géantes. C'est ce réservoir de sucre que le système à glycogène utilise pour fabriquer, toujours sans apport d'oxygène, de nouvelles molécules d'ATP. Une fois le système ATP-CP épuisé, sa relève est ainsi assurée, ce qui permet à l'organisme de faire durer un effort intense pendant plus de 90 secondes. Hélas! il y a un prix à payer pour cela : les cellules musculaires finissent par se noyer dans une mer d'**acide lactique**, lequel transforme un muscle fringant en un muscle tremblotant, douloureux et dépourvu d'énergie. Résultat : le muscle ne peut plus se contracter. À ce stade, si l'ours vous poursuit toujours, souhaitez ardemment qu'il ait une crampe ou qu'il croise une ruche pleine de miel !

7.2 Du muscle à la cellule musculaire

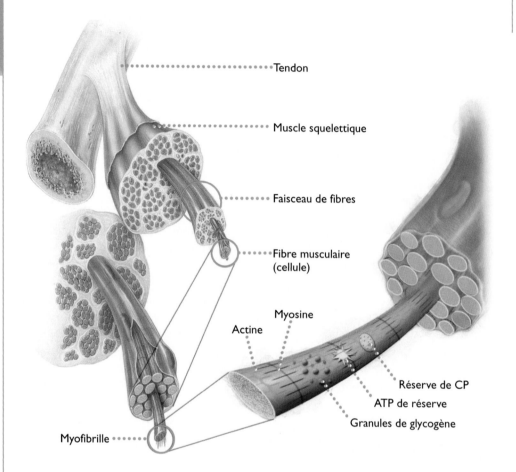

Tendon

Muscle squelettique

Faisceau de fibres

Fibre musculaire (cellule)

Myosine

Actine

Réserve de CP

ATP de réserve

Granules de glycogène

Myofibrille

Le muscle squelettique s'attache sur l'os à l'aide d'un **tendon** (cordon de tissu conjonctif très dense fixé sur l'enveloppe de l'os). Le muscle lui-même est constitué de milliers de cellules de forme allongée appelées **fibres musculaires**. Ces fibres sont regroupées à leur tour en paquets ou faisceaux. Un faisceau peut contenir de 10 à 100 fibres musculaires.

Si on examine au microscope une fibre, on remarque qu'elle est constituée de filaments très minces appelés **myofibrilles**. Ces filaments contiennent deux autres filaments encore plus petits : les myofilaments. C'est à ce niveau que s'effectue la contraction du muscle. Ces myofilaments contiennent, en effet, deux protéines spécialisées qui peuvent se contracter et se relâcher : l'actine et la myosine.

Pour qu'elles puissent agir, ces protéines ont besoin d'énergie, en l'occurrence d'**ATP**. On peut voir que, à l'intérieur de la cellule musculaire, il y a déjà une petite réserve d'ATP disponible. Mais il y a aussi une réserve de créatine phosphate (CP) ainsi que des granules de glycogène au cas où l'effort se prolongerait (le système ATP-CP et le système à glycogène). Si l'effort devait durer plusieurs minutes, l'oxygène apporté par les vaisseaux sanguins serait alors mis à contribution (système à oxygène).

La formation d'acide lactique s'explique par le fait que le muscle utilise du sucre en l'absence d'oxygène. C'est ce qu'on appelle la voie anaérobie avec production d'acide lactique, ou **système anaérobie lactique**. Le système ATP-CP constitue, lui, la voie anaérobie sans production d'acide lactique, ou **système anaérobie alactique**. Le manque d'oxygène résulte de la contraction vigoureuse des muscles pendant une assez longue période ; cette contraction prolongée finit par entraver la libre circulation du sang, et l'approvisionnement en glucose et en oxygène par le système cardio-vasculaire devient insuffisant. En somme, chaque fois que vous faites un exercice intense durant plus d'une demi-minute, vos muscles produisent de plus en plus d'acide lactique. Grande fatigue musculaire en vue !

Pour éliminer l'acide lactique, il n'y a qu'une solution : diminuer l'intensité de l'effort afin de desserrer cette espèce de garrot que forme le muscle fortement contracté. Le sang peut alors à nouveau circuler librement dans les muscles actifs et les réapprovisionner en oxygène. Au contact de l'oxygène, l'acide lactique se décompose en eau et en gaz carbonique, lesquels ne fatiguent pas les muscles. En fait, l'arrivée en trombe de cet oxygène dans les muscles a pour effet de les faire passer en troisième vitesse. C'est la vitesse de croisière aérobie.

Le système à oxygène :
une énergie lente mais illimitée

Nous avons vu que les deux premiers systèmes, des systèmes anaérobies, produisent très rapidement de grandes quantités d'ATP sans apport d'oxygène. Cette superproductivité s'explique par le fait que les cellules musculaires contiennent déjà en elles de la créatine phosphate et du glycogène, de même que les enzymes nécessaires à leur transformation en ATP. Il suffit d'une impulsion nerveuse pour les activer. En somme, la voie anaérobie se caractérise par des réactions biochimiques d'une rapidité extraordinaire, qu'on pourrait comparer à celle d'un super-ordinateur, et encore.

Il en va autrement du système à oxygène, beaucoup plus lent que les deux autres. C'est qu'il repose en partie sur un processus mécanique : le transport de l'oxygène depuis les poumons jusqu'à la cellule musculaire. Ce trajet étonnamment long – de plus de 100 000 km – explique pourquoi l'oxygène qu'on inhale met plusieurs secondes avant d'atteindre le muscle actif. Ce délai inévitable dans l'approvisionnement du muscle en oxygène oblige le système ATP-CP, et parfois même le système à glycogène, à entrer en action dès le début d'un effort physique, du plus grand au moindre, tel que se moucher ou se gratter le nez.

Cependant, lorsque l'oxygène arrive à flots dans les cellules musculaires, la production d'ATP qui commence est pratiquement illimitée. Il y a deux raisons à cela. Premièrement, la fabrication d'ATP en présence d'oxygène (la voie aérobie) ne produit presque pas d'acide lactique. Or, on a vu qu'une forte concentration de cet acide fatigue le muscle, ce qui ralentit du même coup la production d'ATP. Deuxièmement, le sang qui circule librement dans le muscle lui apporte de façon continue de grandes quantités de sucre et de graisses. On trouve donc réunis tous les ingrédients – de l'oxygène, du sucre et des graisses – nécessaires pour produire de l'ATP pendant de longues minutes, voire de longues heures. C'est le système aérobie qui fonctionne quand on fait un marathon, une longue randonnée en ski de fond ou une simple promenade à pied.

L'activité physique : la génératrice d'ATP

Il est possible d'améliorer l'efficacité des trois systèmes de production d'énergie. Pour ce faire, on doit d'abord s'alimenter sainement (chapitre 3) afin que les cellules musculaires reçoivent tous les éléments nutritifs nécessaires à leur bon fonctionnement. Pour le reste, il suffit de se maintenir actif physiquement. Cela peut sembler contradictoire, mais il faut dépenser de l'énergie pour en avoir. En effet, lorsqu'ils travaillent régulièrement, les muscles consomment beaucoup d'ATP, ce qui force les « usines » productrices d'énergie à améliorer leur rendement pour faire face à la demande. Comme on le dit : la fonction crée l'organe. Malheureusement l'inverse est vrai aussi. Moins on est actif physiquement, plus les efforts nous fatiguent ; en effet, les systèmes producteurs d'ATP perdent de leur efficacité s'ils sont sous-utilisés.

Selon le type d'activité physique pratiquée, on peut développer en priorité l'un ou l'autre des systèmes, ou encore les trois à la fois (figure 7.3). Par exemple, en développant sa capacité de lever des charges de plus en plus lourdes, l'haltérophile améliore l'efficacité de son système ATP-CP. Le nageur qui participe à l'épreuve du 400 m accroît sa capacité de fournir des efforts intenses prolongés et, par le fait même, l'efficacité de son système à glycogène. Le coureur qui s'entraîne pour le marathon augmente sa capacité de fournir des efforts de longue durée et améliore donc l'efficacité de son système à oxygène. Enfin, en combinant tous ces types d'effort, le triathlonien améliore simultanément le rendement des trois systèmes producteurs d'ATP. Rappelons que le triathlon est une épreuve d'endurance combinant cyclisme, natation et jogging, qui exige aussi bien des efforts intenses et de courte durée que des efforts modérés et prolongés.

Nous verrons dans les prochains chapitres comment il est possible d'accroître sa production d'énergie musculaire par l'activité physique et, par le fait même, d'améliorer non seulement la capacité de travail de ses muscles et de son cœur, mais aussi celle de tout son corps.

FIGURE **7.3**

Les trois systèmes de production d'ATP en action

VOIE ANAÉROBIE

Système ATP-CP

Énergie de démarrage ou effort très intense de moins de 10 secondes

Exemples : Lancer du poids, athlétisme et natation (100 m), saut en hauteur ou en longueur, haltérophilie, etc.

Système à glycogène

(production d'acide lactique)

Effort intense de moins de 90 secondes

Exemples : Gymnastique, lutte, natation (200 m et 400 m), athlétisme (200 m, 400 m et 800 m), hockey, etc.

VOIE AÉROBIE

Système à oxygène

Effort léger ou modéré de plus de 2 minutes

Exemples : Marathon, cyclisme longue distance, cross-country, natation (800 m et plus), biathlon, aviron (2 000 m), etc.

à vos méninges

Remarque : Il peut y avoir plus d'une bonne réponse par question.

1 SI UNE SITUATION D'URGENCE VOUS OBLIGE À QUITTER LES LIEUX À TOUTE VITESSE, QUELLE COMPOSANTE DE VOTRE ORGANISME VOUS PERMETTRA DE LE FAIRE ?

○ **a)** Les granules de glycogène dans les muscles.

○ **b)** Le système de transport de l'oxygène.

○ **c)** L'ATP de réserve dans les muscles.

○ **d)** La créatine phosphate de réserve dans les muscles.

○ **e)** Aucune des réponses précédentes.

2 PENDANT COMBIEN DE TEMPS LES MUSCLES PEUVENT-ILS FOURNIR UN EFFORT MAXIMAL GRÂCE À LEUR RÉSERVE D'ATP ?

○ **a)** Plus de deux minutes.

○ **b)** Une seconde.

○ **c)** Au moins 30 secondes.

○ **d)** Deux ou trois secondes.

○ **e)** Plus de 10 secondes.

3 COMMENT DÉFINIRIEZ-VOUS L'ATP (ADÉNOSINE TRIPHOSPHATE) ?

○ **a)** C'est une hormone haute en énergie.

○ **b)** C'est un hydrate de carbone mis en réserve dans les muscles seulement.

○ **c)** C'est une protéine qui permet la contraction du muscle.

○ **d)** C'est une molécule à base d'acides aminés haute en énergie.

○ **e)** Aucune des réponses précédentes.

4 SUR COMBIEN DE SYSTÈMES LE CORPS PEUT-IL COMPTER POUR ALIMENTER LES MUSCLES EN ATP ?

○ **a)** Un système.

○ **b)** Deux systèmes.

○ **c)** Trois systèmes.

○ **d)** Quatre systèmes.

○ **e)** Cinq systèmes.

5 PARMI LES SYSTÈMES SUIVANTS, LEQUEL OU LESQUELS FOURNISSENT DE L'ATP AUX MUSCLES ?

○ **a)** Le système cardiovasculaire.

○ **b)** Le système endocrinien.

○ **c)** Le système à oxygène.

○ **d)** Le système ATP-CP.

○ **e)** Le système sympathique.

6 DANS LEQUEL OU LESQUELS DES SYSTÈMES DE PRODUCTION D'ATP SUIVANTS LE MUSCLE SE CONTRACTE-T-IL SANS PRÉSENCE D'OXYGÈNE ?

○ **a)** Le système anaérobie.

○ **b)** Le système aérobie.

○ **c)** Le système anaérobie lactique.

○ **d)** Le système aérobie alactique.

○ **e)** Le système anaérobie alactique.

7 QUE SE PASSE-T-IL DANS LA CELLULE MUSCULAIRE QUAND UN EXERCICE INTENSE DURE PLUS DE 30 SECONDES ?

○ **a)** Il y a de plus en plus d'oxygène dans la cellule.

○ **b)** Il y a de plus en plus d'acide lactique dans la cellule.

○ **c)** Il y a de plus en plus de glycogène dans la cellule.

○ **d)** Il y a de moins en moins de glucose dans la cellule.

○ **e)** Il y a de plus en plus d'ATP disponible dans la cellule.

8 COMPLÉTEZ LES PHRASES SUIVANTES.

a) Le système ATP-CP représente la voie _____ sans production d'acide _____ .

b) Pour éliminer l'acide lactique, il n'y a qu'une solution : _____ l'intensité de l'effort.

c) Lorsque l' _____ arrive à flots dans les cellules musculaires, une production d'ATP pratiquement _____ peut commencer.

9 ASSOCIEZ LES SYSTÈMES PRODUCTEURS D'ATP (LISTE DE GAUCHE) ET LES ACTIVITÉS PHYSIQUES (LISTE DE DROITE).

Systèmes	Activités
_____ **1.** Système ATP-CP.	**a)** Marathon.
_____ **2.** Système à glycogène.	**b)** Départ au sprint.
_____ **3.** Système à oxygène.	**c)** Course de 400 mètres en natation.

pour en savoir plus

LECTURES SUGGÉRÉES

- Péronnet, F., et coll., *Le marathon*, 2e édition, Montréal, Décarie Éditeur, 1991.

- Vrijens J., *L'entraînement raisonné du sportif*, Bruxelles, De Boeck Université, 1991.

SITES INTERNET À VISITER

Les carburants à l'effort
http://bruno.chauzi.free.fr/conseils_preparation_carburants.html

Les neurobranchés
http://perso.nnx.com/drose/systnerv/muscle/muscle3.html

Un bilan
de votre condition physique...
bonne ou mauvaise !

chapitre 8

Objectifs

○ Connaître les déterminants de la condition physique.

○ Nommer et décrire les bienfaits sur l'organisme de l'endurance cardiovasculaire, de la vigueur musculaire, de la flexibilité et du contrôle de ses réserves de graisse.

○ Connaître et utiliser les tests permettant d'évaluer ces déterminants.

○ Déterminer ses principales capacités physiques.

○ Déterminer ses besoins sur le plan de la condition physique.

Le scénario est classique : deux individus du même âge, ne souffrant d'aucune maladie particulière, montent à pied une longue côte. Lorsque B foule le sommet, frais et dispos, A est encore loin derrière et avance péniblement. De toute évidence, B est capable de produire beaucoup d'ATP (chapitre 7) sans épuiser son système cardiovasculaire ; il a du souffle, alors que A n'en a pas.

Les déterminants
de la condition physique

Et vous ? Ressemblez-vous à A ou à B ? Si vous êtes essoufflé après avoir monté un escalier, vous avez déjà une bonne idée de la réponse… Cependant, pour faire le bilan complet de votre **condition physique,** c'est-à-dire votre capacité de vous adapter à l'effort physique en général, il vous faut aussi évaluer la force, l'endurance et la flexibilité de vos muscles, mesurer vos réserves de graisse et déterminer leur distribution dans la masse corporelle. Certains auteurs ajoutent à cette liste la capacité de se détendre et la posture (tableau 8.1). Notez que le chapitre 4 porte sur l'art de se détendre pour contrer le stress et que la posture fait l'objet du chapitre 9 ; par conséquent, l'évaluation de ces deux déterminants ne sera pas abordée dans le présent chapitre. L'ensemble de ces déterminants constitue ce que l'on appelle les **déterminants variables** de la condition physique. Les **déterminants invariables,** c'est-à-dire ceux sur lesquels nous n'avons aucune prise, sont l'hérédité, le sexe et l'âge.

TABLEAU

8.1 Les déterminants variables de la condition physique

1.	Endurance cardiovasculaire.
2.	Vigueur musculaire : force et endurance.
3.	Réserves de graisse et leur distribution dans la masse corporelle.
4.	Flexibilité.
5.	Posture.
6.	Capacité de se détendre.

Il s'agit donc ici d'évaluer, à l'aide de tests et de mesures spécifiques, les déterminants variables de votre condition physique – c'est-à-dire votre capacité de fournir des efforts exigeant du souffle, de la force musculaire, de l'endurance musculaire ou de la flexibilité – et votre capacité à maintenir vos réserves de graisse à un niveau compatible avec la santé. Que vous fassiez vous-même cette évaluation à la maison ou qu'elle soit conduite par un éducateur physique, elle vous aidera à déterminer vos points forts et vos points faibles. Par exemple, les tests peuvent révéler que vous manquez d'endurance cardiovasculaire, de force et d'endurance musculaires, mais que vous bénéficiez d'une certaine flexibilité et ne souffrez d'aucun embonpoint. Ces résultats pourraient vous faire réfléchir avant de gravir la même pente raide que l'individu A de tout à l'heure ou avant de vous lancer dans un exercice qui dépasserait vos capacités physiques. Ils pourraient aussi vous aider à faire un choix plus éclairé parmi les exercices ou les activités susceptibles de combler vos lacunes (chapitres 11, 12 et 13). Mais, surtout, le bilan de votre condition physique peut être révélateur de votre niveau de risque de contracter les maladies de l'heure (chapitre 2).

Maintenant, mettez vos chaussures de sport, enfilez un short et un t-shirt : vous allez vous tester !

Évaluez
votre endurance cardiovasculaire

L'**endurance cardiovasculaire** est le plus important des déterminants de la condition physique. On peut la définir comme la capacité de fournir pendant un certain temps un effort modéré sollicitant l'ensemble des muscles. Ce type d'effort met à contribution le système à oxygène (chapitre 7) et, par le fait même, en améliore l'efficacité, comme nous le verrons plus loin. Marcher, faire du jogging, nager, sauter à la corde, faire du ski de fond ou du vélo, pratiquer l'aéroboxe, voilà autant d'exemples d'efforts qui sollicitent l'ensemble de vos muscles. Si on les pratique à une intensité modérée pendant plusieurs minutes, ces activités deviennent des activités aérobiques modèles.

Les bienfaits de l'endurance cardiovasculaire

L'amélioration de son endurance cardiovasculaire est l'une des mesures préventives les plus bénéfiques pour sa santé. Une étude récente* rapporte même que le niveau d'endurance cardiovasculaire est l'un des meilleurs indicateurs de longévité et de bien-être que l'on puisse trouver de nos jours. En fait, une bonne endurance cardiovasculaire vous donne non seulement du souffle, mais aussi une protection remarquable contre les maladies cardiovasculaires, le diabète de type 2, l'hypertension, l'obésité, l'ostéoporose et certains types de cancer, comme nous l'avons vu au chapitre 2. La figure 8.1 résume les principaux effets physiologiques et psychologiques d'un entraînement en endurance cardiovasculaire. Nous verrons justement, dans le chapitre 11, comment on peut améliorer son endurance cardiovasculaire.

---

* P. Palatini, D.T., et coll. «Exercise Capacity and Mortality», *The New England Journal of Medicine*, 2002, n°347, p. 288 à 290.

FIGURE 8.1

Les effets sur la santé de l'entraînement en endurance cardiovasculaire

Cerveau
- Détente mentale immédiate
- États plus fréquents de bien-être
- Diminution marquée du risque d'AVC*
- Meilleure oxygénation du cerveau
- Augmentation de sérotonine et de dopamine (chapitre 4)
- Diminution du risque de dépression
- Diminution ou élimination de l'anxiété
- Diminution des pensées suicidaires
- Meilleure concentration

Sein
- Diminution marquée du risque de cancer du sein chez la femme

Poumon
- Diminution marquée de l'essoufflement à l'effort
- Meilleure extraction de l'oxygène à partir de l'air inspiré
- Diminution marquée du risque de cancer du poumon

Os
- Augmentation de la densité des os
- Diminution marquée du risque d'ostéoporose

Muscle
- Diminution immédiate de la tension musculaire
- Meilleure extraction de l'oxygène par la fibre musculaire
- Production retardée d'acide lactique
- Plus grande production «aérobique» d'ATP
- Augmentation de la force des tendons

Cœur
- Meilleure oxygénation du cœur
- Diminution de la fréquence cardiaque au repos
- Diminution marquée du risque de maladies cardiovasculaires
- Diminution marquée du risque de crises cardiaques
- Récupération cardiaque accélérée après l'effort
- Augmentation de la force de contraction du cœur

Artère
- Augmentation du taux de bon cholestérol (HDL)
- Diminution au repos de la pression artérielle
- Diminution marquée du risque d'athérosclérose
- Diminution marquée du risque de formation de caillots (*thrombus*)
- Maintien à long terme de l'élasticité des parois artérielles

Graisse sous la peau
- Diminution des réserves de graisse

Colon
- Diminution marquée du risque de cancer du colon

*AVC : accident vasculaire cérébral

L'évaluation de l'endurance cardiovasculaire

La quantité maximale d'oxygène que le corps peut absorber, transporter et utiliser pendant un exercice très intense constitue l'indice par excellence de l'endurance cardiovasculaire d'un individu.

La mesure directe de cet indice, soit la **consommation maximale d'oxygène** (CMO$_2$), est la méthode la plus précise pour évaluer ce déterminant de la condition physique (figure 8.2). Toutefois, cette méthode exige beaucoup de temps, un équipement coûteux, la présence de plus d'un évaluateur et un effort physique très intense, excluant au départ tout individu dont la santé cardiaque est douteuse. En fait, ces tests servent surtout à évaluer des athlètes professionnels ou des sujets en bonne santé qui participent à une recherche scientifique.

FIGURE 8.2

Le test de la consommation maximale d'oxygène sur tapis roulant

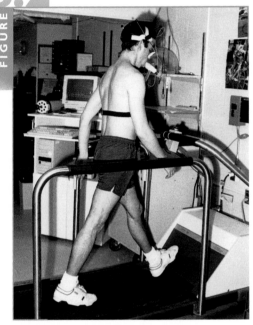

Heureusement, il existe des tests simples, rapides et économiques qui permettent d'estimer, avec un degré de précision acceptable, la consommation maximale d'oxygène d'un individu. Ces tests peuvent se faire de différentes façons : en marchant, en courant, en nageant, en pédalant, voire en montant et descendant une seule marche. Voici sept de ces tests, reconnus pour leur bonne corrélation avec la mesure directe de la CMO$_2$: le test de marche et course de 12 minutes de Cooper ; le test de natation de 12 minutes de Cooper ; le test de marche de 1,6 km ; le physitest aérobie canadien modifié ; le test progressif de course en navette de 20 m (test de Léger-Boucher) ; le test de la marche (*step-test*) de 3 minutes et le test du 8 km en vélo. Précisons que les tableaux de résultats des tests présentés dans le présent chapitre se trouvent également dans *L'équipier.*

Toutefois, avant de passer l'un de ces tests ou tout autre test qui exige un effort physique inhabituel, prenez les précautions qui suivent :

• assurez-vous que votre état de santé vous autorise à le faire en remplissant le **questionnaire sur l'aptitude à l'activité physique** ou Q-AAP (Zoom) ;

- attendez au moins 75 minutes après un repas (2 heures, si le repas est copieux) et buvez 2 verres d'eau 30 minutes avant de commencer (chapitre 14);
- faites un exercice d'échauffement de quelques minutes (chapitre 14);
- évitez les départs trop rapides ou trop lents et essayez de maintenir une vitesse constante;
- si l'effort devient pénible, ralentissez, quitte à reprendre votre rythme plus tard;
- arrêtez-vous si vous vous sentez étourdi ou très essoufflé, ou bien si vous ressentez un malaise inhabituel;
- après le test et selon le type d'exercice accompli, marchez, pédalez ou nagez lentement une ou deux minutes, de façon à faciliter le retour du sang vers le cœur et l'élimination de l'acide lactique dans les muscles.

ZOOM

Êtes-vous apte à
pratiquer l'activité physique?

Le questionnaire sur l'aptitude à l'activité physique (Q-AAP) a été conçu pour déceler les individus, peu nombreux, pour lesquels la pratique d'une activité physique sans supervision médicale peut ne pas être appropriée, ou les personnes qui devraient consulter un médecin pour l'élaboration de leur programme d'activité physique. *Si vous répondez « oui » à une ou à plusieurs des questions,* vous devriez consulter un médecin avant d'effectuer un test d'effort ou d'entreprendre un programme d'exercice.

Répondez consciencieusement aux sept questions suivantes.

1. Votre médecin vous a-t-il déjà dit que vous aviez des troubles cardiaques et que vous ne devriez pas suivre un programme d'exercice à moins que celui-ci ne soit approuvé par un médecin?   Oui   Non

2. L'activité physique provoque-t-elle chez vous l'apparition de douleurs à la poitrine? Oui   Non

3. Durant le mois dernier, avez-vous ressenti des douleurs à la poitrine alors même que vous n'étiez pas en train d'effectuer une activité physique? Oui   Non

4. Vous arrive-t-il de perdre connaissance ou de perdre l'équilibre à la suite d'un étourdissement?   Oui   Non

5. Souffrez-vous de troubles osseux ou articulaires qui pourraient être aggravés par l'exercice?   Oui   Non

6. Prenez-vous présentement des médicaments pour votre pression artérielle ou pour un problème cardiaque?   Oui   Non

7. Selon vous, existe-t-il une autre raison qui vous empêcherait de faire de l'exercice? Oui   Non

1. Le test de marche et course de 12 minutes de Cooper. Le test de marche et course de 12 minutes de Cooper est fréquemment utilisé par les professeurs d'éducation physique. Il se fait à l'aide d'un chronomètre et sur un parcours plat dont la longueur en mètres est connue : piste d'athlétisme, périmètre d'un gymnase, terrain de football ou tout autre circuit dont vous aurez préalablement mesuré la longueur.

Ce test consiste à calculer la distance parcourue en faisant du jogging (ou en marchant, si vous ne pouvez pas garder le rythme du jogging tout le long du parcours) pendant 12 minutes. Afin de trouver le bon rythme de course et de se familiariser avec la distance que l'on peut parcourir en 12 minutes, on doit idéalement faire d'abord un essai témoin, quelques jours avant le vrai test.

Si vous êtes en mauvaise condition physique ou que des raisons médicales (un problème de genou ou de cheville, par exemple) vous empêchent de courir ou de marcher, remplacez le test de marche et course par celui du pouls au repos (p. 181).

Une fois le test terminé, consultez le tableau 8.2 pour déterminer votre niveau d'endurance cardiovasculaire en fonction de la distance parcourue. Cochez la case appropriée et reportez ce résultat à la page 186. Vous remarquerez que le tableau comporte une colonne intitulée « 2e fois ». Utilisez-la si vous refaites le test plus tard.

TABLEAU 8.2 Résultats du test de marche et course de 12 minutes de Cooper

HOMMES						
Endurance cardiovasculaire*	1re fois	2e fois	13-19 ans	20-29 ans	30-39 ans	40-49 ans
Très élevée			> 2 750	> 2 650	> 2 500	> 2 300
Élevée			2 500 – 2 750	2 400 – 2 650	2 350 – 2 500	2 250 – 2 300
Moyenne			2 200 – 2 500	2 100 – 2 400	2 100 – 2 350	2 000 – 2 250
Faible			2 100 – 2 200	1 950 – 2 100	1 900 – 2 100	1 850 – 2 000
Très faible			< 2 100	< 1 950	< 1 900	< 1 850

FEMMES						
Endurance cardiovasculaire*	1re fois	2e fois	13-19 ans	20-29 ans	30-39 ans	40-49 ans
Très élevée			> 2 300	> 2 150	> 2 100	> 2 000
Élevée			2 100 – 2 300	1 950 – 2 150	1 900 – 2 100	1 800 – 2 000
Moyenne			1 900 – 2 100	1 800 – 1 950	1 700 – 1 900	1 600 – 1 800
Faible			1 600 – 1 900	1 550 – 1 800	1 500 – 1 700	1 400 – 1 600
Très faible			< 1 600	< 1 550	< 1 500	< 1 400

* Les valeurs sont exprimées en mètres. Le symbole < signifie « inférieur à » et le symbole > signifie « supérieur à ».

2. Le test de natation de 12 minutes de Cooper.   La conception de ce test est identique à celle du test précédent, sauf qu'il se fait dans une piscine. Il s'agit de calculer la distance parcourue en nageant pendant 12 minutes. Le style de nage importe peu, pourvu que vous soyez à l'aise dans l'eau. En fait, c'est un test intéressant si vous êtes un bon nageur. Il est préférable de faire le test dans une piscine de 25 m ou 50 m. Calculez la distance parcourue au tiers de longueur près. Par exemple, si vous terminez le test au premier tiers de la longueur de la piscine, calculez 8 m (25 m divisé par 3 ; résultat arrondi). Afin de trouver un bon rythme de nage, nagez au moins une fois pendant 12 minutes en respectant un repos d'au moins 48 heures avant le test. Pendant cette période de repos, évitez tout exercice intense.

Pour faire ce test, il vous faut un chronomètre et la collaboration d'un partenaire pour compter, au tiers près, le nombre de longueurs de piscine que vous ferez en 12 minutes. Une fois le test terminé, inscrivez, dans le tableau ci-dessous, le nombre de longueurs parcourues. Puis, reportez-vous au tableau 8.3 pour connaître votre niveau d'endurance cardiovasculaire.

1re fois : nombre de longueurs (_____) × 25 m = _____ m

2e fois : nombre de longueurs (_____) × 25 m = _____ m

TABLEAU

8.3   Résultats du test de natation de 12 minutes de Cooper

HOMMES						
Endurance cardiovasculaire*	**1re fois**	**2e fois**	**13-19 ans**	**20-29 ans**	**30-39 ans**	**40-49 ans**
Très élevée			> 730	> 640	> 600	> 550
Élevée			640–730	550–640	500–600	460–550
Moyenne			550–640	450–550	410–500	360–460
Faible			460–550	360–450	320–410	275–360
Très faible			< 460	< 360	< 320	< 275
FEMMES						
Endurance cardiovasculaire*	**1re fois**	**2e fois**	**13-19 ans**	**20-29 ans**	**30-39 ans**	**40-49 ans**
Très élevée			> 640	> 550	> 500	> 450
Élevée			550–640	450–550	410–500	360–450
Moyenne			450–550	360–450	320–410	275–360
Faible			360–450	275–360	230–320	180–275
Très faible			< 360	< 275	< 230	< 180

* Les valeurs sont exprimées en mètres. Le symbole < signifie «inférieur à» et le symbole > signifie «supérieur à».

3. Le test de marche de 1,6 km.   Comme son nom l'indique, le test de marche de 1,6 km (test de Rockport) se fait uniquement en marchant. Il est donc moins intense et moins exigeant pour les articulations des membres inférieurs que les tests de course. Il s'agit de chronométrer le temps que l'on met à parcourir une distance de 1,6 km en marchant d'un pas rapide. Servez-vous de l'odomètre d'une auto ou d'un vélo pour mesurer un parcours plat de 1,6 km. Vous pouvez aussi faire le test sur une piste d'athlétisme de 400 m ; dans ce dernier cas, vous ferez quatre tours de piste en marchant. Avant le départ, échauffez-vous cinq minutes en étirant vos muscles et en faisant un peu de marche sur place tout en élevant les genoux. Dès que vous êtes prêt, chronométrez-vous en marchant aussi rapidement que vous le pouvez. Quand vous avez terminé le parcours, marchez lentement durant deux ou trois minutes. Ensuite, consultez le tableau 8.4 afin de connaître votre endurance cardiovasculaire et votre capacité à faire de longues randonnées.

TABLEAU

8.4   Résultats du test de marche de 1,6 km

HOMMES					
Endurance cardiovasculaire*	**1re fois**	**2e fois**	**18-29 ans**	**30-39 ans**	**40-49 ans**
Très élevée			< 11:39	< 12:40	< 13:40
Élevée			11:39−12:59	12:40−14:00	13:40−14:40
Moyenne			13:00−14:21	14:01−15:20	14:41−15:55
Faible			14:22−15:43	15:21−16:15	15:56−16:45
Très faible			> 15:43	> 16:15	> 16:45
FEMMES					
Endurance cardiovasculaire*	**1re fois**	**2e fois**	**18-29 ans**	**30-39 ans**	**40-49 ans**
Très élevée			< 12:34	< 13:30	< 14:30
Élevée			12:34−13:40	13:30−14:40	14:30−15:40
Moyenne			13:41−14:45	14:41−15:45	15:41−16:45
Faible			14:46−16:00	15:46−17:00	16:46−18:00
Très faible			> 16:00	> 17:00	> 18:00

* La durée est exprimée en minutes et en secondes. Le symbole < signifie « inférieur à » et le symbole > signifie « supérieur à ».

4. Le physitest aérobie canadien modifié. Le physitest aérobie canadien modifié (**PACm**) consiste à monter et descendre deux marches de façon continue. La hauteur des marches correspond à celle de la plupart des marches que l'on trouve dans les maisons et les appartements.

Pour faire le test, vous avez besoin du matériel suivant :

- deux marches ergométriques, de 20,3 cm de hauteur chacune ;
- une marche ergométrique de 40,6 cm de hauteur ;
- l'extrait sonore du PACm ;
- un lecteur de cassettes ou un lecteur de disques compacts ;
- un chronomètre ou bien une montre ou une horloge munie d'une aiguille des secondes ;
- un cardiofréquencemètre (souhaitable).

Si vous n'avez pas de cardiofréquencemètre, demandez la collaboration d'un partenaire qui comptera vos pulsations cardiaques.

Pour commencer, inscrivez votre poids (en kilogrammes) ci-dessous.

Votre poids : _____ kg

Déterminez ensuite le palier de départ, selon votre âge. Le palier est un bloc d'effort de trois minutes à une cadence préétablie qui augmente de palier en palier.

- Femmes de 15 ans à 39 ans : 3e palier.
- Femmes de 40 ans à 49 ans : 2e palier.
- Hommes de 15 ans à 29 ans : 4e palier.
- Hommes de 30 ans à 49 ans : 3e palier.

Puis, montez et descendez les deux marches de 20,3 cm selon la séquence indiquée dans la figure 8.3. Si vous êtes un homme qui accède au palier 7 ou une femme qui accède au palier 8, le test se fait alors sur une marche de 40,6 cm, selon la séquence illustrée à la figure 8.3.

Exercez-vous à monter et descendre les marches en suivant exactement la séquence prescrite. Après avoir fait un premier palier de trois minutes tout en respectant le rythme imposé par l'extrait sonore, prenez votre fréquence cardiaque à l'aide du cardiofréquencemètre ou demandez à un partenaire de le faire. La fréquence cardiaque doit être prise pendant 10 secondes, immédiatement après la fin de l'exercice. Vous arrêtez le test si votre fréquence cardiaque est égale ou supérieure à celle indiquée dans le tableau selon votre groupe d'âge. Autrement, vous passez au palier suivant.

FIGURE 8.3 Le PACm : montées et descentes des marches

1. Posez le pied droit* sur la première marche.

2. Posez le pied gauche sur la deuxième marche.

3. Posez le pied droit sur la deuxième marche, près de l'autre pied.

4. Posez le pied droit sur la première marche.

5. Posez le pied gauche sur le sol.

6. Posez le pied droit sur le sol, près de l'autre pied.

* On peut commencer avec le pied gauche ou avec le pied droit.

Fréquence cardiaque limite en fonction de l'âge (hommes et femmes)

Âge	Nombre de battements en 10 secondes
16-24 ans	28
25-31 ans	27
32-38 ans	26
39-45 ans	25
46-50 ans	24

Notez ci-dessous le numéro du dernier palier exécuté, votre poids en kilogrammes et votre âge.

1re fois (date _____):   Palier : _____   Poids _____ kg   Âge : _____

2e fois (date _____):   Palier : _____   Poids _____ kg   Âge : _____

Déterminez le coût énergétique du dernier palier exécuté à l'aide du tableau suivant.

Coût énergétique* du dernier palier

Palier	Femmes	Hommes
3	22,0	22,0
4	24,5	24,5
5	26,3	29,5
6	29,5	33,6
7	33,6	36,2
8	36,2	40,1

* Le coût énergétique est exprimé en mL · kg⁻¹ · min⁻¹.

Établissez ensuite votre *indice d'aptitude aérobie* (IAA) selon la formule suivante :

$$\text{IAA} = 10 \times [17{,}2 + (1{,}29 \times \text{coût de O}_2) - (0{,}09 \times \text{POIDS en kilogrammes}) - (0{,}18 \times \text{ÂGE})]$$

1re fois – Résultat

$10 \times [17{,}2 + (1{,}29 \times$ _____ $) - (0{,}09 \times$ _____ kg$) - (0{,}18 \times$ _____ ans$)] =$ _____

2e fois – Résultat

$10 \times [17{,}2 + (1{,}29 \times$ _____ $) - (0{,}09 \times$ _____ kg$) - (0{,}18 \times$ _____ ans$)] =$ _____

Par exemple, Karine, 17 ans, pesant 55 kg, a atteint le palier 6. Son coût énergétique selon le tableau précédent est de 29,5.

Le calcul de son indice d'aptitude aérobie se fera à l'aide des données suivantes :

Coût de O_2 : $29,5 \text{ mL.kg}^{-1}.\text{min}^{-1}$
Poids : 55 kg
Âge : 17 ans

Indice d'aptitude aérobie de Karine =
$$10 \times [17,2 + (1,29 \times \text{coût de } O_2) - (0,09 \times \text{POIDS en kilogrammes}) - (0,18 \times \text{ÂGE})]$$
$$10 \times [17,2 + (1,29 \times 29,5) - (0,09 \times 55) - (0,18 \times 17)] = 10\,(47,34) = 473,4$$

Finalement, déterminez votre niveau d'endurance cardiovasculaire à l'aide du tableau 8.5. Dans le cas de Karine, cela donne un niveau d'endurance cardiovasculaire élevé.

TABLEAU

8.5

Résultats du physitest aérobie canadien modifié (PACm)

HOMMES						
Indice d'aptitude aérobie*	**Ire fois**	**2e fois**	**15-19 ans**	**20-29 ans**	**30-39 ans**	**40-49 ans**
Très élevée			> 574	> 556	> 488	> 470
Élevée			524–573	506–555	454–487	427–469
Moyenne			488–523	472–505	401–453	355–426
Faible			436–487	416–471	337–400	319–354
Très faible			< 436	< 416	< 337	< 319
FEMMES						
Indice d'aptitude aérobie*	**Ire fois**	**2e fois**	**15-19 ans**	**20-29 ans**	**30-39 ans**	**40-49 ans**
Très élevée			> 490	> 472	> 454	> 400
Élevée			437–489	420–471	401–453	351–399
Moyenne			395–436	378–419	360–400	319–350
Faible			368–394	350–377	330–359	271–318
Très faible			< 368	< 350	< 330	< 271

* Les valeurs sont exprimées en points indiciels. Le symbole < signifie « inférieur à » et le symbole > signifie « supérieur à ».

5. Le test progressif de course en navette de 20 m.   Le test progressif de course en navette (test Léger-Boucher) a été mis au point par des Québécois. Il est fort pratique quand on ne dispose pas d'une grande surface. Il suffit en effet d'un corridor de 20 m sur 1 m pour faire ce test. Il s'agit de courir le plus longtemps possible en faisant des allers-retours de 20 m. Pour faire ce test, vous avez besoin d'une cassette (ou un disque compact) qui émet un signal sonore (bip) toutes les 30 secondes, un lecteur de cassettes (ou un lecteur de disques compacts) et des haut-parleurs d'une puissance adéquate. On peut se procurer l'extrait sonore en prenant contact avec le docteur Luc Léger au (514) 343-7792 ou à l'adresse électronique suivante: Luc.Leger@umontreal.ca. Tracez deux lignes parallèles de 10 m, espacées de 1 m. Afin de trouver un bon rythme de course, exercez-vous quelques fois dans les jours précédant le test, mais pas la veille.

Dès que vous êtes prêt à faire le test, échauffez-vous. Courez le plus longtemps possible en faisant des allers-retours de 20 m. La vitesse augmente de 0,5 km/h toutes les minutes (une minute correspondant à un palier), ce qui vous oblige à augmenter votre vitesse de course. Le test prend fin quand vous ne pouvez pas terminer le palier en cours ou suivre le rythme imposé par les bips (retard de 1 m à 2 m que vous ne pouvez pas rattraper). Attention! un palier doit avoir été achevé pour être validé. Pour les résultats du test, consultez le tableau 8.6.

TABLEAU

8.6   Résultats* du test de course en navette de 20 m

Palier (min)	Vitesse maximale (km/h)	1re fois	2e fois	16 ans	17 ans	18 ans
1	8,5			27,5	25,5	23,6
2	9,0			30,3	28,5	26,6
3	9,5			33,2	31,4	29,6
4	10,0			36,0	34,3	32,6
5	10,5			38,9	37,2	35,6
6	11,0			41,7	40,2	38,6
7	11,5			44,6	43,1	41,6
8	12,0			47,4	45,0	44,6
9	12,5			50,3	48,9	47,6
10	13,0			53,1	51,9	50,6
11	13,5			56,0	54,8	53,6
12	14,0			58,8	57,7	56,6
13	14,5			61,6	60,6	59,6
14	15,0			64,5	63,6	62,6
15	15,5			67,3	66,5	65,6

* Les valeurs sont exprimées en millilitres de O_2/kg/min. Pour connaître les résultats des paliers 16 à 20, reportez-vous à *L'équipier.*

6. Le test de la marche (*step-test*) de trois minutes. Le test de la marche (*step-test*) de trois minutes de Tecumseh est l'un des plus pratiques qui soit. En effet, pour le faire, vous n'avez besoin que d'une marche de 20,3 cm, ce qui correspond à la hauteur de la plupart des marches que l'on trouve dans les maisons et les appartements. De plus, c'est un test d'intensité modérée, à la portée de tout le monde. Le *step-test* de Tecumseh peut être exécuté seul, mais il est préférable d'avoir le concours d'un partenaire. Une fois que vous avez trouvé une marche de la bonne hauteur, vous êtes prêt à passer à l'action.

Le test consiste à monter et descendre la marche, à raison de deux fois par cinq secondes pendant trois minutes. Votre partenaire peut vous aider à respecter la bonne cadence en vous disant, à voix haute : monte-monte, descend-descend (figure 8.4). Si vous avez un métronome, réglez-le à 96 coups à la minute : ce sera encore plus précis. À la fin des 3 minutes, restez debout, attendez 30 secondes et prenez votre pouls (figure 8.5) pendant 30 secondes. Le nombre de battements cardiaques enregistré pendant ce laps de temps constitue votre résultat. Consultez à présent le tableau 8.7 pour connaître votre forme cardiovasculaire.

FIGURE 8.4

Le test de la marche (*step-test*) de trois minutes

I. Montez la marche en y posant un pied (droit ou gauche).

2. Puis, posez l'autre pied sur la marche.

3. Descendez la marche en posant un pied sur le sol.

4. Puis, posez l'autre pied sur le sol.

Répétez ces quatre mouvements pendant trois minutes, en suivant la bonne cadence.

FIGURE

8.5 Comment prendre son pouls

Prenez votre pouls à l'artère radiale (sur le poignet, du côté du pouce) ou à l'artère carotide (sur le cou).

TABLEAU

8.7 Résultats du test de la marche (*step-test*) de trois minutes

HOMMES					
Endurance cardiovasculaire*	**1re fois**	**2e fois**	**18-29 ans**	**30-39 ans**	**40-49 ans**
Très élevée			< 41	< 42	< 43
Élevée			41–42	42–43	43–44
Moyenne			43–47	44–47	45–49
Faible			48–51	48–51	50–53
Très faible			> 51	> 51	> 53
FEMMES					
Endurance cardiovasculaire*	**1re fois**	**2e fois**	**18-29 ans**	**30-39 ans**	**40-49 ans**
Très élevée			< 45	< 46	< 46
Élevée			45–46	46–47	46–47
Moyenne			47–52	48–53	48–54
Faible			53–56	54–56	55–57
Très faible			> 56	> 56	> 57

* Les valeurs sont exprimées en nombre de battements cardiaques par période de 30 secondes.
  Le symbole < signifie «inférieur à» et le symbole > signifie «supérieur à».

7. Le test à vélo de 8 km sur la route.   Vous utilisez votre vélo pour vous rendre au cégep ou à votre travail? Ou pour faire des randonnées en montagne? Pourquoi alors ne pas vous tester sur la route? Le test à vélo de 8 km sur la route vous donnera une bonne idée de votre endurance cardiovasculaire. Pour faire ce test, vous devez avoir accès à une piste cyclable ou à tout autre parcours plat.

Afin de déterminer le rythme qui vous convient, parcourez à vélo la distance – que vous aurez préalablement mesurée – au moins 2 fois, en respectant un repos de 48 heures avant le test.

Dès que vous êtes prêt à faire le test, commencez par vous échauffer en moulinant pendant cinq minutes. Mouliner correspond à pédaler à raison de 70 tours à 100 tours à la minute; pour éviter de pédaler dans le vide, il est préférable de placer la chaîne sur le petit plateau et sur le plus grand pignon possible. Puis, parcourez la distance aussi rapidement que possible en répartissant bien vos efforts tout le long du trajet. Consultez le tableau 8.8 pour connaître votre niveau d'endurance cardiovasculaire à vélo.

TABLEAU

8.8   Résultats du test à vélo de 8 km sur la route

HOMMES					
Endurance cardiovasculaire*	**1re fois**	**2e fois**	**18-29 ans**	**30-39 ans**	**40-49 ans**
Très élevée			< 14:00	< 15:00	< 16:00
Élevée			14:00−15:20	15:00−16:10	16:00−17:00
Moyenne			15:21−17:00	16:11−18:00	17:01−19:00
Faible			17:01−18:30	18:01−19:20	19:01−20:10
Très faible			> 18:30	> 19:20	> 20:10
FEMMES					
Endurance cardiovasculaire*	**1re fois**	**2e fois**	**18-29 ans**	**30-39 ans**	**40-49 ans**
Très élevée			< 15:30	< 16:30	< 17:30
Élevée			15:30−16:50	16:30−17:40	17:30−18:30
Moyenne			16:51−18:30	17:41−19:30	18:31−20:30
Faible			18:31−20:00	19:31−20:50	20:31−21:40
Très faible			> 20:00	> 20:50	> 21:40

* Les valeurs sont exprimées en minutes et en secondes. Le symbole < signifie «inférieur à» et le symbole > signifie «supérieur à».

Évaluez
votre vigueur musculaire

La vigueur musculaire englobe deux qualités du muscle : sa force et son endurance.

Un muscle est fort quand il développe une forte tension au moment d'une contraction maximale. Soulever une valise très lourde, déplacer un réfrigérateur ou essayer d'ouvrir une portière d'auto coincée sont des actions qui font appel à la force musculaire. Sur le plan énergétique, la force musculaire sollicite principalement le système ATP-CP et le système à glycogène (chapitre 7).

Un muscle est endurant lorsqu'il peut répéter ou maintenir pendant un certain temps une contraction modérée. Exécuter plusieurs demi-redressements du tronc, laver les vitres d'une auto ou repeindre sa chambre sont des actions qui font appel à l'endurance musculaire. Sur le plan énergétique, ce déterminant de la condition physique fait appel principalement au système à oxygène (chapitre 7).

Les bienfaits de la vigueur musculaire

L'amélioration de sa vigueur musculaire est payante sur plusieurs plans : vigueur accrue dans les activités quotidiennes (monter un escalier, transporter des colis, bricoler, déplacer des objets lourds, etc.) ; amélioration de la posture et de l'équilibre (chapitre 9) ; hausse du métabolisme de base et, par conséquent, de la dépense calorique quotidienne ; renforcement des os et des tendons ; diminution des risques de blessures ; performance accrue dans la pratique d'un sport ou d'une activité physique ; meilleur soutien des viscères grâce à des muscles abdominaux plus fermes ; diminution des maux de dos grâce à un meilleur équilibre entre les muscles fixés au bassin et ceux qui sont fixés à la colonne vertébrale. Sur le plan psychologique, une vigueur musculaire accrue améliore la perception de sa propre image corporelle ; elle améliore ainsi l'estime de soi et la sensation d'être bien dans sa peau.

L'amélioration de sa vigueur musculaire entraîne des changements nombreux et importants dans le muscle même : épaississement des fibres musculaires ; augmentation de l'apport en oxygène dans les muscles actifs ; amélioration de la réponse neuromusculaire (pour un même effort, il y aura, après entraînement, plus de fibres qui vont se contracter) ; augmentation des réserves d'ATP et de CP (chapitre 7) ; renforcement des tendons, etc. Mais l'un des effets les plus visibles demeure l'hypertrophie du muscle, un effet contraire à celui qui est causé par le manque d'exercice, soit l'atrophie du muscle (figure 8.6).

L'évaluation de la force musculaire

Si vous avez accès à une salle de musculation, vous pouvez mesurer votre force en soulevant des charges à l'aide de poids libres ou d'appareils de musculation. Cette mesure peut être prise directement en trouvant la charge la plus lourde que vous pouvez soulever une seule fois ou RM (répétition maximale)*. Le **test 1 RM** est une épreuve qui oblige, à chaque tentative, à exécuter une contraction

---

* L'expression « répétition maximale » est une traduction littérale de l'anglais *repetition maximum*, et le terme correct en français est « résistance maximale ». Cependant, compte tenu de l'usage consacré dans le milieu sportif et par souci de clarté, nous avons choisi d'utiliser « répétition maximale ».

8.6 Les effets de l'activité physique et de l'inactivité physique sur le muscle

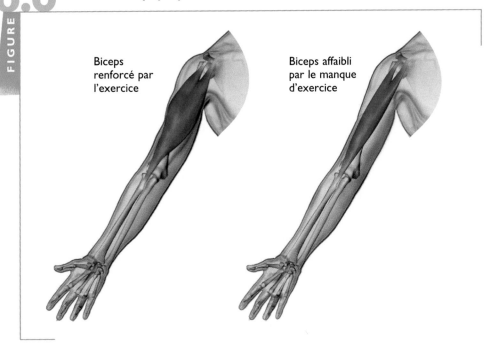

Biceps renforcé par l'exercice

Biceps affaibli par le manque d'exercice

maximale. Si vos muscles sont rouillés ou insuffisamment échauffés, ou bien si vous ne soulevez pas correctement la charge, vous risquez de vous blesser. Ce n'est donc pas un test destiné à tout le monde, sans compter qu'il exige beaucoup de temps (voir chapitre 12, Zoom p. 260).

Pour la plupart des gens, il est préférable de recourir à la mesure de la force de préhension à l'aide d'un dynamomètre manuel. C'est un test simple et rapide qui constitue généralement un bon indicateur de la force globale d'un individu.

8. Le test d'évaluation de la force musculaire à l'aide d'un dynamomètre.
Vous avez besoin, bien sûr, d'un dynamomètre, que vous pouvez vous procurer à un prix raisonnable dans un magasin d'appareils de conditionnement physique. Ajustez d'abord la prise du dynamomètre, de telle sorte que les phalanges moyennes (c'est-à-dire les os situés au milieu des doigts) de votre main dominante (la main droite pour un droitier) reposent sur l'extrémité mobile de la poignée de l'instrument. Quand vous êtes prêt, serrez la poignée de toutes vos forces en gardant le bras allongé et éloigné du corps (figure 8.7). Expirez lentement pendant la contraction. Durant l'épreuve, ni votre main ni le dynamomètre ne doivent toucher au corps ni à quoi que ce soit d'autre. Faites deux essais par main et, chaque fois, notez la tension enregistrée sur le cadran. Additionnez ensemble le meilleur résultat de chaque main. Ensuite, pour trouver votre niveau de force musculaire, consultez le tableau 8.9.

FIGURE

8.7

L'évaluation de la force musculaire
à l'aide d'un dynamomètre

TABLEAU

8.9

Résultats du test de
force de préhension

HOMMES					
Force musculaire*	**1re fois**	**2e fois**	**15-19 ans**	**20-29 ans**	**30-39 ans**
Très élevée			> 112	> 123	> 122
Élevée			103–112	113–123	113–122
Moyenne			95–102	106–112	105–112
Faible			84–94	97–105	97–104
Très faible			< 84	< 97	< 97
FEMMES					
Force musculaire*	**1re fois**	**2e fois**	**15-19 ans**	**20-29 ans**	**30-39 ans**
Très élevée			> 70	> 70	> 72
Élevée			64–70	65–70	66–72
Moyenne			59–63	61–64	61–65
Faible			54–58	55–60	56–60
Très faible			< 54	< 55	< 56

* Force musculaire combinée de la main droite et de la main gauche.
Les valeurs sont exprimées en kilos. Le symbole < signifie «inférieur à» et le symbole > signifie «supérieur à».

L'évaluation de l'endurance musculaire

Pour évaluer ce déterminant de la condition physique, il est nécessaire de fournir un effort répétitif, modéré et prolongé, ce que permettent de faire le test des demi-redressements du tronc et le test des pompes.

9. Le test des demi-redressements du tronc.   Ce n'est pas sans raison que ce test sollicite les muscles abdominaux plutôt qu'un autre groupe musculaire. En effet, si l'endurance musculaire en général est importante, celle des abdominaux l'est tout particulièrement. Plusieurs y voient une raison esthétique : des abdominaux fermes font un ventre plus plat! C'est exact, mais le rôle de ces muscles est d'abord d'agir comme une *sangle naturelle* qui stabilise la posture, fixe le bassin et soutient les viscères. Des abdominaux faibles favorisent l'apparition de douleurs dans le bas du dos et une descente des viscères, elle-même associée à la constipation et aux hernies abdominales. Garder ces muscles en forme n'est donc pas inutile.

On trouve, dans la documentation scientifique, plusieurs tests de demi-redressements du tronc. Certains exigent du matériel (tapis, métronome, ruban adhésif, etc.), une mise en scène élaborée et le concours d'un partenaire. D'autres ne requièrent pratiquement pas de matériel et peuvent se faire seul à la maison avec un minimum de préparation. Le test des demi-redressements avec les pieds non retenus et le *décollement complet des omoplates du sol* comme point de repère est l'un de ceux-là.

Pour réaliser ce test, allongez-vous sur le dos, les bras le long du corps et les genoux légèrement fléchis afin de plaquer le bas du dos sur le sol (figure 8.8). Pointez le menton vers la poitrine et redressez le tronc en faisant glisser les mains jusqu'aux rotules, ce qui permet aux omoplates de se décoller complètement du sol ; expirez pendant cette phase de l'exercice. Puis, revenez au sol. Faites le maximum de répétitions pendant 60 secondes. Vous pouvez ralentir la cadence ou vous arrêter quelques secondes ; c'est une évaluation et non une compétition. Lorsque vous n'arrivez plus à décoller complètement les omoplates du sol, le test est terminé. Consultez alors le tableau 8.10 pour connaître votre niveau d'endurance.

FIGURE 8.8   **Le test des demi-redressements du tronc pour évaluer l'endurance musculaire**

Position de départ

Exécution du test

TABLEAU

8.10 Résultats du test des demi-redressements du tronc

HOMMES					
Endurance musculaire*	**1re fois**	**2e fois**	**18-29 ans**	**30-39 ans**	**40-49 ans**
Très élevée			> 74	> 59	> 49
Élevée			61–74	51–59	41–49
Moyenne			46–60	41–50	26–40
Faible			31–45	26–40	16–25
Très faible			< 31	< 26	< 16
FEMMES					
Endurance musculaire*	**1re fois**	**2e fois**	**18-29 ans**	**30-39 ans**	**40-49 ans**
Très élevée			> 59	> 49	> 39
Élevée			51–59	41–49	31–39
Moyenne			41–50	26–40	16–30
Faible			26–40	16–25	5–15
Très faible			< 26	< 16	< 5

* Les valeurs sont exprimées en nombre de répétitions exécutées en une minute.
Le symbole < signifie «inférieur à» et le symbole > signifie «supérieur à».

10. Le test des pompes. Il est utile, également, d'évaluer l'endurance des muscles du haut du corps. En effet, ces muscles jouent un rôle de premier plan dans plusieurs activités physiques et tâches de la vie courante: déplacer des objets lourds, comme des meubles, en les poussant; ranger des objets sur des tablettes élevées; gravir une côte en ski de fond en poussant sur ses bâtons; faire des smashs au tennis ou au volley-ball; en gymnastique, exécuter un enchaînement d'exercices sur des barres parallèles ou un saut au cheval sautoir; etc. Et l'un des meilleurs tests qui soit pour évaluer l'endurance de ces muscles demeure le test des pompes ou test des extensions des bras.

Ce test ne requiert pas de matériel et peut se faire à la maison. Il consiste à exécuter correctement des pompes pendant une minute. Selon votre vigueur musculaire actuelle, vous pouvez exécuter les pompes en appui soit sur les mains et les pieds (position habituelle), soit sur les mains et les genoux (position modifiée). Cette dernière position permet plus facilement de maintenir le dos droit pendant l'épreuve. À vous de choisir la position qui vous convient le mieux (figure 8.9). Lorsque vous n'arrivez plus à exécuter le mouvement correctement, arrêtez-vous, même si la minute n'est pas terminée. Consultez ensuite le tableau 8.11 pour connaître votre endurance; les normes masculines ont été établies à partir de la position habituelle et les normes féminines, à partir de la position modifiée.

TABLEAU

8.11

Résultats du test des pompes

HOMMES					
Endurance musculaire*	**1re fois**	**2e fois**	**18-29 ans**	**30-39 ans**	**40-49 ans**
Très élevée			> 64	> 54	> 43
Élevée			51–64	41–54	32–43
Moyenne			37–50	27–40	22–31
Faible			23–36	18–26	13–21
Très faible			< 23	< 18	< 13
FEMMES					
Endurance musculaire*	**1re fois**	**2e fois**	**18-29 ans**	**30-39 ans**	**40-49 ans**
Très élevée			> 54	> 43	> 33
Élevée			44–54	32–43	26–33
Moyenne			32–43	22–31	17–25
Faible			20–31	13–21	8–16
Très faible			< 20	< 13	< 8

* Les valeurs sont exprimées en nombre de répétitions exécutées en une minute.
Le symbole < signifie «inférieur à» et le symbole > signifie «supérieur à».

8.9

Le test des pompes

FIGURE

Pompes exécutées dans la position habituelle: en appui sur les mains (distantes de la largeur des épaules) et sur les pieds (collés ensemble), exécutez des flexions et extensions des bras pendant une minute. En tout temps, maintenez le dos droit et respirez normalement.

Pompes exécutées dans la position modifiée: même exercice que dans la position habituelle, sauf que l'on prend appui sur les genoux plutôt que sur les pieds.

Évaluez
vos réserves de graisse et leur distribution

Les **réserves de graisse** constituent ce que l'on appelle, dans le jargon de la physiologie de l'exercice, la **masse grasse** du corps, par opposition à la **masse maigre**, qui est constituée des muscles, des os, des organes et des viscères. Ce déterminant de la condition physique est, bien sûr, fonction de la morphologie que vous a dessinée l'hérédité (voir dans le Compagnon Web l'article portant sur les types physiques), mais aussi de votre niveau de dépense calorique et de votre alimentation.

Bien que l'on parle beaucoup des dangers que fait courir à notre santé un excédent important de gras, il reste que notre organisme a besoin d'une certaine réserve de graisse pour bien fonctionner. Nous avons déjà expliqué pourquoi dans le chapitre 3. Les problèmes apparaissent quand nous en avons trop ou pas assez. Eh oui! le fait d'être trop maigre peut signaler la présence de troubles alimentaires tels que l'anorexie, qui menacent sérieusement la santé (chapitre 3, p. 46). Toutefois, un excédent de graisse est, de loin, la situation la plus répandue de nos jours dans la population. C'est donc dans cette optique qu'il faut voir l'importance que nous accordons à ce déterminant de la condition physique. En clair, nous assistons présentement à une épidémie mondiale d'obésité!

Si un excédent de gras peut nuire à votre santé, il est tout aussi important d'en considérer la distribution des réserves. On sait que le **gras abdominal**, c'est-à-dire le gras en réserve dans l'abdomen, est associé à un risque accru de maladies cardiovasculaires, de diabète de type 2 et, vraisemblablement, de cancer, tandis que le gras logé dans les cuisses et les fesses est moins nuisible à la santé. *En fait, dans la communauté scientifique, il y a une forte tendance à évaluer, en priorité, l'importance des réserves de graisse abdominale lorsque l'on parle de prévenir ou de traiter l'obésité.*

Les bienfaits de réserves de graisse compatibles avec la santé

Le maintien à long terme de réserves de graisse compatibles avec la santé comporte de nombreux bénéfices. D'abord, vous réduisez pratiquement à néant les risques associés à un excédent de gras ou à l'extrême maigreur. Ensuite, votre liberté de mouvement demeure intacte et vous réduisez le risque de blessures lorsque vous faites une activité physique. Enfin, votre choix d'activités physiques n'est pas restreint par un excédent de gras.

Mais, direz-vous, à quoi des réserves de graisse compatibles avec la santé correspondent-elles? C'est ce que nous verrons maintenant.

L'évaluation des réserves de graisse et de leur distribution

Nous vous suggérons les trois mesures suivantes (tests 11, 12 et 13) pour déterminer si vos réserves de graisse sont compatibles avec votre santé.

II. L'évaluation globale par la mesure des plis cutanés. Rigueur scientifique oblige, les chercheurs déterminent les réserves de graisse à l'aide de méthodes sophistiquées comme la tomographie, la conductivité électrique du corps et les cabines à ultrasons ou à infrarouges. Ces méthodes ne sont guère accessibles au commun des mortels. Cependant, on peut évaluer les réserves de graisse, avec un degré de précision acceptable, en mesurant l'épaisseur des plis cutanés à l'aide d'un **adipomètre**, un petit appareil muni de pinces et calibré en millimètres. Cet appareil renseigne sur la quantité de graisse logée sous la peau. Le résultat est traduit en pourcentage de graisse dans le poids corporel total. Plus le nombre de plis mesurés est grand, plus l'on s'approche de la précision des tests utilisés par les scientifiques. Mais si le temps manque, la méthode à trois plis est suffisante pour savoir si, *grosso modo*, on est maigre, ni maigre ni gras, gras ou très gras. Cependant, les plis cutanés doivent être mesurés par une autre personne.

On peut se procurer un adipomètre à un prix raisonnable dans un magasin spécialisé. Pour ne pas fausser les résultats, il faut se familiariser avec cet instrument en s'exerçant à le manipuler. On mesure habituellement les trois plis sur le côté droit du corps. Comme la distribution de la graisse varie selon le sexe, on ne prend pas les mesures aux mêmes endroits chez les femmes et les hommes (figure 8.10).

FIGURE 8.10 La mesure de l'épaisseur des plis cutanés

Chez l'homme

Pli à la poitrine

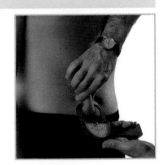

Pli à l'abdomen

Chez l'homme et la femme

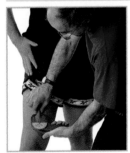

Pli à mi-cuisse

Chez la femme

Pli au triceps

Pli au-dessus de l'os iliaque

Une fois les trois mesures obtenues, additionnez-les et consultez le tableau 8.12 pour connaître votre pourcentage de graisse et sa signification. Si vous êtes un homme et que votre pourcentage de graisse est supérieur à 16 %, vos réserves de graisse ont un certain volume… et même un volume certain ! Dans le cas d'une femme, le pourcentage critique débute à 22 %. Si vous êtes un homme et que votre pourcentage est inférieur à 7 % ou que vous êtes une femme et que votre pourcentage est inférieur à 10 %, vous courez peut-être les marathons ou vous êtes peut-être culturiste à temps plein !

TABLEAU

8.12 Résultats du test de l'estimation du pourcentage de graisse

HOMMES		
Total des trois plis (mm)	**Pourcentage de graisse***	**Catégorie de personne**
< 27	< 7 %	Très maigre.
27–41	7 %–12 %	Maigre.
42–56	12,1 %–16 %	Dans la moyenne (ni maigre, ni grasse).
57–88	16,1 %–25 %	Grasse.
> 88	> 25 %	Très grasse (obèse).
FEMMES		
Total des trois plis (mm)	**Pourcentage de graisse***	**Catégorie de personne**
< 24	< 10 %	Très maigre.
24–36	10 %–15 %	Maigre.
38–55	15,1 %–22 %	Dans la moyenne (ni maigre, ni grasse).
56–82	22,1 %–30 %	Grasse.
> 82	> 30 %	Très grasse (obèse).

* Si vous avez plus de 30 ans, ajoutez 0,15 % par année. Le symbole < signifie « inférieur à » et le symbole > signifie « supérieur à ».

12. Le rapport taille-hanches. La première mesure vous donnera une idée de vos réserves de graisse. Par contre, elle ne vous renseignera guère sur leur distribution. Pour y arriver, vous devez évaluer votre réserve de graisse abdominale, la plus nocive des réserves de graisse, comme nous l'avons déjà vu. Le rapport taille-hanches (RTH) vous donnera une bonne idée de votre degré d'adiposité abdominale. De plus, cette mesure vous renseignera sur la forme de votre corps : forme de pomme ou forme de poire. La première forme est associée à un risque plus élevé de maladies cardiovasculaires, d'hypertension et de diabète de type 2 que la seconde. Voici comment établir ce rapport.

À l'aide d'un ruban gradué en centimètres, mesurez votre tour de taille en sa partie la plus mince après une expiration normale. Puis, mesurez votre tour de hanches en posant le ruban à la hauteur de la partie la plus proéminente des fesses (figure 8.11). Divisez ensuite la mesure de votre taille par celle de vos hanches pour déterminer votre **rapport taille-hanches**.

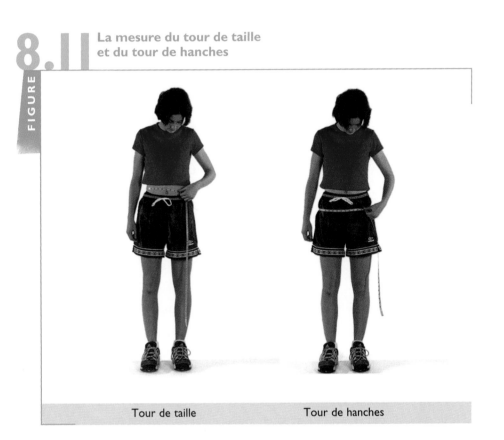

8.11 FIGURE

La mesure du tour de taille et du tour de hanches

| Tour de taille | Tour de hanches |

Par exemple, si votre tour de taille est de 83 cm et votre tour de hanches de 97 cm, votre RTH sera de 0,85 (83 divisé par 97). Les recherches ont démontré que le RTH est plus utile que ne le sont la masse corporelle, l'indice de masse corporelle et le pourcentage de graisse pour prédire le risque de maladies cardiovasculaires ou de diabète de type 2 et, même, le taux de mortalité par tranche d'âge. Mieux encore : votre seul tour de taille associé à votre indice de masse corporelle serait, selon des études récentes, le meilleur indicateur pour prédire le risque de maladie et de mort précoce. Rappelons qu'un tour de taille supérieur à 102 cm pour les hommes et 88 cm pour les femmes augmente fortement le risque de maladies graves, comme l'indique le tableau 8.13.

TABLEAU

8.13 Rapport taille-hanches (RTH) et risque de maladie

HOMMES		
RTH*	**Tour de taille (cm)***	**Risque de maladie****
> 1,00	> 102	D'élevé à très élevé.
0,90 à 1,00	94–102	Modérément élevé.
< 0,90	< 94	De moyen à faible.
FEMMES		
RTH*	**Tour de taille (cm)***	**Risque de maladie****
> 0,85	> 88	D'élevé à très élevé.
0,80–0,85	80–88	Modérément élevé.
< 0,80	< 80	De moyen à faible.

* Le symbole < signifie «inférieur à» et le symbole > signifie «supérieur à».

** Maladies cardiovasculaires, hypertension, diabète de type 2 et, éventuellement, certains cancers.

13. **L'indice de masse corporelle.** L'indice de masse corporelle (IMC) est une mesure valable de la relation entre le poids et la santé. L'IMC s'applique à presque tout le monde. Cependant, cet indice est inexact dans le cas des personnes âgées de moins de 20 ans ou de plus de 65 ans, des femmes enceintes ou allaitant, de même que dans le cas des personnes très musclées, comme les athlètes.

 Pour déterminer votre IMC, reportez-vous à la figure 8.12, page ci-contre ; pour savoir ce que l'indice calculé signifie pour votre santé, reportez-vous au tableau 8.14, ci-dessous.

TABLEAU

8.14 Comment interpréter votre IMC

Indice de masse corporelle (IMC)*	Interprétation
< 20	Un IMC inférieur à 20 peut être associé à des problèmes de santé chez certaines personnes. Consultez un diététiste ou un médecin.
20–25	Chez la majorité des gens, cet intervalle est associé au risque de maladie le plus faible. Si vous êtes dans cet intervalle, restez-y !
25–27	Un IMC situé dans cet intervalle est parfois associé à des problèmes de santé chez certaines personnes. La prudence est donc de mise dans vos habitudes de vie.
> 27	Un IMC supérieur à 27 est associé à des risques plus élevés de problèmes de santé, tels que les maladies cardiovasculaires, l'hypertension et le diabète de type 2. Consultez un diététiste et un médecin.

* Le symbole < signifie «inférieur à» et le symbole > signifie «supérieur à».

FIGURE

8.12

Comment déterminer votre indice de masse corporelle

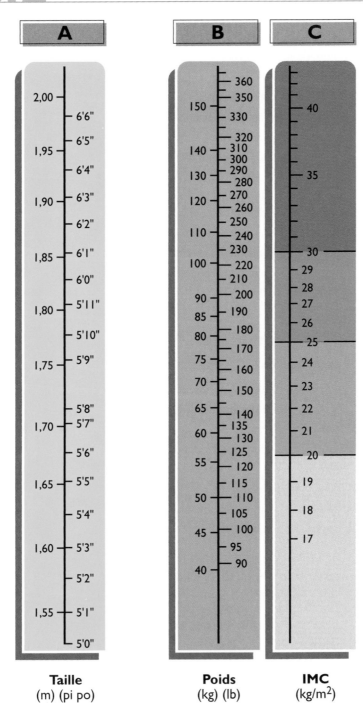

Taille
(m) (pi po)

Poids
(kg) (lb)

IMC
(kg/m^2)

Faites un X sur l'échelle A, vis-à-vis de votre taille. Faites un X sur l'échelle B, vis-à-vis de votre poids actuel. À l'aide d'une règle, tracez une ligne reliant les deux X. Pour déterminer votre IMC, prolongez cette ligne jusque sur l'échelle C. Par exemple si François mesure 1,80 m et pèse 85 kg, son IMC est de 26 ; si Louise mesure 1,60 m et pèse 60 kg, son IMC est de 23.

Évaluez
votre flexibilité

La **flexibilité** est la capacité de faire bouger une articulation dans toute son amplitude sans ressentir de raideur ni de douleur. Les muscles et leur enveloppe, le fascia, comptent pour 50 % dans la flexibilité articulaire ; il est donc fondamental de les étirer régulièrement. En fait, la flexibilité est un déterminant important de la condition physique. Des muscles raides sont à l'origine de bien des maux de dos, de mauvaises postures et de blessures, sportives et non sportives. Nous verrons ce point en détail dans le prochain chapitre.

Les bienfaits d'une bonne flexibilité

Une bonne flexibilité assure une grande liberté de mouvement, aide à prévenir les douleurs dans le bas du dos (chapitre 9) et diminue le risque de blessures, parce qu'un muscle souple réagit mieux en cas d'étirement brusque. Une bonne flexibilité facilite grandement l'exécution des gestes lorsque vous pratiquez une activité physique. Elle vous donne une plus grande liberté d'action, ce qui ne peut qu'améliorer la précision de vos mouvements. De plus, des muscles souples accélèrent l'apprentissage d'un nouveau geste.

L'évaluation de la flexibilité

En principe, on devrait évaluer la flexibilité de toutes les articulations, mais les tests seraient très nombreux ! De plus, les meilleurs tests de flexibilité mesurent directement, à l'aide d'instruments spécialisés (**goniomètre, flexomètre, clinomètre**), l'amplitude de l'angle formé par l'articulation, ou amplitude angulaire. Or, ces tests sont plutôt complexes et nécessitent la présence d'un évaluateur qualifié. Nous vous suggérons plutôt les trois tests maison suivants, qui vous donneront tout de même un bon aperçu de votre flexibilité.

1. Le test du lever du bâton en position couchée.
2. Le test des mains dans le dos en position debout.
3. Le test de flexion du tronc en position assise.

Le degré de flexibilité des épaules est un bon indicateur de la liberté de mouvement du haut du corps, alors qu'un manque de flexibilité du tronc est souvent associé aux maux de dos et aux blessures causées par une déchirure musculaire (**claquage**).

Remarquez que les individus de grande taille sont légèrement avantagés dans ce genre de test, étant donné que l'on mesure la distance entre deux segments corporels, par exemple, la distance entre les doigts et les orteils dans le troisième test. Toutefois, rappelez-vous que cette évaluation sert avant tout à comparer votre degré de flexibilité *avant* un programme d'activité physique avec celui que vous obtenez *après* un tel programme. C'est le progrès réalisé qui compte!

Avant de faire un test de flexibilité, il est préférable de s'échauffer un peu. Pendant le test, vous devez étirer vos muscles *lentement, sans à-coup,* tout en expirant. Dès que vous ressentez une légère brûlure (même pas une douleur!) dans la zone étirée, arrêtez le mouvement, puisque c'est le signe que vos muscles ont atteint leur limite d'étirement, limite au-delà de laquelle vous risqueriez de vous blesser (chapitre 12).

14. **Le test du lever du bâton en position couchée.** Pour ce test, vous avez besoin d'un bâton (un manche à balai convient très bien). Couchez-vous à plat ventre, le menton appuyé contre le sol, les bras tendus devant vous dans le prolongement des épaules, les mains écartées à la largeur des épaules. Prenez le bâton et, *sans fléchir les poignets ni les coudes, ni décoller le menton du sol,* levez le bâton le plus haut possible (figure 8.13). Un partenaire peut évaluer la hauteur à laquelle vous levez le bâton. Consultez ensuite le tableau 8.15 pour connaître le degré de flexibilité de vos épaules.

FIGURE 8.13 Le test du lever du bâton en position couchée

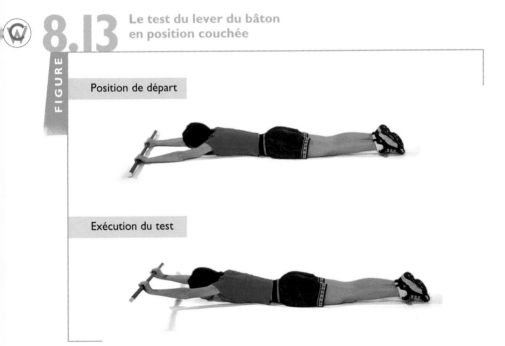

Position de départ

Exécution du test

8.15 — Résultats du test du lever du bâton en position couchée

Position atteinte	1re fois	2e fois	Degré de flexibilité
Bâton levé nettement plus haut que la tête.			Très élevé.
Bâton levé juste au-dessus de la tête.			Élevé.
Bâton levé au niveau de la tête.			Moyen.
Bâton levé à peine au-dessus du sol.			Faible.
Bâton qui reste collé au sol.			Très faible.

15. **Le test des mains dans le dos en position debout.** Ce test, on ne peut plus simple, s'exécute debout et vous donne une très bonne idée du degré de flexibilité de chacune de vos épaules. Pour évaluer la flexibilité de l'épaule gauche, procédez comme suit. Amenez d'abord votre main gauche, paume tournée vers vous, derrière la nuque, en passant par-dessus votre épaule gauche ; faites ensuite remonter la main droite derrière le dos, paume retournée. Essayez alors de joindre les deux mains (figure 8.14). Pour évaluer la flexibilité de votre épaule droite, refaites le test en commençant par la main droite. Reportez-vous au tableau 8.16 pour interpréter vos résultats. Si vous constatez une grande différence entre la flexibilité de l'épaule dominante (la droite pour les droitiers) et l'autre, il serait sage d'assouplir d'abord le côté le moins flexible.

8.14 — Le test des mains dans le dos en position debout

FIGURE

TABLEAU

8.16
Résultats du test des mains dans le dos en position debout

A. La main droite par-dessus l'épaule droite			
Position atteinte	**1re fois**	**2e fois**	**Niveau de flexibilité**
Les paumes des mains glissent l'une sur l'autre.			Très élevé.
Les bouts des doigts glissent les uns sur les autres.			Élevé.
Les bouts des majeurs se touchent.			Moyen.
Les doigts ne se touchent pas du tout.			Faible.
Les mains sont éloignées l'une de l'autre.			Très faible.
B. La main gauche par-dessus l'épaule gauche			
Position atteinte	**1re fois**	**2e fois**	**Niveau de flexibilité**
Les paumes des mains glissent l'une sur l'autre.			Très élevé.
Les bouts des doigts glissent les uns sur les autres.			Élevé.
Les bouts des majeurs se touchent.			Moyen.
Les doigts ne se touchent pas du tout.			Faible.
Les mains sont éloignées l'une de l'autre.			Très faible.

16. Le test de flexion du tronc en position assise. Pour faire ce test, asseyez-vous, les jambes tendues, les pieds appuyés contre un mur (ou un meuble) et espacés de 25 cm à 30 cm. Penchez le tronc lentement vers l'avant, sans plier les genoux (figure 8.15). Si vous ne pouvez pas atteindre le mur avec le bout des doigts, c'est que vos mollets et vos ischio-jambiers (muscles situés à l'arrière des cuisses) sont raides. Si vous touchez le mur avec le bout des doigts ou, mieux, avec les poings, bravo! Votre tronc est plutôt flexible dans cette position (tableau 8.17).

FIGURE

8.15 Le test de flexion du tronc en position assise

TABLEAU **8.17** Résultats du test de flexion du tronc en position assise			

Position atteinte	1re fois	2e fois	Niveau de flexibilité
Les paumes des mains touchent le mur.			Très élevé.
Les poings touchent le mur.			Élevé.
Le bout des doigts touche le mur.			Moyen.
Le bout des doigts ne touche pas le mur.			Faible.
Le bout des doigts n'atteint pas la cheville.			Très faible.

Évaluation minute
pour gens pressés

Vous ne pouvez pas courir? Vous n'avez pas de dynamomètre ni d'adipomètre? Vous manquez affreusement de temps? L'évaluation minute qui suit vous donnera, sans prétention scientifique, une idée de votre force musculaire, de l'endurance de votre cœur et de vos réserves de graisse, trois facteurs clés de votre condition physique.

Le test du pèse-personne

Pour vérifier le gain de force obtenu après avoir suivi un programme de musculation ou après avoir pratiqué une activité physique qui sollicite la force musculaire, faites le test du pèse-personne. Agrippez l'instrument par les côtés, amenez-le à la hauteur du visage en gardant les bras allongés. Puis, pressez la plate-forme le plus fort possible, tout en expirant lentement (figure 8.16). Prenez note du nombre affiché sur le cadran et refaites le test tous les mois.

FIGURE 8.16 Le test du pèse-personne

Le test du pouls au repos

Lorsque l'on est en forme, le pouls au repos est lent. Ainsi, chez les cyclistes et les coureurs de fond bien entraînés, le pouls moyen au repos est d'environ 40 battements par minute. Le pouls au repos des individus sédentaires est plus rapide. Pour avoir une idée de votre endurance cardiovasculaire, prenez votre pouls le matin. Dès que vous vous éveillez, levez-vous, attendez environ une minute, puis prenez votre pouls debout. Reportez-vous ensuite au tableau 8.18 pour connaître votre condition cardiovasculaire probable.

TABLEAU 8.18 Pouls au repos et endurance cardiovasculaire

HOMMES				
Indice d'aptitude*	17-26 ans	27-39 ans	40-49 ans	50 ans et plus
Très bonne	≤ 50	≤ 52	≤ 55	≤ 60
Bonne	51–60	51–63	56–65	61–70
Moyenne	61–70	64–72	66–75	71–80
Faible	71–80	73–82	76–85	81–90
Très faible	≥ 81	≥ 83	≥ 86	≥ 91

FEMMES				
Indice d'aptitude*	17-26 ans	27-39 ans	40-49 ans	50 ans et plus
Très bonne	≤ 55	≤ 57	≤ 60	≤ 65
Bonne	56–65	56–67	61–70	66–75
Moyenne	66–75	66–77	71–80	76–85
Faible	76–85	76–87	81–90	86–95
Très faible	≥ 86	≥ 88	≥ 91	≥ 96

* Les valeurs sont exprimées en nombre de battements par minute. Le symbole ≤ signifie « égal ou inférieur à » et le symbole ≥ signifie « égal ou supérieur à ».

Le test de la pincée

Le test de la pincée vous donnera une certaine idée de vos réserves de graisse. À l'aide d'une règle graduée en centimètres, mesurez l'épaisseur d'une pincée de peau prise à chacun des endroits suivants : sur le milieu avant de la cuisse, à côté du nombril et au-dessus de la hanche. Si l'épaisseur de chacun des plis est inférieure à 2,5 cm, votre masse grasse est relativement modeste. Par contre, si au moins un des plis a une épaisseur supérieure à 2,5 cm, vous avez un surplus de graisse. Chaque tranche supplémentaire de 0,5 cm équivaut approximativement à un excédent de graisse de 2 kg. Une pincée de plus de 7 cm est un signe d'obésité. Si en outre votre tour de taille dépasse 1 m (100 cm), votre risque d'être atteint d'une maladie cardiovasculaire ou du diabète de type 2 est sérieusement augmenté !

à vos méninges

8

Remarque : Il peut y avoir plus d'une bonne réponse par question.

1 EN QUOI CONSISTE LA CONDITION PHYSIQUE?

○ **a)** C'est la capacité de courir le plus vite possible.

○ **b)** C'est la capacité de lever des charges lourdes sans se blesser.

○ **c)** C'est la capacité de faire des exercices aérobiques.

○ **d)** C'est la capacité de s'adapter à l'effort physique en général.

○ **e)** Aucune des réponses précédentes.

2 PARMI LES TESTS SUIVANTS, LEQUEL ÉVALUE LA FLEXIBILITÉ DES ÉPAULES?

○ **a)** Le test de la flexion du tronc en position assise.

○ **b)** Le test des mains dans le dos en position debout.

○ **c)** Le test des pompes.

○ **d)** Le test de la marche (*step-test*).

○ **e)** Aucune des réponses précédentes.

3 À QUOI LE Q-AAP SERT-IL?

○ **a)** À estimer notre espérance de vie en bonne santé.

○ **b)** À déterminer notre capacité vitale.

○ **c)** À déterminer notre aptitude à pratiquer l'activité physique.

○ **d)** À déterminer notre aptitude à faire un exercice en force.

○ **e)** À déterminer notre aptitude à faire un effort anaérobique.

4 COMBIEN DE QUESTIONS LE Q-AAP COMPORTE-T-IL?

○ **a)** Quatre.

○ **b)** Cinq.

○ **c)** Six.

○ **d)** Sept.

○ **e)** Huit.

5 **DE QUOI LE NIVEAU DE CONSOMMATION MAXIMALE D'OXYGÈNE (CMO$_2$) EST-IL UN INDICE ?**

- ○ **a)** De l'état de santé des artères du cœur.
- ○ **b)** De la capacité anaérobique.
- ○ **c)** De la capacité pulmonaire.
- ○ **d)** Du niveau d'endurance cardiovasculaire.
- ○ **e)** De la capacité à éliminer l'acide lactique.

6 **POURQUOI EST-IL IMPORTANT D'ÉVALUER LES RÉSERVES DE GRAISSE ABDOMINALE ?**

- ○ **a)** Parce qu'on accumule plus facilement ce type de graisse.
- ○ **b)** Parce que la graisse abdominale est dangereuse pour la santé.
- ○ **c)** Parce que la graisse abdominale est difficile à éliminer.
- ○ **d)** Parce que la graisse abdominale favorise les maux de dos.
- ○ **e)** Aucune des réponses précédentes.

7 **DE QUOI LE TEST DU POULS AU REPOS EST-IL UN INDICATEUR ?**

- ○ **a)** De la santé cardiovasculaire.
- ○ **b)** De l'état des artères.
- ○ **c)** De la vigueur physique.
- ○ **d)** De l'endurance cardiovasculaire.
- ○ **e)** Aucune des réponses précédentes.

8 **NOMMEZ DEUX MESURES UTILISÉES POUR ESTIMER LES RÉSERVES DE GRAISSE.**

- • _____
- • _____

9 **NOMMEZ TROIS TESTS UTILISÉS POUR ÉVALUER L'ENDURANCE CARDIOVASCULAIRE.**

- • _____
- • _____
- • _____

10   NOMMEZ CINQ AVANTAGES D'AVOIR DES MUSCLES VIGOUREUX.

- _____
- _____
- _____
- _____
- _____

11   NOMMEZ LES SIX DÉTERMINANTS VARIABLES DE LA CONDITION PHYSIQUE.

- _____
- _____
- _____
- _____
- _____

12   ASSOCIEZ LES DÉFINITIONS (COLONNE DE GAUCHE) ET LES DÉTERMINANTS DE LA CONDITION PHYSIQUE (COLONNE DE DROITE).

Définitions	Déterminants
_____ **1.** La capacité de faire bouger une articulation dans toute son amplitude sans ressentir de raideur ni de douleur.	**a)** L'endurance musculaire.
_____ **2.** La capacité de développer une forte tension au moment d'une contraction maximale.	**b)** La flexibilité.
_____ **3.** La capacité de fournir pendant un certain temps un effort modéré sollicitant l'ensemble des muscles.	**c)** La force musculaire.
_____ **4.** La capacité de répéter ou de maintenir pendant un certain temps une contraction modérée.	**d)** L'endurance cardiovasculaire.

I3 ASSOCIEZ LES TESTS (LISTE DE GAUCHE) ET LES DÉTERMINANTS DE LA CONDITION PHYSIQUE (LISTE DE DROITE).

Tests	Déterminants
_____ **1.** Le test du dynamomètre.	**a)** L'endurance musculaire.
_____ **2.** Le physitest aérobie canadien modifié.	**b)** La flexibilité.
_____ **3.** Le test des demi-redressements du tronc.	**c)** La force musculaire.
_____ **4.** Le test de flexion du tronc en position assise.	**d)** L'endurance cardiovasculaire.

pour en savoir plus

LECTURES SUGGÉRÉES

- Bailey, C., *Être en forme*, Les Éditions Quebecor, Montréal, 1995.

- Bouchard, C., F. Landry, J. Brunelle et P. Godbout, *La condition physique et le bien-être*, Éditions du Pélican, Québec, 1974.

- Laferrière, S., *Plaisirs d'une vie active*, CEC, Montréal, 1997.

SITES INTERNET À VISITER

Activité physique et santé (Dav Bergeron)
http://www.aps.lafirme.com/

Association canadienne pour la santé, l'éducation physique, le loisir et la danse
http://www.cahperd.ca/f/index.htm

Éducation physique (France)
http://perso.wanadoo.fr/bernard.lefort/index.html

La bande sportive (Yves Potvin)
http://www.bandesportive.com/

Medicine and Science in Sports (énoncés de principe)
http://www.ms-se.com/

Site sur l'éducation physique de Pierre Duchesneau
http://www.collegesherbrooke.qc.ca/~duchenpi/index.htm#education

Société canadienne de physiologie de l'exercice
http://www.csep.ca/index_fr.asp

bilan

Le relevé de vos capacités physiques et de vos besoins en un coup d'œil

Maintenant que vous avez évalué les différents déterminants de votre condition physique, il vous est possible de faire le bilan de vos capacités physiques et de vos besoins en matière d'activité physique. La détermination de ces besoins vous sera très utile pour vous fixer des objectifs de mise en forme (chapitres 11 et 12) ou encore pour faire un choix éclairé d'activités physiques à pratiquer (chapitre 13).

Marche à suivre

1. Reportez d'abord les résultats de votre évaluation physique dans les tableaux A et B qui suivent.

2. Interprétez ensuite ces résultats en cochant la case qui correspond au niveau obtenu (très élevé, élevé, moyen, etc.).

3. Dans la dernière colonne, cochez les aspects que vous avez déterminés pour améliorer votre condition physique. Ces aspects constituent, en fait, vos besoins à combler.

Tableau A: Profil de votre condition physique

Test	TÉ*	É	M	F	TF	Aspects à améliorer Oui Non
Endurance cardiovasculaire Test effectué : _____ Résultat : _____						◯ ◯
Force de préhension Résultat (en kg) : _____						◯ ◯
Force des bras (1RM)* Résultat (en kg) : _____						◯ ◯
Force des jambes (1RM)* Résultat (en kg): _____						◯ ◯
Endurance des abdominaux Test effectué : _____ Nombre d'exécutions en 60 secondes : _____						◯ ◯

* Ces tests n'ont pas été expliqués dans le chapitre 8. Nous les avons inclus dans ce tableau au cas où votre professeur souhaiterait vous les faire faire.

Test	TÉ*	É	M	F	TF	Aspects à améliorer Oui Non
Endurance des bras Test effectué : _____ Nombre d'exécutions en 60 secondes : _____						◯ ◯
Autre test d'endurance musculaire : _____ Résultat : _____						◯ ◯
Premier test de la flexibilité des épaules Résultat : _____						◯ ◯
Second test de la flexibilité des épaules Résultat : _____						◯ ◯
Flexibilité du bas du dos et de l'arrière des jambes : _____ Test effectué : _____ Résultat : _____						◯ ◯
Autre test de flexibilité effectué : _____ Résultat : _____						◯ ◯
Autre test de flexibilité effectué : _____ Résultat : _____						◯ ◯

* TÉ: très élevé; É: élevé; M: moyen; F: faible; TF: très faible.

Tableau B : Profil de votre composition corporelle

Mesures	Sous la moyenne	Dans la moyenne	Élevé	Très élevé	Aspect à améliorer
Pourcentage de graisse : _____ %					
Tour de taille : _____ cm					Oui ◯ Non ◯
Rapport taille-hanches : _____					
IMC : _____					

chapitre 9

Les bonnes postures
et les mauvaises postures

Objectifs

- Donner les caractéristiques d'une bonne posture.

- Distinguer les trois principales déviations de la colonne vertébrale.

- Discerner les groupes musculaires associés à la posture lombaire.

- Distinguer les bonnes postures des mauvaises postures.

- Faire le bilan de ses postures et l'interpréter correctement.

Posture! Le mot lui-même semble chargé d'impératifs: «Tirez les épaules, rentrez le ventre, serrez les fesses, gardez la tête droite!» Appliquées à la lettre, ces recommandations nous feraient marcher comme des militaires en parade. Or, une bonne posture n'implique pas que nous soyons aussi raides et aussi peu naturels! Si c'était le cas, notre colonne vertébrale aurait la forme d'un pilier plutôt que celle, gracieuse et souple, d'un *S* allongé.

> À partir du moment où l'homme est devenu un bipède et qu'il a assumé la position debout, il s'est fait un ennemi de la gravité, qu'il combat depuis ce moment.
>
> J.A. Jones

En fait, la nature nous a dotés d'une structure ondulée, qui permet de répartir sur une grande surface osseuse le poids supporté par notre dos en position debout. La colonne se compose en effet de 33 os, appelés «vertèbres» (figure 9.1). Les vertèbres du bas du dos forment le sacrum (cinq vertèbres fusionnées) et le coccyx (quatre vertèbres fusionnées). Si la colonne était droite, elle comporterait beaucoup moins de vertèbres, ce qui réduirait d'autant la surface osseuse totale. La pression sur les vertèbres inférieures, donc sur le bas du dos, serait alors telle que nous aurions tous mal au dos dès nos premiers pas!

FIGURE 9.1 La structure ondulée de la colonne vertébrale

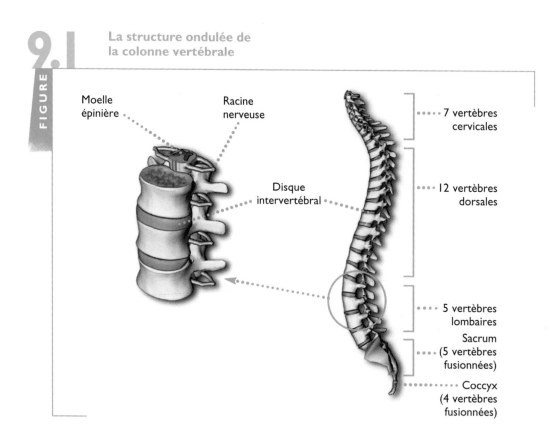

Moelle épinière

Racine nerveuse

Disque intervertébral

7 vertèbres cervicales

12 vertèbres dorsales

5 vertèbres lombaires

Sacrum (5 vertèbres fusionnées)

Coccyx (4 vertèbres fusionnées)

La colonne vertébrale :
déviations et hernie discale

Au sommet de ce génial assemblage osseux qu'est la colonne vertébrale trône le crâne, parfaitement aligné au-dessus de la cage thoracique, elle-même alignée sur le bassin, où viennent s'attacher les dernières vertèbres. Une **bonne posture** maintient cet harmonieux alignement du crâne, de la cage thoracique et du bassin (figure 9.2). Toute posture qui brise cet alignement pendant un certain temps est mauvaise parce qu'elle crée des tensions parmi les quelque 40 muscles et les ligaments qui soutiennent et permettent à la colonne de bouger. Par exemple, si vous travaillez pendant des heures devant un écran d'ordinateur placé trop haut ou trop bas, il se créera des tensions dans les muscles de votre cou. À la fin de la journée, vous aurez probablement mal au cou ou à la tête.

9.2 **FIGURE**

Quand l'alignement harmonieux de la colonne vertébrale est brisé

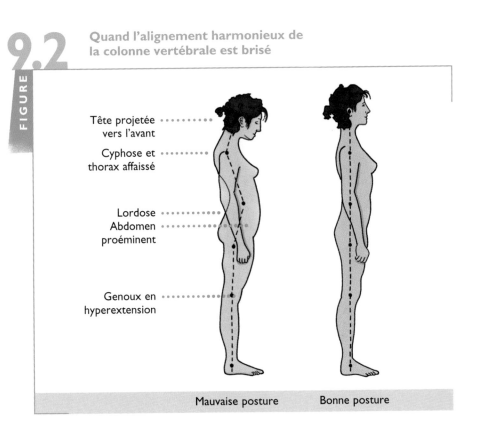

Tête projetée vers l'avant

Cyphose et thorax affaissé

Lordose
Abdomen proéminent

Genoux en hyperextension

Mauvaise posture   Bonne posture

À la longue, les mauvaises postures entraînent des déviations vertébrales, à l'origine de nombreux maux de dos. Les trois plus importantes déviations sont la lordose, la cyphose et la scoliose. Ces trois types de déviation diminuent l'espace entre les vertèbres, ce qui accroît le risque de compression des quelque 30 nerfs qui traversent l'épine dorsale. Par exemple, dans le cas d'une forte lordose, il arrive parfois qu'une vertèbre lombaire et le sacrum aient tellement dévié qu'ils exercent une pression douloureuse sur les racines nerveuses situées à proximité. Examinons brièvement ces trois déviations.

La lordose

C'est probablement la déviation la plus répandue. La lordose se caractérise par un creux lombaire très prononcé et un déplacement important du bassin vers l'avant. On peut naître avec une prédisposition à la lordose, mais, la plupart du temps, cette déviation résulte d'un déséquilibre dans le travail des muscles destinés à maintenir le bassin dans une position correcte (figure 9.3). Avec le temps, la dépression lombaire sollicite de plus en plus les muscles dorsaux, provoquant spasmes, fatigue et douleur chronique dans le bas du dos (**lombalgie**). La lordose est aussi associée aux menstruations douloureuses et à une augmentation du risque de blessures au dos. Heureusement, il existe des exercices efficaces pour prévenir ou atténuer la douleur dans le bas du dos (p. 193-195).

9.3 FIGURE — Les muscles associés à la posture lombaire

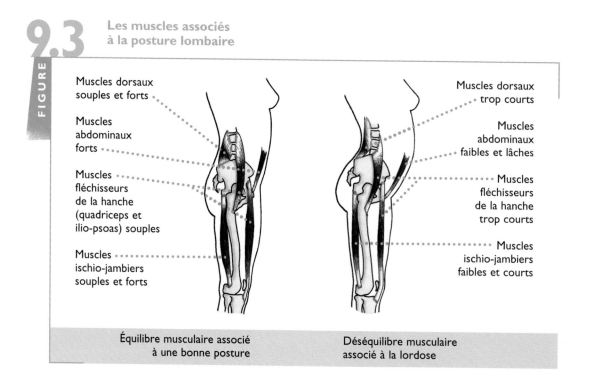

Muscles dorsaux souples et forts

Muscles abdominaux forts

Muscles fléchisseurs de la hanche (quadriceps et ilio-psoas) souples

Muscles ischio-jambiers souples et forts

Muscles dorsaux trop courts

Muscles abdominaux faibles et lâches

Muscles fléchisseurs de la hanche trop courts

Muscles ischio-jambiers faibles et courts

Équilibre musculaire associé à une bonne posture

Déséquilibre musculaire associé à la lordose

Les experts estiment qu'environ 80 % des maux de dos sont causés par des déséquilibres entre divers groupes musculaires. Parmi ces maux, les douleurs lombaires sont de loin les plus répandues. Il faut dire que la région lombaire est la région la plus mobile de la colonne vertébrale et qu'elle supporte les deux tiers du poids corporel. En fait, 75 % des mouvements du tronc proviennent de cette région.

Voici donc quelques exercices qui vous aideront à soulager les douleurs dans le bas du dos. Faites-les régulièrement, trois ou quatre fois par semaine, pendant au moins deux mois. Vous serez étonné de la régression de votre lordose. Consultez aussi la série d'exercices portant sur les abdominaux (p. 288-289).

1. La boule sur le dos :

pour détendre et assouplir le bas du dos. Sur le dos, la tête au sol, les mains jointes au-dessus des genoux, amenez ces derniers vers la poitrine à l'aide des mains. Tout en expirant doucement, lèvres serrées, restez dans cette position pendant six secondes. Revenez à la position de départ et détendez-vous. Refaites l'exercice trois fois.

 ### 2. La bascule du bassin :

pour effacer le creux lombaire. Sur le dos, les genoux fléchis, les bras croisés sur la poitrine, creusez le bas du dos **(a)**. Contractez ensuite les abdominaux afin de plaquer le bas du dos au sol **(b)**. Restez dans cette position pendant six secondes en expirant lentement, lèvres serrées. Refaites l'exercice trois fois. Cet exercice tout simple est l'un des meilleurs pour combattre la douleur lombaire.

a) b)
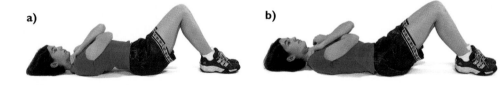

 ### 3. La traction de la jambe :

pour étirer les muscles du bas du dos et de l'arrière des cuisses (ischio-jambiers). Sur le dos, les genoux fléchis, les pieds posés à plat sur le sol, joignez les mains derrière la cuisse droite et tirez lentement le genou droit vers la poitrine **(a)**, puis étendez la jambe vers le plafond **(b)**. Tirez à nouveau le genou vers la poitrine; vous devez ressentir un réel étirement derrière la cuisse, mais jamais de douleur. Si vous le pouvez, restez dans cette position pendant environ 25 secondes. Respirez normalement pendant la durée de l'étirement. Revenez lentement à la position de départ. Refaites l'exercice avec l'autre jambe.

a) b)
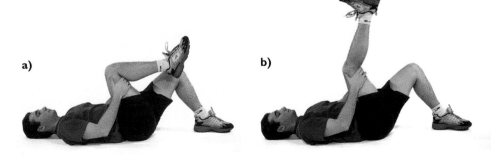

4. La génuflexion :

pour allonger les fléchisseurs de la hanche (quadriceps et ilio-psoas). En position de génuflexion, le genou droit posé sur le sol, amenez le bassin vers l'avant jusqu'au seuil maximal d'étirement du devant de la cuisse et de la région de l'aine. Si vous le pouvez, restez dans cette position pendant environ 25 secondes. Respirez normalement pendant la durée de l'étirement. Revenez lentement à la position de départ. Refaites l'exercice avec l'autre jambe.

5. La chaise :

pour effacer le creux lombaire en position assise. Assis sur une chaise, effacez le creux lombaire **(a)** en plaquant le bas du dos contre le dossier **(b)**. Pour ce faire, contractez les fessiers et les abdominaux. Restez dans cette position pendant six secondes en expirant lentement, lèvres serrées. Refaites l'exercice autant de fois que vous le voulez lorsque vous travaillez assis pendant une longue période.

a)
b)

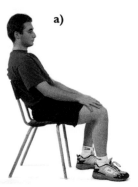

6. Le demi-redressement croisé :

pour renforcer les abdominaux. Sur le dos, les bras repliés, les mains sur les épaules **(a)**, exécutez un demi-redressement du tronc en tournant ce dernier vers la gauche **(b)** et revenez à la position de départ. Recommencez en tournant cette fois le tronc vers la droite. Pendant le redressement, expirez. Commencez par quelques demi-redressements croisés, passez à 10, puis à 15, et ainsi de suite, jusqu'à plus de 30.

a)
b)

7. Le chat au dos plat :

pour renforcer le muscle transverse. À quatre pattes, le dos plat, inspirez en gonflant le ventre et en maintenant le dos plat **(a)**. Puis, expirez en maintenant toujours le dos plat **(b)**. Refaites l'exercice trois fois.

a) 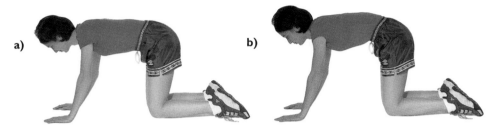 b)

La scoliose

Quand la déviation de la colonne est latérale, on parle de **scoliose** (figure 9.4). Celle-ci se caractérise par une asymétrie plus ou moins marquée, provoquée par l'affaissement d'une seule épaule ou d'une seule hanche. Dans certains cas, la déviation est telle qu'elle cause des malaises ou des douleurs au dos, aux épaules et aux hanches. Plutôt rares, les scolioses prononcées (déviations latérales de plus de 30 degrés) se développent surtout chez les personnes ayant une prédisposition héréditaire ou une anomalie congénitale. Le traitement de ce type de scoliose est médical. Des habitudes posturales, comme porter un objet lourd toujours du même côté ou se tenir régulièrement assis avec le tronc incliné d'un côté, peuvent, à la longue, provoquer une scoliose.

FIGURE 9.4 La scoliose

La cyphose

La cyphose (figure 9.2) est une déviation qui rend voûté (c'est-à-dire qui fait courber le haut du dos) et projette la tête vers l'avant. La cyphose peut causer des maux de tête et des douleurs dans la région cervicale (**cervicalgie**). Dans les cas sévères, une bosse apparaît dans le haut du dos. Celle-ci est communément appelée «bosse du lecteur», à cause de la position assise particulière qu'adopte souvent la personne qui lit. En plus d'être inesthétique, la cyphose provoque une usure précoce des vertèbres pouvant causer de l'arthrose cervicale. Les clavicules et les omoplates étant rattachées à cette partie de la colonne, le dos rond entraîne aussi des douleurs dans les épaules et au milieu du dos. Les causes de la cyphose sont très variées : une table de travail trop basse, un oreiller trop gros, une mauvaise position assise, la pratique de certains instruments de musique (en particulier, le violon et le piano) et même certains troubles émotionnels (la peur des autres, l'anxiété chronique, la dépression).

La hernie discale

Les contraintes mécaniques imposées à la colonne par les mauvaises postures malmènent aussi les **disques intervertébraux**. Normalement, ces coussinets élastiques situés entre les vertèbres se compressent lorsque l'on soulève un objet lourd et se détendent aussitôt que l'on relâche la charge, un peu comme les amortisseurs d'une auto (figure 9.5a). Par contre, lorsque l'on soulève, sans plier les jambes, un objet lourd posé sur le sol, le devant des vertèbres tend à se rapprocher et l'arrière, à s'éloigner (figure 9.5b). La pression vers l'arrière qui s'exerce alors sur le noyau des disques intervertébraux est énorme, soit 500 kg, au lieu de 50 kg quand on est en position debout (figure 9.6). Dans ces conditions, le disque peut se fissurer. Dès lors, une partie du noyau gélatineux, situé au centre du disque, sort par la fissure et vient s'appuyer sur la moelle épinière ou sur un nerf rachidien (habituellement le nerf sciatique) : c'est la **hernie discale** (figure 9.5b). À son tour, la hernie peut être la cause de douleurs intenses et d'engourdissements situés le long du trajet du nerf touché, jusqu'au bout des orteils s'il s'agit du nerf sciatique.

Les disques de la région lombaire sont les plus sujets à la hernie, car ils subissent une plus grande compression que ceux de la partie supérieure de la colonne. Par conséquent, méfiez-vous des mouvements brusques de torsion ainsi que des flexions ou des extensions profondes du tronc, qui augmentent justement ce risque.

La section suivante propose des conseils, pratiques et simples à suivre, pour éviter les postures qui malmènent les disques intervertébraux.

9.5 Quand nos disques intervertébraux sont victimes de mauvais traitements

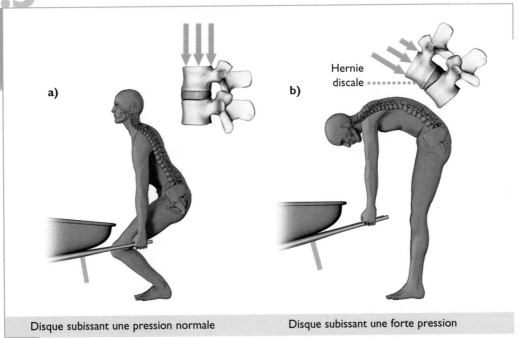

a)

b)

Hernie discale ·········

Disque subissant une pression normale

Disque subissant une forte pression

Les postures
qui préviennent les maux de dos

Les maux de dos qui ne sont pas dus à un accident peuvent, pour la plupart, être prévenus. Ils ont pour cause commune un déséquilibre entre les tensions musculaires qui s'exercent au niveau de la colonne vertébrale. Ce déséquilibre, nous l'avons vu, est souvent le résultat de mauvaises postures. En corrigeant ces postures, on peut donc prévenir l'apparition d'un mal de dos. Voici quelques exemples de situations de la vie courante où vous pouvez protéger votre dos de façon réellement efficace.

En position assise

Aussi paradoxal que cela puisse paraître, la position assise, en apparence relaxante, est l'une des plus éprouvantes pour la colonne vertébrale. Dès que l'on s'assoit, la pression sur les disques inter-vertébraux du bas du dos augmente de près de 200 %, simplement parce que l'on vient d'éliminer le support des pieds (figure 9.6). En fait, c'est comme si l'on était assis sur sa colonne! Des études ont même démontré que les chauffeurs de taxi et les représentants commerciaux qui voyagent beaucoup présentent un risque de hernie discale trois fois plus élevé que la population en général. Ce risque est encore plus élevé chez les personnes qui, en plus de travailler assises, sont exposées à des vibrations, comme les chauffeurs de camions et les pilotes d'avion.

FIGURE 9.6

Les différentes postures et la pression sur les disques intervertébraux

50 kg   140 kg   150 kg   200 kg   500 kg

25 kg

La pression indiquée correspond à celle qui est exercée sur les disques intervertébraux du bas du dos. L'illustration de droite montre la pression exercée quand on soulève un poids de 10 kg sans plier les genoux.

Comme nous passons de plus en plus de temps assis, nous avons intérêt à nous asseoir convenablement – et sur une **bonne chaise**. Celle-ci doit être confortable et pourvue d'un support lombaire afin de soutenir les muscles du bas du dos. Si le dossier est droit, installez un coussin entre celui-ci et le creux de votre dos : il peut s'agir d'une simple serviette roulée ou d'un support lombaire qu'on peut facilement trouver sur le marché. Une bonne chaise de travail doit être pivotante et munie de roulettes, ce qui permet d'éviter les mouvements de torsion du tronc. De plus, le dossier et le siège doivent pouvoir s'ajuster à votre taille. Réglez la hauteur du siège de façon à ce que vos pieds soient bien à plat sur le plancher. Enfin, même si vous êtes assis sur une bonne chaise, bougez de temps à autre afin d'atténuer le stress imposé à la colonne. Par exemple, changez fréquemment de position, croisez et décroisez les jambes, adossez-vous et n'hésitez pas à vous lever toutes les 30 minutes pour dégourdir vos muscles.

À l'ordinateur et devant la télévision

Si vous passez beaucoup de temps devant un écran d'ordinateur, assurez-vous que votre tête est droite et que vos yeux sont au même niveau que le haut de l'écran. Pour vous convaincre de l'importance d'ajuster ainsi votre poste de travail, vous n'avez qu'à observer le dos voûté des programmeurs négligents qui ont travaillé, des années durant, les yeux rivés sur un écran trop bas. La figure 9.7 présente une bonne posture de travail à l'ordinateur. Par ailleurs, quand vous regardez la télévision, asseyez-vous face à l'écran ; cela vous évitera d'avoir le cou en torsion pendant toute la soirée ! Évitez aussi de rester affalé sur le divan, le cou en hyperflexion.

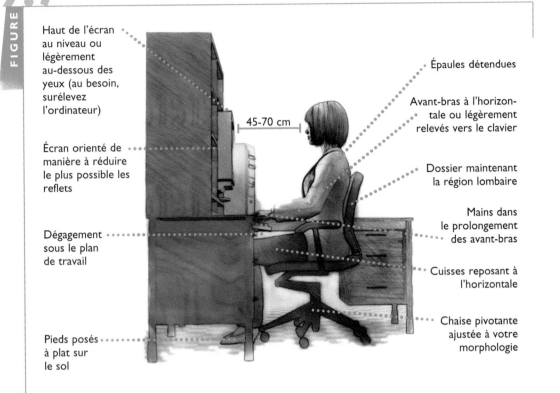

FIGURE

9.7 La bonne posture de travail devant son ordinateur

Haut de l'écran au niveau ou légèrement au-dessous des yeux (au besoin, surélevez l'ordinateur)

Épaules détendues

45-70 cm

Avant-bras à l'horizontale ou légèrement relevés vers le clavier

Écran orienté de manière à réduire le plus possible les reflets

Dossier maintenant la région lombaire

Dégagement sous le plan de travail

Mains dans le prolongement des avant-bras

Cuisses reposant à l'horizontale

Pieds posés à plat sur le sol

Chaise pivotante ajustée à votre morphologie

Au volant

Quand vous conduisez une auto, ajustez le siège et le volant (s'il y a lieu) de façon à ce que vos pieds atteignent les pédales et que vos mains se posent sur le volant, sans étirement des jambes ni des bras. Cependant, si vous êtes de petite taille et que votre auto est munie de coussins gonflables, installez-vous le plus loin possible du volant, afin d'éviter d'être blessé à la tête si le coussin venait à se déployer. Ne conduisez pas avec le dos décollé du dossier. Si le siège de votre auto n'est pas muni d'un support lombaire, ajoutez-en un.

En position debout

Si la nature de votre travail vous oblige à rester debout et immobile pendant de longues périodes, évitez de toujours garder les pieds sur un même plan. Cette posture favorise en effet le pivotement du bassin vers l'avant et, donc, une attitude lordotique. Posez plutôt les pieds, en alternance, sur un **repose-pieds** de 15 cm à 20 cm de haut (figure 9.8a) ; faute de repose-pieds, utilisez de gros livres, tels que des annuaires téléphoniques. Par ailleurs, dans une file d'attente, tenez-vous sur une jambe, puis sur l'autre.

Les objets lourds

Soulever un objet lourd exige un effort beaucoup plus grand que de le pousser ou de le tirer sur le sol. S'il vous faut soulever un objet lourd, penchez-vous en pliant les genoux et relevez-vous en gardant le dos droit (figure 9.8b). Cette façon de faire met à contribution les quadriceps (les muscles puissants du devant de la cuisse) plutôt que les muscles du bas du dos. Une fois l'objet soulevé, transportez-le en le gardant le plus près possible du corps (figure 9.8c). Quand vous sortez un objet lourd du coffre d'une auto, commencez par l'approcher de vous en le faisant glisser, puis procédez de la même façon que pour un objet posé sur le sol.

FIGURE 9.8 Quelques positions à adopter ou à éviter

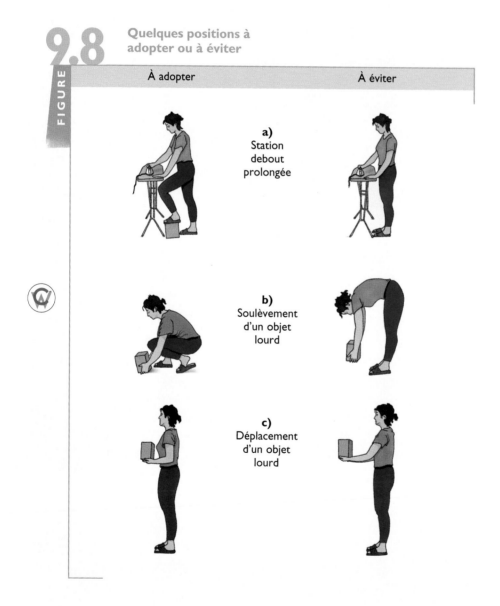

À adopter	À éviter
a) Station debout prolongée	
b) Soulèvement d'un objet lourd	
c) Déplacement d'un objet lourd	

Les serviettes, les sacs à main et les sacs à dos

Évitez de surcharger votre serviette, votre sac à main ou votre sac à dos de paperasse ou d'objets inutiles. Méfiez-vous des sacs fourre-tout : ils portent bien leur nom et deviennent lourds à mesure qu'on y ajoute plein de choses inutiles. Quand vous portez un sac, changez de main ou d'épaule de temps à autre ; vos efforts seront ainsi mieux répartis sur les deux côtés et votre posture latérale sera moins affectée. Ne portez pas votre sac à dos en bandoulière (figure 9.9a) ; portez-le plutôt sur le dos, une bretelle sur chaque épaule (figure 9.9b). Une dernière chose : le poids de votre sac à dos ne devrait pas dépasser 10 % de votre poids corporel (tableau 9.1).

FIGURE 9.9 L'art de porter un sac à dos

a)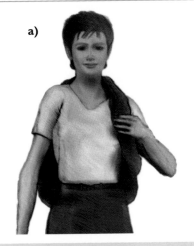

b)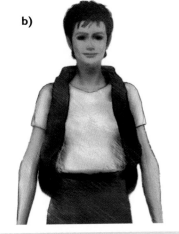

| La mauvaise façon de porter un sac à dos | La bonne façon de porter un sac à dos |

TABLEAU 9.1 Le poids maximal idéal d'un sac à dos

Votre poids (kg)	Poids du sac à dos (kg)
43	4,3
48	4,8
60	6,0
65	6,5
70	7,0
75	7,5
80	8,0

Les chaussures à talons très hauts

Idéalement, la chaussure doit s'adapter au pied et non le pied s'adapter à la chaussure, mais il arrive que les critères esthétiques imposés par la mode aillent à l'encontre de cet idéal. C'est précisément le cas des chaussures à talons très hauts de type plateforme. Ces chaussures, certes très appréciées par les personnes de petite taille, n'en imposent pas moins un stress énorme aux pieds et au dos. Voici pourquoi.

Premièrement. Lorsque les pieds reposent à plat sur le sol, la partie arrière des pieds (les talons) supporte les deux tiers du poids corporel, et la partie avant supporte l'autre tiers (figure 9.10a). C'est la structure naturelle du pied qui le veut ainsi. Mais dès que l'on porte une chaussure à talons hauts, cette répartition «naturelle» du poids du corps est inversée : l'avant supporte alors une bonne partie du poids corporel (figure 9.10b). Les rares experts qui se sont intéressés à cette mode des chaussures à plateforme, notamment ceux de la **Ligue suisse en rhumatologie**, estiment qu'une surélévation de plus de 4 cm du talon par rapport au devant du pied entraîne une charge excessive sur les petits os (**têtes métatarsiennes**) de l'avant-pied, provoquant ainsi des douleurs osseuses et la formation de callosités douloureuses sous la partie avant du pied. Or, la hauteur des talons des chaussures à plate-forme dépasse parfois les 15 cm !

Deuxièmement. Des chaussures à talons hauts font invariablement glisser le pied vers l'avant, ce qui a pour effet de comprimer les orteils (figure 9.10b), de provoquer la déformation en marteau de ces derniers et de favoriser l'apparition de cors.

Troisièmement. Le port de chaussures à talons hauts provoque une inclinaison marquée du bassin vers l'avant afin de compenser le déséquilibre postural. Résultat : le dos se cambre et la pression supportée par certaines parties des disques intervertébraux est nettement exagérée ; des douleurs lombaires apparaissent alors (figure 9.10c).

FIGURE 9.10 Les effets des chaussures à talons hauts sur les pieds et sur le dos

a)

60 kg

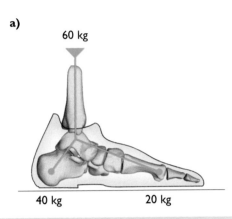

40 kg   20 kg

Quand le pied est à plat sur le sol, le poids du corps se porte davantage sur le talon que sur l'avant-pied.

b)

60 kg

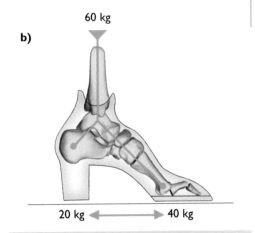

20 kg ⟷ 40 kg

En portant des chaussures à talons hauts, on modifie la répartition du poids du corps sur les différentes parties du pied. L'avant-pied doit alors supporter un poids beaucoup plus grand que normalement et, à la longue, il devient douloureux.

c)

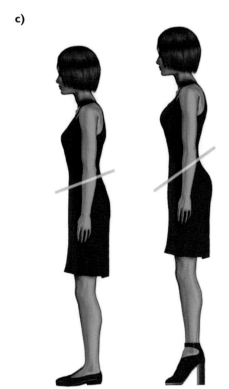

Le port de chaussures à talons hauts modifie la posture en provoquant une hyperlordose.

Au lit

La meilleure position pour dormir est… celle que vous trouvez confortable! Toutefois, si vous souffrez de douleurs lombaires, il vaut mieux dormir sur le côté, les genoux légèrement fléchis (figure 9.11), ou encore sur le dos, avec un oreiller placé sous les genoux. Lorsque vous lisez au lit, faites-le dans une position presque assise, genoux pliés.

9.11 **FIGURE** **La position suggérée pour dormir quand on souffre de douleurs lombaires**

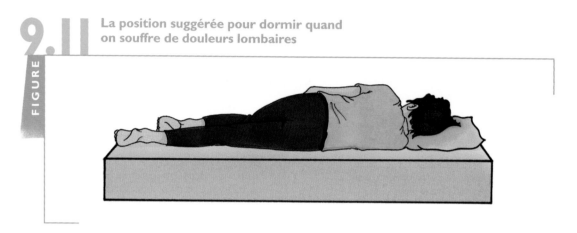

Dans la pratique d'une activité physique ou d'un sport

L'exercice est bon pour le dos. Il renforce les muscles et les tendons, maintient la solidité des vertèbres et accélère la guérison des cartilages et des disques intervertébraux. Toutefois, pratiqué dans de mauvaises conditions, l'exercice peut causer des blessures au dos, comme le constatent souvent les athlètes. Voici quelques comportements qui augmentent le risque de **blessures au dos** et qu'il faut donc éviter à tout prix :

- négliger sa préparation physique (chapitre 14) ;
- appliquer une mauvaise technique ;
- pratiquer un sport de contact ou une activité qui présente un risque élevé de chute ou de collision quand son dos est fragile ;
- faire de l'exercice jusqu'à l'épuisement ;
- s'adonner à des exercices vigoureux en dépit d'un mal de dos ;
- s'exercer avec des poids libres sans respecter les règles de sécurité, etc.

Alors, si vous voulez profiter des bienfaits de l'exercice sans risquer de vous blesser au dos, respectez les consignes suivantes : faites des exercices d'échauffement avant de commencer une activité physique ; améliorez votre technique si elle laisse à désirer ; au besoin, portez l'équipement de protection recommandé ; pratiquez des activités compatibles avec l'état de votre dos ; cessez votre activité physique dès que vous sentez la fatigue vous envahir, surtout s'il s'agit d'un sport à risque pour le dos.

à vos méninges

Remarque : Il peut y avoir plus d'une bonne réponse par question.

1   LA COLONNE VERTÉBRALE DE L'ÊTRE HUMAIN N'EST PAS DROITE. QUELS SONT LES AVANTAGES DE SA DOUBLE COURBURE ?

- ○ **a)** Il y a ainsi moins de pression sur chaque vertèbre.
- ○ **b)** La pression sur les vertèbres inférieures est beaucoup moins grande que si la colonne vertébrale était droite.
- ○ **c)** Cette forme en S diminue les risques de maux de dos.
- ○ **d)** Cette forme en S diminue les risques de scoliose.
- ○ **e)** Aucune des réponses précédentes.

2   PARMI LES GROUPES MUSCULAIRES SUIVANTS, LESQUELS SONT PRINCIPALEMENT ASSOCIÉS À LA LORDOSE ?

- ○ **a)** Les muscles de la région des épaules.
- ○ **b)** Les muscles des avant-bras.
- ○ **c)** Les muscles abdominaux.
- ○ **d)** Les muscles fléchisseurs des hanches.
- ○ **e)** Les muscles de la région de la nuque.

3   QUELLE EST LA PRINCIPALE CAUSE DES MAUX DE DOS (ENVIRON 80 % DES CAS) ?

- ○ **a)** Des malformations congénitales.
- ○ **b)** Des accidents de travail ou de la route.
- ○ **c)** Des déséquilibres entre groupes musculaires.
- ○ **d)** Une force trop grande des muscles du bas du dos.
- ○ **e)** Un étirement trop grand des muscles ischio-jambiers.

4   QUE PEUT PROVOQUER LA LORDOSE ?

- ○ **a)** Une cervicalgie.
- ○ **b)** Une lombalgie.
- ○ **c)** Un torticolis.
- ○ **d)** L'accentuation d'une asymétrie latérale.
- ○ **e)** Des maux de tête.

5   QU'EST-CE QU'UNE SCOLIOSE?

○ **a)** Une déviation frontale de la colonne vertébrale.
○ **b)** Une déviation latérale de la colonne vertébrale.
○ **c)** Une déviation axiale de la colonne vertébrale.
○ **d)** Une déviation avant-arrière de la colonne vertébrale.
○ **e)** Aucune des réponses précédentes.

6   QUELLE PRESSION PEUT S'EXERCER SUR LES DISQUES INTERVERTÉBRAUX DU BAS DU DOS QUAND ON SOULÈVE UN OBJET DE 10 KG DU SOL SANS PLIER LES GENOUX?

○ **a)** Jusqu'à 50 kg.
○ **b)** Jusqu'à 100 kg.
○ **c)** Jusqu'à 200 kg.
○ **d)** Jusqu'à 400 kg.
○ **e)** Jusqu'à 500 kg.

7   QUAND UNE HERNIE DISCALE SURVIENT-ELLE?

○ **a)** Lorsque deux vertèbres se touchent.
○ **b)** Lorsqu'une vertèbre glisse vers l'avant.
○ **c)** Lorsqu'un nerf situé le long de la colonne vertébrale se coince.
○ **d)** Lorsqu'une partie du noyau gélatineux du disque intervertébral sort par une fissure.
○ **e)** Aucune des réponses précédentes.

8   DANS QUELLE POSITION LA PRESSION SUR LES DISQUES INTERVERTÉBRAUX EST-ELLE LA PLUS FAIBLE?

○ **a)** En position assise.
○ **b)** En position assise et penchée vers l'avant.
○ **c)** En position couchée sur le ventre.
○ **d)** En position couchée sur le dos.
○ **e)** En position debout.

9 QUELS ÉLÉMENTS UNE BONNE CHAISE DOIT-ELLE AVOIR?

○ **a)** Des roulettes.

○ **b)** Un dossier droit.

○ **c)** Un siège moelleux.

○ **d)** Un support lombaire.

○ **e)** Toutes les réponses précédentes.

10 À QUEL PROBLÈME LA CYPHOSE EST-ELLE ASSOCIÉE?

○ **a)** À un creux prononcé dans le bas du dos.

○ **b)** À une déviation latérale de la colonne vertébrale.

○ **c)** À une courbure du haut du dos.

○ **d)** À un déséquilibre entre les muscles abdominaux et les muscles dorsaux.

○ **e)** Aucune des réponses précédentes.

11 QUELLE DISTANCE ENTRE LES YEUX ET L'ÉCRAN D'UN ORDINATEUR RÉDUIT AU MINIMUM LA FATIGUE OCULAIRE?

○ **a)** De 10 cm à 20 cm.

○ **b)** De 20 cm à 35 cm.

○ **c)** De 35 cm à 50 cm.

○ **d)** De 45 cm à 70 cm.

○ **e)** De 70 cm à 95 cm.

12 SI L'ON TRAVAILLE EN POSITION DEBOUT PENDANT DE LONGUES PÉRIODES, QU'EST-IL PRÉFÉRABLE DE FAIRE?

○ **a)** S'asseoir de temps en temps dans la mesure du possible.

○ **b)** Se tenir sur une jambe, puis sur l'autre, en alternance.

○ **c)** Poser les pieds en alternance sur un repose-pieds.

○ **d)** Effectuer de grands cercles avec les bras.

○ **e)** Aucune des réponses précédentes.

I3 QU'EST-IL PRÉFÉRABLE DE FAIRE QUAND ON SOULÈVE
UN OBJET LOURD POSÉ SUR LE SOL ?

○ **a)** Garder les jambes et le dos bien droits.

○ **b)** Plier les bras.

○ **c)** Garder la tête haute.

○ **d)** Plier d'abord les genoux.

○ **e)** Aucune des réponses précédentes.

I4 QUE SE PASSE-T-IL LORSQUE L'ON PORTE
DES CHAUSSURES À TALONS HAUTS ?

○ **a)** Le poids du corps est supporté en grande partie par l'arrière du pied.

○ **b)** Le poids du corps est supporté en grande partie par l'avant du pied.

○ **c)** Le poids du corps est également réparti entre l'avant et l'arrière
du pied.

○ **d)** Le poids du corps est réparti de la même façon que si l'on portait
des chaussures normales.

○ **e)** Aucune des réponses précédentes.

I5 QUE PEUT PROVOQUER LE PORT DE
CHAUSSURES À TALONS HAUTS ?

○ **a)** Une cyphose.

○ **b)** Une scoliose.

○ **c)** Une lordose.

○ **d)** Un pivotement du bassin vers l'arrière.

○ **e)** Toutes les réponses précédentes.

I6 NOMMEZ LES TROIS PRINCIPALES DÉVIATIONS
POSSIBLES DE LA COLONNE VERTÉBRALE.

- _____

- _____

- _____

17 **NOMMEZ TROIS COMPORTEMENTS LIÉS À LA PRATIQUE D'UN SPORT QUI PEUVENT ÊTRE DANGEREUX POUR LE DOS.**

- _____
- _____
- _____

18 **COMPLÉTEZ LES PHRASES SUIVANTES.**

a) Une bonne posture permet de maintenir un alignement harmonieux du _____ , de la _____ et du _____ .

b) La lordose est probablement la _____ la plus _____ _____ .

c) La région lombaire est la région la plus _____ de la colonne vertébrale et elle supporte les deux tiers du _____ corporel. En fait, _____ % des mouvements du tronc proviennent de cette région.

pour en savoir plus

LECTURES SUGGÉRÉES

- Berlin, J.C., *50 exercices contre le mal de dos*, Paris, Flammarion, 1999.

- Brennan, R., *La méthode Alexander*, Paris, Marabout, 1992.

- Dumoulin, L., *Le corps heureux*, Montréal, Éditions de l'Homme, 2000.

- Iovino, E., *Cours de gymnastique corrective*, Paris, Éditions de Vecchi, 1996.

- Régie régionale de la santé et des services sociaux de la Montérégie, gouvernement du Québec, *Plein le dos sans gros maux*, 2002.

SITES INTERNET À VISITER

Actiforme Consultants
« Le sport et l'activité physique causent-ils le mal de dos ? »,
article écrit par Yvan Campbell.
http://www.actiforme.net/Cap_011.htm

Clinique du dos (dans le site du Collège Montmorency)
http://www.cmontmorency.qc.ca/sdp/trp/clin-dos2000.html

Collège des médecins de famille du Canada
Une section porte sur les maux de dos.
http://www.cfpc.ca/programs/education/pated/low_back_fr.asp

École du dos (dans le site de l'Université du Québec en Abitibi-Témiscamingue)
http://uriic.uqat.uquebec.ca/

9.1 Votre posture debout et immobile

Après la lecture de ce chapitre, vous vous demandez peut-être si votre colonne est droite ou «déviante». Les quatre petits tests suivants devraient vous permettre de connaître l'état de votre posture debout et immobile.

Le dos appuyé contre un mur, demandez à quelqu'un de mesurer, à l'aide d'une règle graduée en centimètres, votre creux lombaire (espace entre le mur et la partie la plus creuse de votre dos) et votre creux cervical (espace entre le mur et la partie la plus creuse de votre cou). Notez bien que l'arrière du crâne, la région des omoplates, les fesses et les talons doivent être en contact avec le mur.

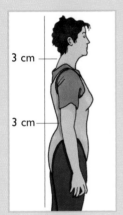

1. Bonne posture

Une bonne posture est associée à des creux lombaire et cervical de 3 cm à 5 cm de profondeur chacun.

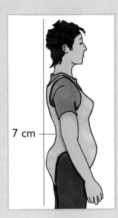

2. Lordose

Si la profondeur de votre creux lombaire est de 7 cm ou plus, vous souffrez d'une lordose. Plus le creux est prononcé, plus forte est la lordose. Dans ce cas, en plus d'appliquer les mesures préventives suggérées dans ce chapitre, vous devriez faire régulièrement des exercices destinés à réduire la lordose.

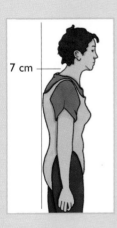

3. Cyphose

Si la profondeur de votre creux cervical est de 7 cm ou plus, vous souffrez d'une cyphose. Vos épaules sont probablement tombantes, votre tête projetée vers l'avant et votre dos, voûté. Un thérapeute spécialisé en soins du dos (physiothérapeute, chiropraticien, ostéopathe, physiatre, orthopédiste, praticien d'une méthode posturale) pourra vous suggérer une gymnastique corrective qui réduira la cyphose. Cette gymnastique pourrait même vous faire grandir de 1 cm à 3 cm en quelques mois...

bilan

4. Scoliose

En tenue légère ou nu, debout devant un miroir, vérifiez si vos épaules et vos hanches sont sensiblement à la même hauteur. Si ce n'est pas le cas, vous avez une scoliose. Lorsque les différences de hauteur sont minimes, la scoliose est légère et ne pose pas de problèmes particuliers. Par contre, si l'inégalité des épaules ou celle des hanches est frappante, un thérapeute spécialisé en soins du dos pourra vous suggérer des exercices asymétriques (destinés à étirer le côté court et à renforcer le côté long) pour atténuer la déviation latérale. En cas de scoliose importante, consultez un orthopédiste.

Debout et immobile

- ◯ Ma posture est bonne.
- ◯ J'ai probablement tendance à souffrir de lordose.
- ◯ J'ai probablement tendance à souffrir de cyphose.
- ◯ J'ai probablement une scoliose.

9.2 Vos postures dans la vie de tous les jours

Le premier bilan visait le relevé des principales déformations de la colonne vertébrale (cyphose, lordose et scoliose) lorsque vous êtes debout et immobile. Ce deuxième bilan vise plutôt l'évaluation des postures que vous adoptez dans la vie de tous les jours. Comment vous asseyez-vous pendant vos cours ? Comment vous installez-vous pour étudier, pour regarder la télévision ou pour jouer à l'ordinateur ? Comment vous y prenez-vous pour soulever un objet lourd posé sur le sol ? Comment transportez-vous un tel objet ? Comment transportez-vous votre sac à dos ou votre serviette ? En faisant l'inventaire des comportements relatifs à vos postures, vous trouverez réponse à ces questions et à bien d'autres.

Accordez-vous **cinq points** chaque fois que vous cochez la colonne *Toujours*, **trois points** pour la colonne *Parfois* et **aucun point** pour la colonne *Jamais*.

Situations	Toujours	Parfois	Jamais
1. Si j'ai mal dans le bas du dos, je pratique un ou plusieurs des exercices présentés aux pages 193 à 195.			
2. Quand je soulève un objet lourd posé sur le sol, je plie d'abord les genoux.			
3. Quand j'utilise un sac à dos, je le porte dans le dos, une bretelle sur chaque épaule.			
4. Quand je conduis une auto, j'ajuste le siège et le volant afin d'être bien assis et d'avoir facilement accès aux pédales.			
5. Quand je dois me tenir debout et immobile pendant une longue période, pour soulager le bas de mon dos, je me tiens sur une jambe, puis sur l'autre, en alternance, ou bien je pose, en alternance aussi, les pieds sur un repose-pieds.			
6. Quand je transporte un objet, je le tiens près de mon corps et non pas éloigné de ce dernier.			
7. J'évite de porter des chaussures à talons très hauts, du moins pendant de longues périodes.			
8. Quand je pratique un sport ou une activité physique, j'essaie de bien me préparer sur le plan physique (chapitre 14).			
9. Si je fais de la musculation, je veille à protéger mon dos.			
10. Quand je travaille à l'ordinateur, je respecte, en général, la posture assise suggérée dans la figure 9.7 (p. 199).			
11. Si j'ai mal au dos, je connais une bonne position pour bien dormir.			
12. Si je fais un travail rémunéré dangereux pour le dos, je prends les mesures nécessaires pour diminuer le niveau de risque.			
TOTAL			

Ce que votre résultat signifie...

45 points et plus. Le risque de blessures au dos, sauf en cas d'accident, est minime. Vous êtes, en fait, une personne qui prend un soin jaloux de son dos et qui s'en occupe au moindre signe.

Entre 30 points et 44 points. Le risque de blessures au dos ou de douleurs dorsales est réel. Une petite révision de certaines de vos postures pourrait profiter grandement à votre dos. Pensez, en particulier, aux postures que vous n'adoptez pratiquement jamais.

Moins de 30 points. Considérez-vous comme une personne à risque en ce qui a trait à la santé de votre dos. Posez-vous alors la question suivante: suis-je prêt à adopter de meilleures postures pour protéger mon dos? La réponse vous appartient.

Le temps
de passer à l'action

Vous connaissez maintenant vos principales capacités physiques et vous avez fait le relevé de vos principaux besoins. Le temps de passer à l'action est donc arrivé! Dans cette troisième partie de l'ouvrage, vous serez convié à pratiquer une ou plusieurs activités physiques selon une approche qui améliore la santé. Cette approche respecte les règles propres aux activités physiques : les règles de sécurité (comment vous assurer que votre pratique de l'activité physique ne vous cause ni blessure, ni fatigue excessive, ni ennui de santé) ; les règles d'efficacité et de confort (comment maintenir ou améliorer vos capacités physiques d'une manière efficace et agréable, tout en gardant votre motivation pour l'activité physique). Au terme de cette troisième partie, vous serez fin prêt pour passer à l'action.

Améliorer
sa condition physique

chapitre 10

Objectifs

○ Nommer et expliquer brièvement les cinq principes de la mise en forme.

○ Reconnaître les sept grandes familles d'exercices.

○ Comprendre en quoi consiste l'approche informelle.

○ Faire le bilan de sa dépense énergétique hebdomadaire.

Vous vous souvenez de A, qui montait péniblement une côte abrupte pendant que B montait la même côte sans effort ? La bonne nouvelle pour A, c'est que son cas n'est pas désespéré : dans ce chapitre, il va découvrir des règles simples et efficaces pour se remettre en forme. Ces règles se résument essentiellement à l'application des principes de base de l'entraînement physique : la spécificité, la surcharge, la progression, l'individualité et le maintien (tableau 10.1). En appliquant ces principes à sa pratique de l'activité physique, A est certain d'améliorer son endurance cardiovasculaire dans un délai raisonnable. Faites comme lui ! N'hésitez pas, surtout si le bilan de votre condition physique vous donne le cafard…

TABLEAU

10.1 Les cinq principes de base de l'entraînement

La spécificité.
La surcharge (fréquence, durée et intensité de l'effort).
La progression.
L'individualité.
Le maintien.

La spécificité

L'adaptation du corps à une activité physique est spécifique à cette activité : voilà en quoi consiste le **principe de la spécificité**. Autrement dit, à tel exercice correspond telle adaptation. Par exemple, si vous voulez améliorer votre capacité de faire des longueurs de piscine, vous devez nager et non patiner ! De même, si vous voulez fortifier vos bras, le jogging est inutile ; il faut plutôt soulever des poids libres. L'application du principe de la spécificité suppose aussi que l'on choisisse un type d'exercice compatible avec l'objectif visé, parmi l'une ou l'autre des sept grandes **familles d'exercices** (figure 10.1). Pour réussir sa métamorphose, A, dont l'endurance cardiovasculaire est presque nulle, devra donc choisir des activités de type aérobique. Vous devez vous aussi choisir vos activités en fonction de vos objectifs (tableau 10.2).

FIGURE 10.1

Les grandes familles d'exercices

L'**exercice aérobique** est un exercice d'intensité modérée qui sollicite les grandes masses musculaires et le système à oxygène.

L'**exercice anaérobique** est un exercice d'intensité élevée à maximale qui sollicite les grandes masses musculaires et le système ATP-CP ou le système à glycogène.

Dans l'**exercice dynamique* concentrique**, les fibres des muscles sollicités *raccourcissent* pendant l'effort.

Dans l'**exercice dynamique* excentrique**, les fibres des muscles sollicités *allongent* pendant l'effort.

Dans l'**exercice isométrique****, la contraction musculaire est statique, c'est-à-dire qu'elle n'entraîne aucun mouvement apparent.

L'**exercice d'étirement** vise à allonger graduellement les fibres des muscles.

L'**exercice pliométrique** est un exercice qui déclenche une contraction excentrique suivie rapidement d'une contraction concentrique explosive.

* Aussi appelé «exercice isotonique».
** Aussi appelé «exercice statique».

10.2   L'application du principe de la spécificité

Déterminants de la condition physique à améliorer	Familles d'exercices appropriés
Endurance cardiovasculaire.	Exercice aérobique.
Endurance anaérobique.	Exercice anaérobique.
Vigueur musculaire.	Exercice dynamique. Exercice isométrique. Exercice pliométrique.
Flexibilité.	Exercice d'étirement.
Composition corporelle (réserves de graisses).	Exercice aérobique. Exercice dynamique.

La surcharge

Pour améliorer sa capacité d'adaptation à l'effort physique, il faut faire plus d'effort physique qu'à l'habitude, c'est-à-dire qu'il faut passer de la marche au jogging, jouer au badminton pendant 60 minutes plutôt que pendant 45 minutes ou étirer ses muscles 4 fois par semaine au lieu de 2 fois. C'est ce qu'on appelle le **principe de la surcharge**. On crée même une surcharge lorsque l'on passe de la position assise à la position debout! Quand on augmente la charge, le corps travaille plus fort. Mais, en même temps, il s'adapte au surplus de travail, de sorte que l'effort intense qui nous faisait suer et souffrir devient un effort modéré après un mois. L'application du principe de la surcharge exige que l'on détermine l'intensité, la durée et la fréquence de la pratique d'une activité physique. Le choix de la surcharge dépend de l'objectif visé. En choisissant l'exercice ou l'activité physique selon le principe de la surcharge, vous appliquez du même coup le principe de la spécificité. Vous le voyez déjà : les principes de l'entraînement ou de la mise en forme sont interdépendants, indissociables. Après avoir choisi votre activité, vous devez ensuite en déterminer l'**intensité**, la **durée** et la **fréquence** de pratique. Nous verrons cela en détail dans les prochains chapitres. Examinons plutôt le tableau 10.3, qui présente des exemples d'application du principe de la surcharge.

10.3

Quelques exemples d'application
du principe de la surcharge

Cas témoins	Types d'activité (spécificité)	Application du principe de la surcharge		
		Intensité	Durée	Fréquence
Jean, âgé de 18 ans, veut améliorer son endurance cardiovasculaire.	Exercice aérobique: vélo stationnaire.	Modérée.	Au moins 20 minutes.	Trois fois par semaine.
Sandra, âgée de 17 ans, veut augmenter sa force musculaire.	Exercice dynamique: musculation.	Élevée: 2 séries de 10 levées maximales d'une certaine charge.	Le temps requis pour faire les 2 séries de 10 répétitions pour chacun des exercices sélectionnés.	Trois fois par semaine.
Derek, âgé de 19 ans, veut diminuer ses réserves de graisse.	Effort aérobique: jogging.	De légère à modérée.	Au moins 45 minutes.	Quatre fois par semaine.
Karine, âgée de 23 ans, veut améliorer sa flexibilité au niveau du bas du dos.	Exercices d'étirement spécifiques au bas du dos.	Jusqu'à la limite d'étirement du muscle sans ressentir de douleur.	De 15 à 30 secondes par exercice d'étirement répété 2 fois.	Tous les jours.

La progression
ou l'ajustement de la surcharge

Quelle que soit sa nature, la surcharge appliquée dans votre programme d'activité physique ne doit pas être très prononcée au départ, afin de ne pas surmener vos muscles ou votre cœur et de… ne pas vous décourager. C'est ce qu'on appelle le **principe de la progression**. Toutefois, après un certain temps, la surcharge de départ, par exemple 10 minutes de jogging ou 10 levées d'une charge de 30 kg, deviendra trop peu exigeante. C'est la preuve tangible que le corps augmente sa capacité d'effort en s'adaptant. Pour poursuivre sur cette lancée, il faut ajuster *régulièrement* la surcharge, en l'augmentant *progressivement*. On passera donc à 12 minutes de jogging ou à 10 levées d'une charge de 35 kg. Cet ajustement est essentiel pour maintenir l'efficacité de la surcharge. Une fois l'objectif atteint, on pourra se contenter d'une surcharge d'entretien, comme nous le verrons plus loin. La figure 10.2 présente un exemple d'application du principe de la progression.

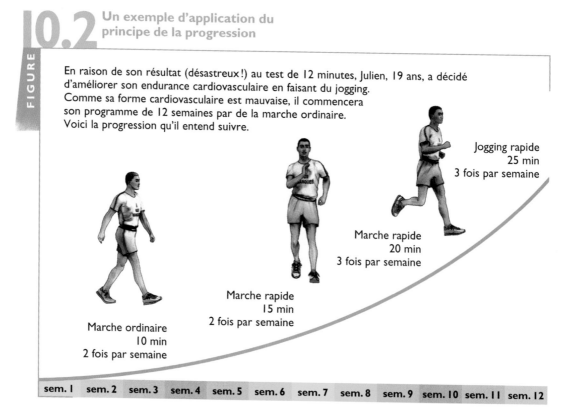

FIGURE 10.2 Un exemple d'application du principe de la progression

En raison de son résultat (désastreux!) au test de 12 minutes, Julien, 19 ans, a décidé d'améliorer son endurance cardiovasculaire en faisant du jogging. Comme sa forme cardiovasculaire est mauvaise, il commencera son programme de 12 semaines par de la marche ordinaire. Voici la progression qu'il entend suivre.

Jogging rapide
25 min
3 fois par semaine

Marche rapide
20 min
3 fois par semaine

Marche rapide
15 min
2 fois par semaine

Marche ordinaire
10 min
2 fois par semaine

sem. 1 | sem. 2 | sem. 3 | sem. 4 | sem. 5 | sem. 6 | sem. 7 | sem. 8 | sem. 9 | sem. 10 | sem. 11 | sem. 12

L'individualité

Le **principe de l'individualité** est simple : la réponse du corps à l'activité physique varie selon les individus et dépend de facteurs comme l'hérédité, l'alimentation, la motivation, le mode de vie et l'influence de l'environnement. Le même programme d'activité physique suivi par un groupe de personnes du même sexe et du même âge produira chez chacune d'elles des effets semblables, mais la courbe d'amélioration variera d'une personne à l'autre. C'est un principe à ne pas oublier si l'on veut se comparer aux autres !

Le maintien

Le **principe du maintien** est un principe plutôt séduisant : il nous permet d'en faire moins tout en maintenant les acquis. Mais attention ! **On peut réduire la fréquence et la durée de l'effort, mais pas son intensité.** Supposons que A ait atteint la forme cardiaque voulue après 8 semaines d'exercices aérobiques, à raison de 4 séances de 25 minutes par semaine. S'il veut conserver cette forme, il peut, par exemple, réduire son volume total d'activité physique à 2 séances de 20 minutes par semaine, à condition de maintenir le même pouls à l'effort.

Dans le cas de la vigueur musculaire, on peut réduire le nombre et la durée des séances d'exercice, ainsi que le nombre de séries (blocs de répétitions), mais pas le **nombre de répétitions** (nombre d'exécutions consécutives du mouvement) ni la charge à soulever. Quant à la souplesse, on peut la conserver même en réduisant les séances d'étirements à une seule par semaine, pourvu que la durée des étirements reste la même.

Une approche
moins structurée peut aussi être efficace

Les principes de l'entraînement conviennent aussi à une pratique moins structurée de l'activité physique, par exemple, si vous ne voulez pas, pour diverses raisons, suivre un programme précis d'activité physique. Que pouvez-vous alors faire pour profiter des effets bénéfiques de l'exercice sur votre santé?

Le directeur du Service de santé publique des États-Unis (Surgeon General of the United States), la plus haute autorité en la matière dans ce pays et l'une des plus respectées sur la planète, s'est prononcé sur la question: il suffit de faire 30 minutes d'activité physique modérée par jour, soit l'équivalent d'une dépense énergétique moyenne de 1 000 calories par semaine. Ajoutons qu'il n'est pas nécessaire de faire ces 30 minutes en une seule fois. Vous pouvez ainsi fractionner l'effort en 3 séances d'environ 10 minutes. Il s'agit là, toutefois, de la quantité minimale d'exercice pour obtenir une certaine protection contre les maladies de l'heure (maladies coronariennes, hypertension, cancer, diabète de type 2). Selon des données récentes, la dose idéale pour obtenir une protection maximale serait une dépense énergétique d'environ 2 000 calories ou 400 minutes d'exercice par semaine.

Avec une approche non structurée, le principe de la spécificité a un large champ d'application, puisque l'on peut faire appel à plusieurs types d'activité physique: les tâches domestiques (laver des vitres, repasser des vêtements, laver un plancher, peindre un mur, etc.), le bricolage, le jardinage, les sports, les exercices de conditionnement physique, etc. En précisant la durée (30 minutes), l'intensité (modérée) et la fréquence (quotidienne), on respecte le principe de la surcharge.

Une activité modérée correspond à un effort qui essouffle un peu ou qui augmente le pouls au repos de 30 battements à 40 battements par minute. Une activité provoquant une dépense de quatre à huit calories par minute peut également être qualifiée de modérée (figure 10.3). Le tableau 10.4 et la figure 10.3 donnent un aperçu du temps qu'il faut consacrer à la pratique d'une activité physique pour dépenser 1 000 calories par semaine. En les consultant, vous pourrez constater que, contrairement à la croyance populaire, il n'y a pas là de quoi surcharger un agenda! Précisons que le bilan 10, à la fin du chapitre, vous donne l'occasion de faire le relevé détaillé de votre dépense énergétique dans une semaine type. Un «exercice» qui pourrait s'avérer riche de renseignements, tout en répondant à la question classique: est-ce que je fais suffisamment d'exercice?

Si vous n'aimez pas compter vos calories, vous pouvez toujours compter… vos pas! En effet, selon les données du Cooper Aerobics Research Institute, il faut faire, en moyenne, de 3 000 pas à 5 000 pas chaque jour pour atteindre l'équivalent de 30 minutes d'activité modérée. Un **pédomètre** peut compter vos pas sans même que vous y prêtiez attention. Ce petit appareil qu'on porte autour de la taille (figure 10.4) est vendu dans les magasins d'articles de sport. Vous pourriez l'acheter à plusieurs, puisqu'il suffit de le porter une semaine pour déterminer si l'on marche suffisamment, selon la recommandation du directeur du Service de santé publique des États-Unis.

FIGURE **10.3** Comment dépenser 500, 1 000 ou 1 500 calories par semaine

Durée de pratique nécessaire (en heures)

Activités intensité faible	Activités intensité moyenne	Activités intensité élevée	Activités intensité très élevée
Dépense énergétique estimée: jusqu'à 4 Cal/min	Dépense énergétique estimée: de 4 à 8 Cal/min	Dépense énergétique estimée: de 8 à 12 Cal/min	Dépense énergétique estimée: plus de 12 Cal/min
• Billard • Époussetage • Danse sociale • Quilles • Volley-ball *pratique en groupe, sans compétition* • Golf miniature • Marche *d'un pas normal* • Lavage de la voiture ou des carreaux • Frisbee	• Marche *d'un pas rapide* • Randonnée à vélo *15 km/h* • Ratissage *gazon ou feuilles* • Ski de fond *sur le plat* • Ski alpin *pour la détente* • Danse aérobique *impacts réduits* • Golf *en transportant les bâtons* • Danse *chorégraphique, folklorique, disco* • Pelletage de neige • Natation *effort moyen* • Tennis *match en double*	• Randonnée pédestre *avec sac à dos* • Danse aérobique *avec impacts* • Badminton *match enlevé* • Randonnée à vélo *20 km/h* • Natation *vigoureusement* • Conditionnement physique *en groupe ou à l'aide d'appareils* • Ski de fond *vigoureusement* • Jogging *8 km/h* • Tennis *match en simple* • Hockey sur glace • Vélo de montagne	• Course à pied *à plus de 10 km/h* • Ski de fond *sur parcours accidenté* • Soccer match • Racquetball ou squash *match* • Arts martiaux • Saut à la corde • Vélo de montagne *sur pistes difficiles*

Que vous comptiez des calories ou des pas, le principe de la progression peut s'appliquer. Vous pouvez, par exemple, débuter en faisant 15 minutes d'activité physique modérée par jour au lieu de 30 minutes, puis augmenter graduellement la durée. Enfin, le principe du maintien peut aussi être respecté si vous réduisez le temps et la fréquence de vos activités physiques, tout en augmentant l'intensité de l'effort. Par exemple, plutôt que de faire 30 minutes d'activité modérée par jour, vous pouvez vous limiter à 15 minutes d'activité plus vigoureuse, 3 fois par semaine.

Il ne vous reste plus qu'à choisir l'approche qui vous convient : formelle ou informelle. La lecture des prochains chapitres vous aidera à faire un choix éclairé.

TABLEAU

10.4 Le temps nécessaire pour dépenser 1 000 calories

Activité	Masse corporelle (kg)						
	40	**50**	**60**	**70**	**80**	**90**	**100**
Badminton	4h00	3h09	2h35	2h11	1h58	1h44	1h33
Bicyclette (20 km/h)	4h10	3h20	2h46	2h23	2h05	1h51	1h40
Course (10 km/h)	2h46	2h14	1h51	1h35	1h24	1h14	1h06
Danse aérobique	5h00	4h00	3h20	2h52	2h30	2h14	2h00
Golf (sans voiturette)	6h24	5h08	4h16	3h40	3h12	2h52	2h34
Marche (6 km/h)	7h34	6h04	5h03	4h20	3h48	3h22	3h02
Natation de style libre (3 km/h)	3h40	2h56	2h28	2h06	1h50	1h38	1h26
Patin à roues alignées (15 km/h)	3h34	2h52	2h23	2h03	1h48	1h35	1h26
Ski de fond (8 km/h)	2h50	2h16	1h54	1h44	1h25	1h16	1h08
Tennis	4h18	3h27	2h52	2h28	2h10	1h55	1h44

10.4 Un pédomètre pour calculer ses pas

FIGURE

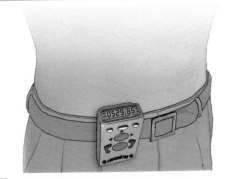

à vos méninges

10

Remarque: Il peut y avoir plus d'une bonne réponse par question.

ASSOCIEZ LES DÉFINITIONS (LISTE DE GAUCHE) ET LES FAMILLES D'EXERCICES (LISTE DE DROITE).

Définitions	Familles d'exercices

Définitions

_____ **1.** Exercice d'intensité modérée qui sollicite les grandes masses musculaires et le système à oxygène.

_____ **2.** Exercice d'intensité élevée à très élevée qui sollicite les grandes masses musculaires et le système ATP-CP ou le système à glycogène.

_____ **3.** Lorsqu'on fait cet exercice, les fibres des muscles sollicités raccourcissent pendant l'effort.

_____ **4.** Lorsqu'on fait cet exercice, les fibres des muscles sollicités allongent pendant l'effort.

_____ **5.** Lorsqu'on fait cet exercice, la contraction musculaire est statique, c'est-à-dire qu'elle n'entraîne aucun mouvement apparent.

_____ **6.** Lorsqu'on fait cet exercice, il se produit un allongement graduel des muscles.

_____ **7.** Lorsqu'on fait cet exercice, il se produit une détente qui déclenche une contraction excentrique suivie d'une contraction concentrique.

Familles d'exercices

a) Exercice pliométrique.

b) Exercice d'étirement.

c) Exercice aérobique.

d) Exercice anaérobique.

e) Exercice dynamique concentrique.

f) Exercice dynamique excentrique.

g) Exercice isométrique.

2 ASSOCIEZ LES PRINCIPES DE L'ENTRAÎNEMENT (LISTE DE GAUCHE) ET LES DÉFINITIONS (LISTE DE DROITE).

Principes de l'entraînement	Définitions
_____ 1. Surcharge.	**a)** Il faut augmenter le volume d'exercice petit à petit.
_____ 2. Spécificité.	**b)** On peut maintenir sa forme en faisant moins d'exercice.
_____ 3. Progression.	**c)** La réponse du corps à l'activité physique varie selon les individus.
_____ 4. Individualité.	**d)** Pour améliorer sa capacité d'adaptation à l'effort physique, il faut faire plus d'effort physique qu'à l'habitude.
_____ 5. Maintien.	**e)** L'adaptation du corps à une activité physique est spécifique à cette activité.

3 DANS LA LISTE CI-DESSOUS, DÉTERMINEZ LE OU LES ÉLÉMENTS QUI CONSTITUENT UN PRINCIPE DE L'ENTRAÎNEMENT.

○ **a)** Endurance cardiovasculaire.
○ **b)** Effort pliométrique.
○ **c)** Surcharge.
○ **d)** Pourcentage de graisse.
○ **e)** Progression.

4 DANS LA LISTE CI-DESSOUS, DÉTERMINEZ LES TROIS VARIABLES DU PRINCIPE DE SURCHARGE.

○ **a)** Fréquence.
○ **b)** Type d'exercice.
○ **c)** Durée.
○ **d)** Température ambiante.
○ **e)** Intensité.

5 SOIT LE PROGRAMME SUIVANT : 35 MINUTES D'EXERCICES AÉROBIQUES D'INTENSITÉ LÉGÈRE À MODÉRÉE, DE 4 À 5 FOIS PAR SEMAINE. QUEL DÉTERMINANT DE LA CONDITION PHYSIQUE CE PROGRAMME PERMET-IL D'AMÉLIORER ?

○ **a)** La force musculaire.
○ **b)** L'endurance musculaire.
○ **c)** La capacité anaérobique.
○ **d)** La posture.
○ **e)** Les réserves de graisse et leur distribution.

6 POUR PROFITER DES BIENFAITS DE L'EXERCICE SUR LA SANTÉ, COMBIEN DE CALORIES FAUT-IL DÉPENSER AU MINIMUM PAR SEMAINE ?

○ **a)** Au moins 500 calories.
○ **b)** Au moins 1 000 calories.
○ **c)** Au moins 1 500 calories.
○ **d)** Au moins 2 000 calories.
○ **e)** Au moins 2 500 calories.

7 TRENTE MINUTES D'ACTIVITÉ PHYSIQUE D'INTENSITÉ MODÉRÉE PAR JOUR ÉQUIVALENT À UNE DÉPENSE DE COMBIEN DE CALORIES PAR SEMAINE ?

○ **a)** Environ 500 calories.
○ **b)** Environ 1 000 calories.
○ **c)** Environ 1 500 calories.
○ **d)** Environ 2 000 calories.
○ **e)** Environ 2 500 calories.

pour en savoir plus

LECTURES SUGGÉRÉES

- Bouchard, C., et coll., *La condition physique et le bien-être*, Québec, Éditions du Pélican, 1974.

- Chevalier, R., Y. Bergeron et S. Laferrière, *Le conditionnement physique*, Montréal, Éditions de l'Homme, 1977.

- Comité scientifique de Kino-Québec, *Quantité d'activité physique requise pour en tirer des bénéfices pour la santé*, gouvernement du Québec, 1999.

- Laferrière, S., *Plaisirs d'une vie active*, Montréal, CEC, 1997.

- Willmore, J.H., et D.L. Costill, *Physiologie du sport et de l'exercice*, Paris, De Boeck Université, 2002.

SITES INTERNET À VISITER

American Heart Association (activité physique)
http://www.americanheart.org/presenter.jhtml?identifier=4563

Kino-Québec (publications téléchargeables)
http://www.kino-quebec.qc.ca/publicat/fs_pub.htm

L'éducation physique au Collège de Sherbrooke (site de Pierre Duchesneau)
http://www.collegesherbrooke.qc.ca/~duchenpi/index.htm

The Surgeon General
http://www.surgeongeneral.gov/beinghealthy/

bilan

Le bilan de votre dépense énergétique hebdomadaire

Au cours de ce chapitre, vous avez vu comment tirer profit de la pratique régulière de l'activité physique et de ses retombées positives sur la santé: il faut dépenser au moins 1 000 calories par semaine, en plus de l'énergie associée à un mode de vie sédentaire. Toutefois, si vous voulez obtenir un effet plus marqué sur votre santé, il faut viser une dépense de 1 500 calories à 2 000 calories par semaine. Le but visé par ce bilan est de vous permettre d'estimer votre dépense énergétique au cours d'une semaine type. Les résultats seront révélateurs de votre niveau d'activité physique.

Marche à suivre

Avant tout, vous devez vous peser, car vous aurez besoin de votre poids pour établir votre dépense énergétique. Chaque jour, pendant une semaine, vous compilerez dans la fiche descriptive qui suit les calories que vous brûlez. Pour connaître la dépense énergétique des activités physiques que vous faites chaque jour, consultez l'annexe I ou utilisez le calculateur énergétique sur le Compagnon Web. Précisons que la dépense énergétique y est exprimée en équivalents métaboliques ou METS (de l'anglais, *metabolic equivalent*). Un METS équivaut à une dépense de 1000 Cal/kg/h, ce qui correspond à la dépense énergétique au repos. Par conséquent, si vous pratiquez une activité de 10 METS, cela signifie que vous brûlez 10 fois plus d'énergie qu'au repos. À la fin de la semaine, vous ferez le total général des calories brûlées.

Fiche descriptive de la dépense énergétique hebdomadaire

Pour remplir la fiche, procédez comme suit:

Colonne 1: multipliez la valeur en METS de l'activité pratiquée par votre poids en kilos;

Colonne 2: divisez ensuite le résultat par 60 minutes (*dépense énergétique par minute*);

Colonne 3: indiquez la durée (durée minimale de 10 minutes) pendant laquelle vous avez pratiqué l'activité en question;

Colonne 4: multipliez le résultat de la colonne 2 par celui de la colonne 3 et vous obtiendrez votre dépense énergétique totale pour cette activité;

Colonne 5: additionnez les dépenses énergétiques calculées dans la colonne 4 et vous obtiendrez votre dépense énergétique quotidienne.

Votre poids: _____ **kg**

Activités	(1) Activité × poids	(2) Colonne 1 ÷ 60 min	(3) Durée (min)	(4) Colonne 2 × colonne 3	(5) Somme des résultats de la colonne 4
LUNDI					
Matin :					
1. _____	_____	_____	_____	_____	
2. _____	_____	_____	_____	_____	
Après-midi :					
1. _____	_____	_____	_____	_____	
2. _____	_____	_____	_____	_____	
Soir :					
1. _____	_____	_____	_____	_____	
2. _____	_____	_____	_____	_____	_____
MARDI					
Matin :					
1. _____	_____	_____	_____	_____	
2. _____	_____	_____	_____	_____	
Après-midi :					
1. _____	_____	_____	_____	_____	
2. _____	_____	_____	_____	_____	
Soir :					
1. _____	_____	_____	_____	_____	
2. _____	_____	_____	_____	_____	_____
MERCREDI					
Matin :					
1. _____	_____	_____	_____	_____	
2. _____	_____	_____	_____	_____	
Après-midi :					
1. _____	_____	_____	_____	_____	
2. _____	_____	_____	_____	_____	
Soir :					
1. _____	_____	_____	_____	_____	
2. _____	_____	_____	_____	_____	_____

Activités	(1) Activité × poids	(2) Colonne 1 ÷ 60 min	(3) Durée (min)	(4) Colonne 2 × colonne 3	(5) Somme des résultats de la colonne 4
JEUDI					
Matin:					
1. _____	_____	_____	_____	_____	
2. _____	_____	_____	_____	_____	
Après-midi:					
1. _____	_____	_____	_____	_____	
2. _____	_____	_____	_____	_____	
Soir:					
1. _____	_____	_____	_____	_____	
2. _____	_____	_____	_____	_____	_____
VENDREDI					
Matin:					
1. _____	_____	_____	_____	_____	
2. _____	_____	_____	_____	_____	
Après-midi:					
1. _____	_____	_____	_____	_____	
2. _____	_____	_____	_____	_____	
Soir:					
1. _____	_____	_____	_____	_____	
2. _____	_____	_____	_____	_____	_____
SAMEDI					
Matin:					
1. _____	_____	_____	_____	_____	
2. _____	_____	_____	_____	_____	
Après-midi:					
1. _____	_____	_____	_____	_____	
2. _____	_____	_____	_____	_____	
Soir:					
1. _____	_____	_____	_____	_____	
2. _____	_____	_____	_____	_____	_____

Activités	(1) Activité × poids	(2) Colonne 1 ÷ 60 min	(3) Durée (min)	(4) Colonne 2 × colonne 3	(5) Somme des résultats de la colonne 4
DIMANCHE					
Matin:					
1. _____	_____	_____	_____	_____	
2. _____	_____	_____	_____	_____	
Après-midi:					
1. _____	_____	_____	_____	_____	
2. _____	_____	_____	_____	_____	
Soir:					
1. _____	_____	_____	_____	_____	
2. _____	_____	_____	_____	_____	_____
Dépense énergétique de la semaine (somme des résultats de la colonne 5):					

Avez-vous atteint le but fixé?

○ Oui

○ Non

Si non, expliquez pourquoi.

_____

_____

_____

Que comptez-vous faire pour accroître votre dépense énergétique?

_____

_____

_____

_____

chapitre 11

Améliorer
son « cardio » et
contrôler
ses réserves de graisse

Objectifs

- Établir les principales étapes menant à l'élaboration d'un programme personnel de mise en forme cardiovasculaire ou de réduction de ses réserves de graisse.

- Élaborer son programme personnel de mise en forme cardiovasculaire ou de réduction de ses réserves de graisse.

Vous prenez de la vitesse et de l'assurance sur la route qui vous mène à une vie **physiquement active**. C'est le moment, en effet, d'appliquer à **votre situation** les **principes de l'entraînement** vus dans le chapitre précédent. Vous pourrez ainsi **concevoir** un programme personnel de mise en forme grâce auquel vous comblerez les besoins déterminés dans le chapitre 8. Il s'agit donc de vous donner une base solide en vue de la pratique régulière et à long terme d'une ou de plusieurs activités physiques.

Nous commençons cette démarche par les deux déterminants de la condition physique qui influent le plus sur notre santé (chapitre 8) : l'endurance cardiovasculaire ; les réserves de graisse et leur distribution.

Fixez-vous
d'abord un objectif réaliste

Visez ce que vous pouvez atteindre et non l'inatteignable. L'objectif choisi (un seul objectif suffit pour commencer) doit vous garantir un **résultat concret dans un délai raisonnable**. Pour déterminer cet objectif, basez-vous sur les besoins que vous avez déterminés à l'aide de l'évaluation de votre endurance cardiovasculaire et de l'évaluation de vos réserves de graisse. Votre niveau d'endurance est-il élevé ou faible ? Vos réserves de graisse sont-elles trop élevées ou acceptables ? Pour vous aider à formuler un objectif réaliste à court terme, observez le cas de trois personnes qui se prêtent à cet exercice.

Jonathan (17 ans)

Il a obtenu la cote très faible au test de marche et course de 12 minutes (test de Cooper). Il se fixe comme objectif d'améliorer son endurance cardiovasculaire pour atteindre au moins le niveau moyen en six semaines.

Lise (19 ans)

Elle a obtenu la cote moyenne au physitest aérobie canadien modifié (PACm). Elle se fixe comme objectif d'améliorer son niveau d'endurance cardiovasculaire pour atteindre au moins le niveau élevé en quatre semaines.

Ludovic (22 ans)

Il a appris que ses réserves de graisse étaient élevées (20 %) et que son tour de taille de 98 cm augmentait son risque d'avoir une maladie cardiovasculaire ou le diabète de type 2. Déterminé à changer les choses, il se fixe comme objectif d'augmenter sa dépense énergétique hebdomadaire de 1 500 calories par rapport au relevé établi dans le bilan 10 (p. 230).

Appliquez
les principes de l'entraînement

Nous avons déjà expliqué, dans le chapitre 10, en quoi consistent les principes de l'entraînement. Il s'agit maintenant d'appliquer ces principes, s'il y a lieu, soit à l'amélioration de son endurance cardiovasculaire, soit à la réduction de ses réserves de graisse, soit à ces deux déterminants de la condition physique. Le tableau 11.1 présente les moyens concrets pour y arriver.

TABLEAU

II.1   L'endurance cardiovasculaire, les réserves de graisse et les principes de l'entraînement

Principes de l'entraînement	Application concrète des principes à l'endurance cardiovasculaire	Application concrète des principes à la réduction des réserves de graisse
La spécificité	Vous devez choisir une ou plusieurs activités aérobiques. Il peut s'agir d'activités de conditionnement physique ou de sports d'endurance: jogging, corde à sauter, *step*, marche sportive, natation, danse aérobique, patin à roues alignées, aéroboxe, vélo, ski de fond, triathlon, etc.	Vous devez choisir une ou plusieurs activités qui augmenteront sensiblement votre dépense énergétique quotidienne ou hebdomadaire. Au bout du compte, il s'agit bien souvent d'activités qui sont, elles aussi, aérobiques.
La surcharge **a) L'intensité**	 Modérée (p. 238).	 De légère à modérée.
b) La durée	Minimale: 20 min par séance*. Idéale: de 25 min à 30 min par séance.	Minimale: 30 min par séance. Idéale: de 45 min à 60 min par séance.
c) La fréquence	Minimale: deux fois par semaine. Idéale: trois ou quatre fois par semaine. Maximale: cinq fois par semaine.	Minimale: cinq fois par semaine. Idéale: tous les jours.
La progression	La progression se fait en fonction de votre niveau de condition physique. Si vous n'êtes pas en forme, l'application du principe de surcharge sera plus lente que si vous étiez, par exemple, moyennement en forme. Consultez les exemples de programmes progressifs de mise en forme cardiovasculaire et de réduction des réserves de graisse (p. 243 à 245).	
Le maintien	Une fois votre objectif atteint, vous pouvez réduire la fréquence et la durée de vos séances de « cardio », mais pas l'intensité de vos efforts aérobiques.	La recherche n'est pas claire à ce sujet, mais, en toute logique, une fois votre objectif atteint, vous devriez idéalement maintenir le même niveau de dépense énergétique par semaine pour éviter un retour de l'embonpoint.

* Cette durée minimale d'une séance est en accord avec les recommandations de plusieurs groupes d'experts, notamment l'American College of Sports Medicine, la Société canadienne de physiologie de l'exercice et le Comité scientifique de Kino-Québec.

Revenons à nos trois nouveaux adeptes de l'entraînement, Jonathan, Lise et Ludovic, et voyons comment, en fonction de leurs objectifs respectifs, ils appliquent ces principes.

Jonathan

Il fera du jogging 3 fois par semaine, à raison de 20 minutes par séance, pendant 6 semaines. Il appliquera, en partie, la progression suggérée à la page 244. Une fois son objectif atteint, il réduira son programme à 2 séances par semaine, à raison de 15 minutes par séance, en maintenant la même fréquence cardiaque cible (FCC).

Lise

Elle fera du patin à roues alignées 4 fois par semaine, à raison de 30 minutes par séance, pendant 4 semaines. Elle n'a pas vraiment à appliquer le principe de progression, puisqu'elle patine depuis déjà trois ans. Elle est rompue au patinage, quoi! Une fois son objectif atteint, elle réduira son entraînement à 2 séances de 20 minutes par semaine, tout en maintenant la même intensité.

Ludovic

Il fera de la marche rapide tous les jours, à raison de 2 séances de 20 minutes par jour, pendant le temps qu'il faudra pour ramener ses réserves de graisse à un niveau acceptable. Dans son cas, le principe du maintien ne s'applique pas, puisque Ludovic vise à maintenir sa dépense énergétique hebdomadaire à un niveau plus élevé (1 500 calories de plus) que lorsqu'il menait une vie sédentaire.

Déterminez
l'intensité de vos efforts

La question de l'intensité de l'effort est capitale quand on sollicite, par l'exercice, son système cardiovasculaire. C'est à la fois une question de sécurité (ne pas imposer une surcharge de travail au cœur) et d'efficacité (faire travailler le cœur suffisamment pour qu'il soit plus fort). Quelle est donc l'intensité de l'effort cardiovasculaire qui est à la fois sans danger et efficace? Voici la réponse des experts: un effort aérobique dont l'intensité varie entre 50 % et 85 % de la consommation maximale d'oxygène (CMO_2) constitue, pour la plupart des personnes apparemment en bonne santé, une surcharge suffisante pour améliorer sans risque l'endurance cardiovasculaire.

La méthode de la fréquence cardiaque cible

Hélas! pour respecter ces pourcentages, il faudrait connaître sa CMO_2, puis courir, nager ou pédaler avec un analyseur de gaz fixé au dos, ce qui serait plutôt encombrant! Il existe une méthode plus simple pour déterminer la zone aérobique sans danger et efficace : élever la fréquence de ses pulsations jusqu'à sa plage de **fréquence cardiaque cible** (FCC). On établit cette dernière en calculant une fourchette de pourcentages à partir de sa fréquence cardiaque maximale. Les experts recommandent la fourchette suivante : de 60 % à 90 % de la fréquence cardiaque maximale. Ces pourcentages correspondent respectivement, *grosso modo*, à 50 % et à 85 % de la consommation maximale d'oxygène. Si vous n'êtes pas en forme, utilisez la fourchette de 60 % à 70 % ; si vous êtes moyennement en forme, celle de 70 % à 80 % ; si vous êtes déjà en forme, celle de 80 % à 90 %. Vous trouverez à l'annexe II une autre méthode pour calculer votre FCC, soit la méthode de Karvonen, un peu plus précise – parce qu'elle tient compte du pouls au repos – mais aussi plus complexe à utiliser.

Il ne vous reste plus qu'à déterminer votre **fréquence cardiaque maximale**. Il existe, là aussi, une formule simple pour l'établir, soit : 220 moins votre âge, multiplié par les pourcentages de la fourchette de fréquences cardiaques.

$$(220 - \text{âge}) \times 60\,\% = \text{FCC minimale}$$
$$(220 - \text{âge}) \times 90\,\% = \text{FCC maximale}$$

Pour déterminer votre FCC, consultez la figure 11.1. Dans le cas de nos trois jeunes adeptes de l'entraînement, on obtient les FCC suivantes.

Jonathan (pas en forme)

Fréquence cardiaque maximale : 220 − 17 = 203.
Limite inférieure de la fourchette : 203 × 60 % = 122 battements / min.
Limite supérieure de la fourchette : 203 × 70 % = 142 battements / min.
Sa FCC se situe donc entre 122 et 142 battements / min.

Lise (moyennement en forme)

Fréquence cardiaque maximale : 220 − 19 = 201.
Limite inférieure de la fourchette : 201 × 70 % = 141 battements / min.
Limite supérieure de la fourchette : 201 × 80 % = 161 battements / min.
Sa FCC se situe donc entre 141 et 161 battements / min.

Ludovic (pas en forme)

Fréquence cardiaque maximale : 220 − 22 = 198.
Limite inférieure de la fourchette : 198 × 60 % = 119 battements / min.
Limite supérieure de la fourchette : 198 × 70 % = 138 battements / min.
Sa FCC se situe donc entre 119 et 138 battements / min.

La fréquence cardiaque cible en fonction de l'âge et de la condition physique

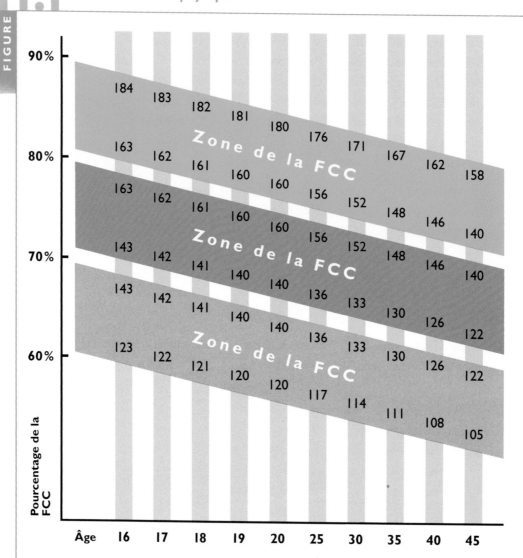

La méthode de l'échelle de perception de l'effort

Si vous n'aimez pas vous arrêter pendant l'effort pour prendre votre pouls, la méthode de l'échelle de perception de l'effort (EPE) vous conviendra peut-être mieux. Cette méthode repose sur votre perception de l'intensité d'un effort. Il existe même une échelle de fatigue, l'échelle de Borg, qui vous permet d'estimer l'intensité d'un effort en lui attribuant une cote entre 6 et 20 (tableau 11.2). Plus l'activité devient intense, plus le nombre attribué est élevé. Une EPE entre 11 et 16 équivaut, *grosso modo,* à une intensité se situant entre 60 % et 90 % de votre fréquence cardiaque cible (FCC). Avec de la pratique, vous serez capable d'associer EPE et FCC, surtout à l'occasion d'un effort intense. Voyons ce que cela donne dans le cas de nos trois novices en entraînement.

Jonathan

Il pratiquera son jogging à une EPE se situant à 11 ou à 12.

Lise

Elle pratiquera son patin à roues alignées à une EPE se situant à 12 ou à 13.

Ludovic

Il pratiquera sa marche rapide à une EPE se situant à 10 ou à 11.

TABLEAU

11.2 L'échelle de fatigue de Borg

Pour déterminer l'intensité d'une activité physique, vous pouvez utiliser l'échelle de fatigue de Borg. Celle-ci vous permet d'estimer l'intensité d'un effort en lui attribuant une cote de 6 à 20. Plus l'activité est intense, plus la cote est élevée.

Cote	Perception de l'intensité de l'effort	Lien avec une séance type d'activité physique
6		
7	Extrêmement légère.	
8		Échauffement et retour au calme.
9	Très légère.	
10		
11	Moyenne.	
12		
13	Un peu difficile.	Zone cible(FCC).
14		
15	Pénible.	
16		
17	Très pénible.	
18		Zone d'effort très intense.
19	Extrêmement pénible.	
20		

Préparez-vous
physiquement et mentalement

Pour augmenter vos chances de persévérer jusqu'à l'atteinte de votre objectif, vous devez être bien préparé sur le plan physique et mental. Sans préparation, cela ne vaut pas la peine de vous lancer dans un tel projet. Nous reviendrons en détail sur cette préparation dans le chapitre 14. Entre-temps, voici, sous la forme d'une **liste de vérification**, les éléments clés à inclure dans votre préparation physique et mentale à l'exercice.

- ☑ S'échauffer avant de lancer le moteur.
- ☑ Terminer sa séance par un retour au calme.
- ☑ Porter des chaussures de sport et des vêtements adéquats.
- ☑ Avoir une connaissance de base de la prévention et du traitement des blessures et des malaises liés à la pratique de l'activité physique.
- ☑ Savoir quand et quoi manger au fur et à mesure que l'on devient physiquement plus actif.
- ☑ Savoir comment éviter la déshydratation.
- ☑ Savoir adapter sa pratique de l'activité physique à son état de santé.
- ☑ Connaître et appliquer les conseils de base pour garder sa motivation.

Précisez
où, quand et avec qui

Ces décisions confirment le sérieux que vous mettez à concevoir un programme personnel de mise en forme. Sans passer par cette étape, vous êtes un peu comme un bateau sans gouvernail, qui change de cap au gré du vent. Prenez en charge votre programme : soyez clair, net et précis, comme le sont nos trois jeunes adeptes de l'entraînement, Jonathan, Lise et Ludovic.

Jonathan

Durée du programme : six semaines, du 9 septembre au 20 octobre.
Où : sur le campus du cégep qu'il fréquente.
Quand : le mardi et le jeudi, de 12 h à 12 h 45.
Avec qui : avec son copain Jean-Jacques, qui est aussi peu en forme que lui et qui suivra le même programme.

Lise

Durée du programme : quatre semaines, du 20 mai au 15 juin.
Où : sur les pistes cyclables de la ville où elle habite.
Quand : le lundi, le mercredi et le vendredi, de 12 h à 12 h 45 : le jeudi, de 17 h à 17 h 45
Avec qui : avec deux amis, Luc et Marina.

Ludovic

Durée du programme: jusqu'à ce qu'il ait réduit ses réserves de graisse à un niveau acceptable.

Où: partout où il peut marcher d'un pas rapide et partout où il peut emprunter un escalier au lieu d'un ascenseur ou d'un escalier roulant.

Quand: tous les jours.

Avec qui: seul.

Quelques exemples
de progression dans l'effort

Avant de mettre la dernière main à votre programme personnel de mise en forme, rien ne vaut des exemples concrets de progression dans l'effort. Les tableaux 11.3 à 11.7 proposent cinq exemples d'application du principe de la progression dans autant d'activités différentes. Ces tableaux vous permettront de constater, de semaine en semaine, l'application de ce principe. Examinez-bien les programmes proposés ; vous en trouverez certainement qui vous iront comme un gant !

Les exemples qui suivent s'adressent surtout aux personnes qui mènent une vie sédentaire depuis quelque temps, qui sont donc « rouillées » sur le plan musculaire, articulaire et, aussi, cardio-vasculaire. Si vous êtes physiquement actif, il n'en tient alors qu'à vous de commencer un programme particulier, à la semaine qui convient à votre forme physique actuelle. Par exemple, vous pouvez commencer à la semaine 3 ou 4 au lieu d'à la semaine 1. À vous de sélectionner la dose d'exercice qui améliorera progressivement votre condition physique.

TABLEAU

11.3 Programme progressif de marche rapide

Semaine	Durée (min)	Type de marche	Intensité de l'effort	FCC (pourcentage de la FCM)	Nombre de séances par semaine
1	15	Ordinaire.	Très faible.	50 %	2
2	15	Ordinaire.	Très Faible.	50 %	2
3	18	Plus rapide.	Faible.	55 %	3
4	20	Plus rapide.	Faible.	55 %	3
5	22	Rapide.	Moyenne.	60 %	3
6	24	Rapide.	Moyenne.	60 %	3

TABLEAU

11.4

Programme progressif de jogging*

Semaine	Durée (min)	Type de jogging	Intensité de l'effort	FCC (pourcentage de la FC max.)	Nombre de séances par semaine
1	15	Lent.	Faible.	60 %	2
2	15	Lent.	Faible.	60 %	2
3	18	Plus rapide.	De faible à moyenne.	65 %	3
4	20	Plus rapide.	De faible à moyenne.	65 %	3
5	22	Modérément. rapide.	Moyenne	70 %	3
6	24	Modérément rapide.	Moyenne.	70 %	3

* Pour un passage progressif de la marche au jogging, revoyez l'exemple de progression présenté au chapitre 10 (p. 222).

TABLEAU

11.5

Programme progressif de vélo sur route

Semaine	Distance (km)	Durée (min)	Intensité de l'effort	FCC (pourcentage de la FC max.)	Nombre de séances par semaine
1	4	12 – 16	Faible.	60 %	2
2	4	12 – 16	Faible.	60 %	2
3	6	16 – 20	De faible à moyenne.	65 %	3
4	6	16 – 20	De faible à moyenne.	65 %	3
5	8	24 – 28	Moyenne.	70 %	3
6	8	24 – 28	Moyenne.	70 %	3

TABLEAU

II.6 Programme progressif de natation

Semaine	Nombre de longeurs de piscine	Durée (min)	Intensité de l'effort	FCC (pourcentage de la FC max.)	Nombre de séances par semaine
I	4–4–4*	8–10**	Faible.	55 %	2
2	6–6–2	9–11**	Faible.	55 %	2
3	8–8	11–12**	De faible à moyenne.	60 %	3
4	14–4	12–13**	De faible à moyenne.	60 %	3
5	18–2	14–15**	Moyenne.	70 %	3
6	22	14–16	Moyenne.	70 %	3

* 4–4–4 : signifie 4 longueurs, repos de 60 secondes, 4 longueurs, repos de 60 secondes, 4 longueurs.
** Incluant une minute de repos entre les séries d'effort continu.

TABLEAU

II.7 Programme progressif de patin à roues alignées

Semaine	Durée (min)	Type de patinage	Intensité de l'effort	FCC (pourcentage de la FC max.)	Nombre de séances par semaine
I	15	Lent.	Faible.	55 %	2
2	15	Lent.	Faible.	55 %	2
3	15	Plus rapide.	De faible à moyenne.	60 %	3
4	20	Plus rapide.	De faible à moyenne.	60 %	3
5	20	Modérément. rapide.	Moyenne	70 %	3
6	25	Modérément rapide.	Moyenne.	70 %	3

Maigrir par l'exercice,
c'est maigrir en bonne santé

L'exercice est un moyen très efficace pour contrôler son poids corporel et, en particulier, ses réserves de graisse. En prime, l'exercice raffermit le corps et renforce les os. Encore faut-il appliquer la bonne formule d'exercice! Voici cinq points importants à retenir quand on veut utiliser l'exercice comme moyen de contrôle de son poids corporel.

1. L'exercice léger et l'exercice prolongé font davantage appel aux lipides qu'aux glucides comme carburant. Les réserves de glucides dont dispose l'organisme sont très limitées, tandis que les réserves de graisse abondent. Par conséquent, l'organisme privilégie les lipides aux glucides comme source d'énergie principale pendant les efforts légers. Par exemple, si vous faites une marche d'un pas rapide, vous brûlez, en carburant, de 60 % à 70 % de graisse, contre de 30 % à 40 % de glucides. Et plus vous marchez longtemps, plus vos muscles utilisent les graisses comme source d'énergie principale! Par exemple, si vous marchez pendant une heure et que cela engendre une dépense énergétique équivalant à 600 calories, sachez qu'au moins 70 % de ces calories ont été puisées dans vos réserves de graisse. À l'inverse, plus l'intensité de l'effort augmente – vous passez, par exemple, de la marche à la course rapide –, et plus les muscles font appel aux glucides, comme le montre le tableau 11.8.

TABLEAU
11.8 L'exercice et ses carburants

Nutriments utilisés comme source d'énergie par les muscles actifs	Effort léger	Effort de longue durée (plus de 90 minutes)	Effort modéré	Effort intense
Lipides	60 %–70 %	70 %–80 %	Environ 50 %	10 %–20 %
Glucides	30 %–40 %	20 %–30 %	Environ 50 %	80 %–90 %

2. Faire un exercice léger et prolongé tous les jours est efficace. Ici, on applique la même règle que celle qui est utilisée dans les régimes hypocaloriques. En principe, vous devez suivre votre régime tous les jours, n'est-ce pas? Alors pourquoi en serait-il autrement avec l'exercice? Si vous souhaitez une fonte rapide de vos réserves de graisse, faites un exercice léger et prolongé (c'est-à-dire de plus de 30 minutes) tous les jours.

3. La dépense énergétique de l'exercice est cumulative. L'idée véhiculée par certains gourous du régime amaigrissant, à savoir qu'il faut faire des «tonnes» d'exercice pour perdre du poids, est à jeter à la poubelle. L'effet anti-kilos de l'exercice est cumulatif. Il est tout à fait ridicule de dire qu'il faut jouer au tennis pendant 9 heures ou au golf pendant 22 heures, ou encore au volley-ball pendant 32 heures, pour perdre 0,45 kg (1 lb)! Par contre, si vous marchez d'un pas rapide 50 minutes par jour pendant 10 jours, vous dépenserez presque 3 500 calories, soit l'équivalent de... 0,45 kg. L'effet de l'exercice sur votre bilan énergétique (rapport entre l'entrée de calories et la sortie de calories) est donc cumulatif, et non pas instantané.

4. Maigrir par l'exercice protège les réserves d'eau. Bien sûr, l'exercice nous fait transpirer et, donc, perdre de l'eau, que l'on remplace habituellement dans l'heure qui suit en buvant justement... de l'eau. Ce ne sont pas à ces réserves d'eau que nous faisons allusion ici, mais à celles qui se combinent au glycogène, une forme de glucose en réserve dans les muscles. Cette eau emprisonnée dans les muscles est libérée chaque fois que les cellules musculaires utilisent du glycogène comme source d'énergie. Plus précisément, pour chaque gramme de glycogène utilisé, vous perdez 2,7 grammes d'eau. Quand vous suivez une diète, surtout si elle est pauvre en glucides, votre organisme en vient rapidement à utiliser le glycogène des muscles comme source d'énergie. Cela a pour effet de libérer de grandes quantités d'eau et de vous donner l'agréable – mais fausse – impression de maigrir. En fait, dans les premiers jours d'une diète, la perte de poids est en grande partie due à cette eau libérée par l'utilisation du glycogène. En maigrissant par l'exercice, surtout s'il est léger et prolongé, vos muscles ne brûlent presque pas de glycogène et vous ne perdez donc pas beaucoup d'eau intramusculaire. Voilà une autre bonne raison de troquer, une fois pour toutes, le régime hypocalorique contre l'exercice.

5. Plus on fait de l'exercice aérobique, plus on utilise les graisses comme source d'énergie. En effet, les athlètes qui pratiquent des activités d'endurance, comme le marathon, le cyclisme ou le biathlon, utilisent, à dépense énergétique égale, plus de graisses que de glucides, si on les compare à des gens moyennement en forme. C'est là un des effets intéressants de l'entraînement physique; l'organisme en vient à privilégier de plus en plus les graisses comme carburant, réservant ainsi les glucides (dont les réserves dans l'organisme sont limitées, ne l'oublions pas) pour les efforts intenses.

Concevez maintenant
votre programme personnel

Voilà. Vous connaissez à présent les étapes qui vous aideront à élaborer votre propre programme de mise en forme. Un tel programme comporte trois volets: la conception, la réalisation et l'évaluation.

La conception de votre programme. Vous devez fixer votre objectif en fonction d'un besoin à combler ou d'un aspect à améliorer. Dans le présent chapitre, nous avons traité spécifiquement de deux déterminants: l'endurance cardiovasculaire et les réserves de graisse. Avez-vous des besoins à combler à cet égard? À cette étape, vous devez préciser comment vous allez appliquer les principes de l'entraînement (p. 218).

La réalisation de votre programme.   À cette étape, vous déterminez les conditions qui vous permettront de passer concrètement à l'action. Il s'agit, en fait, de répondre à des questions d'ordre pratique : où, quand et avec qui vais-je pratiquer mon activité physique ?

L'évaluation de votre programme.   Cette étape vous permet de faire le point sur votre constance. Si vous n'êtes pas assidu, essayez de trouver pourquoi. Votre programme est-il mal conçu ? Votre agenda est-il maintenant plus chargé qu'il y a trois semaines ? Avez-vous été malade ? Peut-être avez-vous oublié, finalement, dans le train-train quotidien, que la pratique régulière d'une activité physique était l'une de vos priorités ? Qu'importe ce que vous trouverez comme explication à votre manque d'assiduité, ne vous découragez surtout pas : recommencez ! Si votre motivation est profonde, vous finirez bien par devenir assidu.

à vos méninges

Remarque : Il peut y avoir plus d'une bonne réponse par question.

1 PARMI LES ACTIVITÉS PHYSIQUES SUIVANTES, LAQUELLE OU LESQUELLES S'APPLIQUENT AU PRINCIPE DE LA SPÉCIFICITÉ QUAND ON VISE UNE AMÉLIORATION DE SON ENDURANCE CARDIOVASCULAIRE ?

○ **a)** La musculation.

○ **b)** Le ski alpin.

○ **c)** Les exercices exécutés à l'aide d'un gros ballon.

○ **d)** Les exercices aérobiques.

○ **e)** Les exercices anaérobiques.

2 POUR AMÉLIORER SON ENDURANCE CARDIOVASCULAIRE, QUELLE DOIT ÊTRE L'INTENSITÉ MINIMALE DE L'ACTIVITÉ PRATIQUÉE ?

○ **a)** Très faible.

○ **b)** Faible.

○ **c)** Modérée.

○ **d)** Élevée.

○ **e)** Très élevée.

3 POUR DIMINUER SES RÉSERVES DE GRAISSE, COMBIEN DE FOIS PAR SEMAINE, IDÉALEMENT, EST-IL PRÉFÉRABLE DE FAIRE DE L'EXERCICE ?

○ **a)** Deux fois.

○ **b)** Trois fois.

○ **c)** Quatre fois.

○ **d)** Cinq fois.

○ **e)** Tous les jours.

4 QUE FAUT-IL FAIRE POUR MAINTENIR LE NIVEAU D'ENDURANCE CARDIOVASCULAIRE ACQUIS ?

○ **a)** Diminuer l'intensité de l'effort, mais pas la fréquence ni la durée des séances.

○ **b)** Diminuer l'intensité de l'effort et la fréquence, mais pas la durée des séances.

○ **c)** Diminuer l'intensité et la durée de l'effort, mais pas la fréquence des séances.

○ **d)** Diminuer la fréquence et la durée des séances, mais pas l'intensité de l'effort.

○ **e)** Toutes les réponses précédentes.

5 QUELLE EST L'INTENSITÉ DE L'EFFORT ADÉQUATE (EXPRIMÉE EN POURCENTAGE DE LA CONSOMMATION MAXIMALE D'OXYGÈNE) POUR AMÉLIORER SON ENDURANCE CARDIOVASCULAIRE?

○ **a)** De 30% à 65%.

○ **b)** De 40% à 75%.

○ **c)** De 50% à 85%.

○ **d)** De 60% à 95%.

○ **e)** Aucune des réponses précédentes.

6 PARMI LES MÉTHODES SUIVANTES, LAQUELLE PEUT-ON UTILISER POUR DÉTERMINER UNE ZONE D'EFFORT AÉROBIQUE QUI SOIT EFFICACE ET SANS DANGER?

○ **a)** Élever la fréquence de ses pulsations jusqu'à sa plage de fréquence cardiaque cible (FCC).

○ **b)** Élever la fréquence de ses pulsations jusqu'à ce qu'elle atteigne 35 battements de plus que sa fréquence cardiaque au repos.

○ **c)** Prendre son pouls avant et après l'effort.

○ **d)** Prendre son pouls pendant l'effort.

○ **e)** Toutes les réponses précédentes.

7 QU'UTILISE-T-ON COMME SOURCE D'ÉNERGIE À MESURE QU'ON AUGMENTE L'INTENSITÉ DE L'EXERCICE AÉROBIQUE?

○ **a)** Les graisses.

○ **b)** Les glucides.

○ **c)** Les protéines.

○ **d)** Les graisses et les sucres.

○ **e)** Les protéines et les lipides.

8   COMPLÉTEZ LES PHRASES SUIVANTES.

a) L'objectif choisi doit vous garantir un _____ concret dans un délai _____ .

b) L'exercice _____ et l'exercice prolongé font davantage appel aux _____ qu'aux glucides comme carburant.

c) La dépense énergétique de l'exercice est _____ .

d) Les éléments clés à inclure dans votre préparation physique et mentale à l'exercice sont les suivants :

- s'échauffer avant de _____ le moteur ;

- terminer sa séance par un _____ au _____ ;

- porter des _____ de sport et des vêtements adéquats ;

- avoir une connaissance de base de la _____ et du traitement des blessures et des malaises liés à la pratique de l'activité physique ;

- savoir quand et _____ manger au fur et à mesure que l'on devient physiquement plus actif ; savoir comment éviter la _____ ;

- savoir adapter sa pratique de l'activité physique à son _____ de _____ ;

- connaître et appliquer les conseils de base pour garder sa _____ .

pour en savoir plus

LECTURES SUGGÉRÉES

- Anctil, P., D. Bégin et P. Montuoro,
  Le marathon pour tous, Montréal, Éditions de l'Homme, 1990.

- Bailey, C., *Être en forme*, Montréal, Éditions Quebecor, 1995.

- Bergeron, Y., R. Chevalier et S. Laferrière, *Le conditionnement physique*, Montréal, Éditions de l'Homme, 1979.

- Brisson, G., G. Péronnet, G. Thibault et M. Ledoux, *Le marathon*, Montréal, Décarie éditeur, 2e éd., 1991.

- Costill, D.L., J.H. Duester, G. Newsholme, T. Leech et J.H. Wilmore, *La course à pied*, Paris, De Boeck Université, 1999.

- Laidet, L., et J. Savoldelli, *Le guide pratique du cardio-training*, Paris, Amphora, 1998.

SITES INTERNET À VISITER

Exercise and weight loss (exercice et perte de poids)
http://www.exrx.net/FatLoss/WeightLoss.html

Kino-Québec (publications téléchargeables)
http://www.kino-quebec.qc.ca/

Site de la National Agricultural Library (corrélations entre les régimes alimentaires et la santé)
http://warp.nal.usda.gov/ttic/tektran/data/000012/12/0000121298.html

Site de Pierre Duchesneau sur l'éducation physique
http://www.collegesherbrooke.qc.ca/~duchenpi/duchenpi.htm

II.1 Votre programme personnel d'endurance cardiovasculaire

En fonction des besoins déterminés grâce à l'évaluation de votre endurance cardiovasculaire, remplissez, s'il y a lieu, le tableau qui suit.

Résultat de l'évaluation de mon endurance cardiovasculaire:

Cote* : _____

Besoin à combler:

◯ Oui   ◯ Non

Mon objectif: _____

Conception de mon programme	Conditions de réalisation de l'activité choisie
J'applique les principes suivants de l'entraînement. **La spécificité:** _____ **La surcharge:** _____ a) Intensité (FCC ou EPE)** : _____ b) Durée: _____ c) Fréquence: _____ **La progression:** voir le bilan 11.3 dans *L'équipier*. **Le maintien:** _____	Date du début: _____ Date de la fin: _____ Où: _____ Quand: _____ Avec qui: _____

Pour établir votre progression dans l'effort pendant au moins 6 semaines et pour évaluer votre constance dans la réalisation de votre programme, reportez-vous à *L'équipier*.

* Indiquez: très élevée, élevée, moyenne, faible ou très faible.
** Si vous nagez, retranchez 10% à la FCC calculée.

11.2 Votre programme personnel de réduction de vos réserves de graisse

En fonction des besoins déterminés grâce à l'évaluation de vos réserves de graisse et de leur distribution, remplissez, s'il y a lieu, le tableau qui suit.

Résultats de l'évaluation de mes réserves de graisse et de leur distribution :

Plis cutanés : _____ %

IMC : _____

Tour de taille : _____ cm

RTH : _____

Besoin à combler :

◯ Oui   ◯ Non

Mon objectif : _____

Conception de mon programme	Conditions de réalisation de l'activité choisie
J'applique les principes suivants de l'entraînement.	Date du début : _____
La spécificité : _____	Date de la fin : _____
La surcharge : _____	Où : _____
a) Intensité : _____	Quand : _____
b) Durée : _____	Avec qui : _____
c) Fréquence : _____	
La progression : voir le bilan 11.3 dans *L'équipier.*	
Le maintien : _____	

Pour établir votre progression dans l'effort pendant au moins 6 semaines et pour évaluer votre constance dans la réalisation de votre programme, reportez-vous à *L'équipier.*

chapitre 12

Développer
sa flexibilité
et sa vigueur musculaire

Objectifs

- Établir les principales étapes menant à l'élaboration d'un programme personnel de développement de sa vigueur musculaire et de sa flexibilité.

- Connaître les différentes méthodes pour développer sa vigueur musculaire.

- Connaître les différentes méthodes pour développer sa flexibilité.

- Élaborer son programme personnel de développement de la vigueur musculaire et de la flexibilité.

Toujours en route vers une vie physiquement active, vous allez maintenant concevoir un programme personnel qui vise, cette fois, le développement de deux autres déterminants clés de la condition physique : la vigueur musculaire et la flexibilité. La démarche est la même que celle proposée dans le chapitre 11 : il n'y a que les modalités d'application qui changent. Vous allez donc déterminer un ou plusieurs objectifs en fonction des besoins établis grâce à l'évaluation de votre vigueur musculaire (force et endurance) et de votre flexibilité (bilan 8.1, p. 186). Vous allez ensuite appliquer les principes de l'entraînement au développement de ces qualités musculaires. Enfin, vous allez préciser les conditions de réalisation (durée du programme, lieu, moment) des activités choisies pour atteindre votre ou vos objectifs. Les bilans de la fin du présent chapitre et ceux inclus dans *L'équipier* vous aideront à concrétiser toute cette démarche.

Quant aux éléments clés de votre préparation physique et mentale (p. 242), ils demeurent les mêmes que ceux déterminés dans le chapitre précédent, peu importe la nature de votre programme personnel de mise en forme. Mais avant d'aller plus loin, expliquons certaines notions propres au développement de la vigueur du muscle et de la flexibilité.

Comment développer
sa musculature

La fonction première du muscle squelettique est de permettre le mouvement. L'inactivité physique favorise donc son atrophie (chapitre 2, p. 18). L'activité physique, au contraire, rend le muscle plus fort, plus endurant ou, encore, plus souple. Si, en plus, cette activité physique prend la forme d'un programme d'entraînement bien conçu, le développement du muscle est alors spectaculaire. Pour atteindre un tel résultat, il faut respecter certaines conditions, ce qui nous amène à aborder les différentes façons de développer sa musculature.

Pour des muscles souples

Pour rendre un muscle plus souple, il faut l'étirer régulièrement. On peut le faire de diverses façons : en prenant un élan (**étirement balistique**) ; sans prendre d'élan (**étirement statique**) ; en contractant le muscle avant de l'étirer (étirement FNP ou **facilitation neuromusculaire proprioceptive**). La figure 12.1 illustre ces trois différentes façons d'étirer un muscle. Chacune a ses bons et ses mauvais côtés, comme nous le verrons.

12.1 Les trois façons d'étirer un muscle

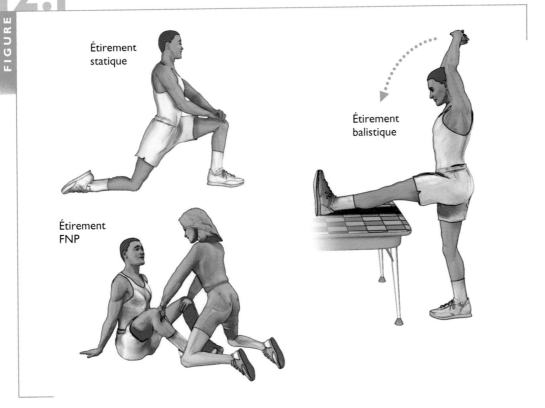

Étirement statique

Étirement balistique

Étirement FNP

Les exercices d'étirement balistique (avec prise d'élan). Ces étirements, qu'on appelle aussi « mouvements de ressort », imitent à merveille les gestes que l'on trouve dans les activités sportives ou dans la vie quotidienne. Par exemple, pour augmenter l'amplitude de votre coup de pied au soccer, faites des balancés de la jambe qui miment le coup de pied, et le tour est joué! Toutefois, ce type d'étirement avec prise d'élan apporte un risque élevé de blessures, surtout chez les personnes qui mènent une vie sédentaire. Un mauvais contrôle de la vitesse de mouvement (surtout si celui-ci est fait sans échauffement préalable) peut amener une articulation au-delà de son amplitude normale de mouvement et causer ainsi une blessure musculaire ou ligamentaire. En fait, l'étirement balistique est surtout utilisé par des personnes entraînées, qui ont donc déjà un bon degré de flexibilité.

Les exercices d'étirement statique (sans prise d'élan). Ces étirements sont nettement moins dangereux, tout en étant très efficaces pour assouplir les muscles. Il s'agit d'étirer un muscle lentement, sans à-coup, jusqu'à une position qui provoque un léger inconfort, sans plus. On maintient ensuite cette position pendant un certain temps, habituellement entre 15 et 30 secondes. L'étirement ne doit surtout pas provoquer de douleur (figure 12.2). Autrement, le muscle se protège en se contractant (**réflexe myotatique**), ce qui va à l'encontre de l'effet recherché.

Les exercices d'étirement statique précédé d'une contraction (méthode FNP ou facilitation neuromusculaire proprioceptive). Ces étirements s'appuient sur des études qui démontrent que l'on obtient un plus grand relâchement de la fibre musculaire si on la contracte d'abord. Cette technique, efficace pour assouplir le muscle, exige plus de temps et la présence d'un partenaire.

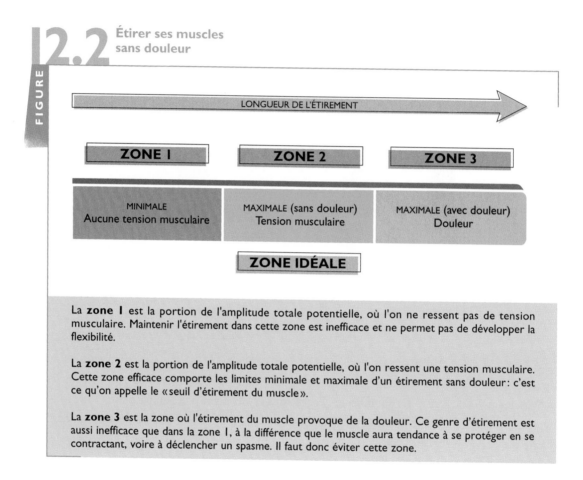

FIGURE 12.2 Étirer ses muscles sans douleur

La **zone 1** est la portion de l'amplitude totale potentielle, où l'on ne ressent pas de tension musculaire. Maintenir l'étirement dans cette zone est inefficace et ne permet pas de développer la flexibilité.

La **zone 2** est la portion de l'amplitude totale potentielle, où l'on ressent une tension musculaire. Cette zone efficace comporte les limites minimale et maximale d'un étirement sans douleur: c'est ce qu'on appelle le «seuil d'étirement du muscle».

La **zone 3** est la zone où l'étirement du muscle provoque de la douleur. Ce genre d'étirement est aussi inefficace que dans la zone 1, à la différence que le muscle aura tendance à se protéger en se contractant, voire à déclencher un spasme. Il faut donc éviter cette zone.

Pour des muscles vigoureux

Pour rendre un muscle plus vigoureux, il faut lui opposer une résistance lorsqu'il se contracte. Cette résistance peut provenir du corps lui-même (par exemple, quand on fait une traction à la barre), seulement d'une partie du corps (par exemple, quand on fait des demi-redressements du tronc) ou, encore, d'un objet extérieur (par exemple, des poids libres, des appareils de musculation, des bandes élastiques, de gros ballons d'exercice ou tout autre exerciseur).

Avec le temps, les entraîneurs et les chercheurs ont mis au point différents types de résistance au mouvement, qui sont devenus autant de méthodes d'entraînement musculaire. Ainsi, on trouve aujourd'hui la méthode à base d'**exercices isométriques ou statiques** (le muscle se contracte et la résistance est immobile), la méthode à base d'**exercices isotoniques ou dynamiques** (le muscle se contracte et la résistance est mobile) et la méthode à base d'**exercices isocinétiques** (le muscle se contracte et la résistance se déplace à une vitesse constante). Ajoutons qu'il existe aussi, depuis une quarantaine d'années, une méthode basée sur l'**électrostimulation** du muscle (le muscle se contracte sous l'influence de mini-impulsions électriques transmises à l'aide d'un appareil spécialisé). Voyons maintenant le pour et le contre de ces méthodes.

La méthode à base d'exercices isométriques.   Cette méthode permet un gain de force spécifique à l'angle où s'effectue la contraction isométrique. Par exemple, l'exercice 47 (p. 291) renforce les biceps surtout au niveau où l'avant-bras est bloqué. Par ailleurs, les exercices isométriques sont utiles lorsque l'on ne peut pas bouger un membre dans toute son amplitude à la suite d'une blessure ou lorsque l'on souhaite renforcer ses muscles ailleurs que dans un centre d'entraînement (au travail, en classe, dans le salon, au lit, etc.) sans même avoir à changer de vêtements. Nous présentons plus loin (p. 291) quelques exercices isométriques.

La méthode à base d'exercices isotoniques.   C'est, de loin, la plus répandue des méthodes de développement musculaire. Elle est très efficace pour améliorer la force ou l'endurance d'un muscle dans toute l'amplitude du mouvement et non seulement à un angle déterminé, comme dans le cas des exercices isométriques. Pour développer rapidement sa force musculaire, on utilise habituellement des poids libres ou des appareils de musculation. L'exercice de renforcement musculaire classique consiste à déplacer un certain poids une ou plusieurs fois (**répétitions**), sinon plusieurs fois (**séries**). Le poids à déplacer est généralement exprimé en pourcentage du poids le plus lourd que l'on peut déplacer une seule fois (répétition maximale ou **RM**). Pour obtenir un gain de force, la recherche situe le nombre idéal de répétitions maximales entre 7 et 12, ce qui représente de 60 % à 80 % de votre 1 RM. Pour atteindre un degré de force maximale, il faut déplacer le poids entre 1 fois et 6 fois, ce qui représente de 85 % à 100 % de votre 1 RM. Cette charge de travail, très élevée, n'est pas recommandée pour les débutants en musculation. On peut estimer son 1 RM à partir d'une formule basée sur un effort qui n'est pas maximal (Zoom) ou encore en se rendant sur le site Internet de WeightsNet (http://www.WeightsNet.com/Misc/calculators.html), sur lequel on trouvera un calculateur du 1 RM. Autrement, on procède par essais et erreurs afin de trouver le poids que l'on soulèvera entre 7 fois et 12 fois. Par exemple, si vous travaillez à 10 RM pour renforcer vos biceps, cela signifie qu'à la dixième répétition, vous êtes content d'arrêter... parce que vos biceps sont fatigués! Pour améliorer l'endurance musculaire, on travaille habituellement entre 15 RM et 25 RM. Nous verrons, plus loin, comment utiliser ces informations pour concevoir un programme personnel de développement musculaire.

Mentionnons qu'il existe un autre type d'exercice dynamique, exécuté avec un rebond : l'**exercice pliométrique** (figure 10.1, p. 219). Quand vous exécutez un saut vertical ou que vous sautez de part et d'autre d'un banc d'exercice, vous faites de la « pliométrie ». Comme les exercices pliométriques sollicitent intensément les tendons, il est souhaitable d'avoir des muscles déjà bien entraînés avant d'adopter cette méthode.

ZOOM

Estimez
votre 1 RM

Le test du 1 RM, nous l'avons déjà mentionné dans le chapitre 8, n'est pas destiné à tout le monde. Heureusement, un chercheur, Matt Brzycki, a mis au point une formule pour estimer le 1 RM, c'est-à-dire le poids maximal que l'on peut soulever une seule fois. Cette formule se présente comme suit.

1 RM = poids soulevé (kg) / [1,0278 – (nombre de répétitions avant d'être fatigué x 0,0278)]

Pour appliquer cette formule, vous devez donc savoir combien de fois vous êtes capable de soulever une charge donnée. Ce nombre ne doit pas dépasser 10, et la dernière répétition doit être difficile à réaliser. Par exemple, supposons que vous avez réalisé 7 répétitions dans l'exercice du développé couché (p. 275) en utilisant un poids de 45 kg, l'estimation de votre 1 RM se ferait comme suit.

1 RM = 45 kg / [1,0278 – (7 x 0,0278)]
= 54,5 kg

La méthode à base d'exercices isocinétiques.　　Cette méthode s'avère très efficace pour développer la force musculaire. Toutefois, sa pratique suppose que vous ayez accès à des appareils spéciaux (et coûteux!) qui permettent une vitesse d'exécution constante. En somme, c'est un mode d'entraînement qui n'est pas accessible à tout le monde.

La méthode par électrostimulation du muscle.　　Il s'agit d'une méthode relativement récente. À l'aide d'électrodes placées sur un muscle, un électrostimulateur envoie à ce dernier des séries d'impulsions électriques. Le muscle se contracte alors plusieurs fois à la seconde, selon le rythme imposé par l'appareil : ce n'est donc pas le cerveau qui commande la contraction du muscle. On se sert de l'électrostimulation à des fins thérapeutiques, notamment pour empêcher l'atrophie d'un membre en repos forcé à la suite de blessures, pour soulager la douleur, pour combattre les spasmes ou, encore, pour combattre l'inflammation. Les athlètes utilisent aussi cette méthode pour s'entraîner; dans ce cas, les électrostimulateurs utilisés sont puissants et ils doivent être manipulés par des entraîneurs compétents. Il faut savoir que les petits électrostimulateurs vendus au grand public sont inefficaces, justement parce qu'ils sont de trop faible puissance. Un gadget inutile, donc!

Tel objectif, tel programme

Maintenant que vous êtes plus familier avec les différentes méthodes d'entraînement musculaire, revenons à l'élaboration de votre programme personnel. Déterminez d'abord votre ou vos objectifs à partir des besoins déterminés à l'aide du bilan 8.1 (p. 186). Que révèle justement votre bilan ? Que vous êtes suffisamment fort ou, au contraire, trop faible pour affronter une situation d'urgence ou pratiquer une activité qui exige une force musculaire minimale ? Que vous manquez d'endurance sur le plan des abdominaux ou des bras ? Ou, encore, que vous manquez de flexibilité au niveau des épaules ? Mais vous connaissez déjà les réponses à ces questions… Il ne vous reste plus qu'à préciser dans les bilans du présent chapitre votre ou vos objectifs, comme l'ont fait Maryse, Georges et Sabrina.

Maryse (18 ans)

Elle a obtenu la cote faible au test du dynamomètre. Elle se fixe comme objectif d'améliorer sa force musculaire pour atteindre le niveau élevé en six semaines.

Georges (21 ans)

Il a obtenu la cote faible au test de flexibilité du bas du dos et des ischio-jambiers. Il se fixe comme objectif d'améliorer sa flexibilité dans ces deux régions pour atteindre le niveau élevé en huit semaines.

Sabrina (17 ans)

Elle a obtenu la cote faible au test des demi-redressements du tronc. Elle se fixe comme objectif d'atteindre le niveau moyen en quatre semaines.

Maintenant, examinons attentivement le tableau 12.1. Il présente l'application des principes de l'entraînement à la vigueur musculaire et à la flexibilité. Les pratiques décrites dans ce tableau sont reconnues pour leur grande efficacité, en plus d'être très répandues dans les cégeps. Il s'agit de la méthode à base d'exercices isotoniques (ou dynamiques) et de celle à base d'exercices d'étirement statique.

Quant au tableau 12.2, il expose dans le détail trois programmes types d'amélioration de la vigueur musculaire, tous exécutés à l'aide de poids libres ou d'appareils de musculation (Zoom). Le **programme 1**, bien adapté aux débutants en musculation, vise un gain de force et de masse musculaires. Le **programme 2**, consacré à l'atteinte de la force maximale, intéressera surtout les personnes qui doivent faire preuve de beaucoup de force et de puissance dans leur pratique sportive. Enfin, le **programme 3** développe l'endurance musculaire localisée et peut intéresser aussi bien le débutant que l'expert en musculation. Si vous visez plus d'un objectif, vous pouvez, bien sûr, combiner plus d'un programme. Par exemple, le lundi et le mercredi, vous faites le programme 1 ; le jeudi et le vendredi, vous combinez le programme 3 avec le programme d'étirement statique.

TABLEAU

12.1 Les principes de l'entraînement appliqués au développement musculaire

Principes de l'entraînement	Programmes		
	Développement de l'endurance musculaire	Développement de la force musculaire	Développement de la flexibilité
La spécificité	Exercices dynamiques à mains libres* ou à l'aide de poids à déplacer.	Exercices dynamiques à l'aide de poids à déplacer.	Exercices d'étirement statique.
La surcharge			
a) L'intensité	De 30% à 60% du 1 RM.	De 60% à 100% du 1 RM**.	Jusqu'au seuil d'étirement du muscle.
b) La durée	Temps requis pour faire le nombre prévu de répétitions et de séries.	Temps requis pour faire le nombre prévu de répétitions et de séries.	Maintien de l'étirement de 15 secondes à 30 secondes, répété 2 ou 3 fois.
c) La fréquence	De deux à cinq fois par semaine.	De deux à cinq fois par semaine.	De deux à cinq fois par semaine.
La progression	Pendant les premières séances, limitez l'intensité et la durée des exercices : pour la vigueur musculaire (force et endurance), commencez avec des charges plus légères que celles normalement prévues par le programme ; pour la flexibilité, maintenez l'étirement pendant moins de 15 secondes.		
Le maintien	Une fois votre objectif atteint, vous pouvez réduire la fréquence et la durée de vos séances, mais pas l'intensité de vos efforts.		

* Ainsi que leur nom l'indique, les exercices à mains libres ne requièrent aucun accessoire. On utilise le poids du corps ou d'une partie de ce dernier comme résistance à déplacer. Exemple : les demi-redressements du tronc, les pompes, etc.
** Rappelons que le RM représente la charge maximale que vous pouvez déplacer en une seule fois.

Lorsque vous remplirez les bilans du présent chapitre et de *L'équipier*, référez-vous aux tableaux 12.1 et 12.2 pour détailler l'application que vous faites des principes de l'entraînement. Dans l'intervalle, voyons comment Maryse, Georges et Sabrina ont utilisé ces informations.

Maryse

Elle fera, à raison de 3 fois par semaine pendant 6 semaines, 2 séries de 10 RM à partir d'une séquence de 8 exercices portant sur les bras, le haut du dos, la poitrine, le ventre, les cuisses et les jambes.

TABLEAU
12.2
Trois programmes types d'amélioration
de la vigueur musculaire

Principes de la surcharge	Programmes		
	1 Gain d'endurance musculaire	2 Gain de force et de masse musculaires	3 Atteinte de la force maximale*
L'intensité	De 30 % à 60 % du 1 RM.	De 60 % à 80 % du 1 RM.	De 80 % à 100 % du 1 RM.
Les répétitions	De 13 RM à 25 RM**.	De 7 RM à 12 RM**.	De 1 RM à 6 RM**.
La progression (augmentation du poids à déplacer)	Dès que l'on dépasse de deux ou trois répétitions le nombre fixé ci-dessus.	Dès que l'on dépasse de deux ou trois répétitions le nombre fixé ci-dessus.	Dès que l'on dépasse de une ou deux répétitions le nombre fixé ci-dessus.
Les séries	Deux et plus.	Deux et plus.	Cinq et plus.
La période de repos recommandée entre les séries	Une ou deux minutes.	De une minute à trois minutes.	De trois minutes à six minutes ou plus, au besoin.
La fréquence	De deux à sept fois par semaine***.		
La période de repos recommandée entre les séances	Pour les débutants, 48 heures. Pour les habitués, 24 à 48 heures.		

* Ce programme n'est pas recommandé aux débutants.

** Au petit nombre de répétitions correspond l'intensité la plus élevée ; au grand nombre de répétitions correspond l'intensité la moins élevée.

*** Si vous appliquez l'un de ces programmes tous les jours, il faudra faire travailler les masses musculaires en alternance. Par exemple, le lundi, le mercredi et le vendredi, vous travaillez le haut du corps ; le mardi, le bas du corps ; le mercredi, le haut du corps, et ainsi de suite.

Georges

Il fera, à raison de 2 fois par semaine pendant 8 semaines, 2 séries d'exercices d'étirement statique parmi les suivants : l'exercice utilisé pour le test de flexibilité du bas du dos et des ischio-jambiers (flexion du tronc en position assise), l'exercice de la traction de la jambe, ainsi que celui de la boule sur le dos (p. 193-194). Pour chaque exercice, Georges maintiendra l'étirement pendant 25 secondes.

Sabrina

Elle fera les exercices 38, 39 et 41 (p. 288-289) du répertoire d'exercices, à raison de 4 fois par semaine pendant 4 semaines. Pendant les premières séances, elle s'arrêtera bien avant que ses muscles ne soient fatigués. Après 4 ou 5 séances, elle fera le plus grand nombre possible de répétitions en 60 secondes.

Il ne vous reste plus qu'à mettre au point votre programme personnel. Mais tout d'abord, prenez connaissance des conseils qui suivent : ils rendront l'exécution de vos exercices encore plus sûre. Puis, jetez un coup d'œil à notre **Répertoire d'exercices de musculation et de flexibilité** (p. 270-299). Vous y trouverez certainement les exercices dont vous avez besoin pour développer (ou maintenir) votre vigueur musculaire et votre flexibilité.

Quelques conseils spécifiques à la musculation

Nous l'avons dit précédemment : les éléments clés et les habitudes à développer, tant sur le plan physique que mental (réchauffement, retour au calme, hydratation, etc.) sont sensiblement les mêmes si vous faites du cardio, de la musculation ou encore des exercices d'étirement ; le chapitre 14 traite en détail de la question, mais certains conseils sont spécifiques aux exercices dynamiques, dans lesquels on déplace des poids. Examinons donc ces conseils spécifiques de plus près.

Que choisir :
Poids libres ou appareils de musculation ?

Vous pouvez faire de la musculation à l'aide de poids libres ou d'appareils de musculation. De plus, rien ne vous interdit de combiner les deux types d'équipement. Mais chacun a ses avantages et ses inconvénients, comme nous le verrons.

Les poids libres.
Leur atout principal : leur *grande maniabilité*. Les poids libres, appelés aussi «charges libres», comprennent les haltères classiques et les barres à disques. Ils vous permettent d'exécuter tous les mouvements qu'autorise une articulation, contrairement aux appareils de musculation, aussi perfectionnés soient-ils. C'est sans doute pour cette raison que les personnes qui visent un développement musculaire intégral préfèrent les poids libres aux appareils, même les plus sophistiqués. Vous devez cependant savoir qu'avec les poids libres, il est *essentiel* d'exécuter les

mouvements correctement et de toujours s'assurer que les disques de métal des barres sont bien retenus par les collets de serrage. Sinon, gare aux blessures ! En outre, certains exercices exécutés à l'aide de poids libres requièrent la présence d'un surveillant (un entraîneur privé ou un partenaire entraîné).

Les appareils de musculation.
Leur atout principal : la *sécurité du mouvement*. En effet, c'est l'appareil (et non l'utilisateur) qui assure le déplacement de la charge à l'aide d'un mécanisme quelconque. En permettant une grande stabilité du tronc, ces appareils protègent le bas du dos. Par contre, ils coûtent cher, prennent beaucoup de place et exigent un entretien régulier. Mais, en s'abonnant à un centre de conditionnement physique doté d'une salle de musculation, on profite de ses appareils à un coût raisonnable.

1. Adaptez le programme de musculation à votre vigueur musculaire.
Si vos muscles manquent d'endurance et de force, commencez avec des charges légères et progressez d'abord lentement.

2. Utilisez la technique de périodisation. Cette technique, particulièrement appropriée si vous vous entraînez à longueur d'année, consiste simplement à varier les exercices et les combinaisons de RM et de séries ; l'alternance permet d'éviter la fatigue musculaire, voire le surentraînement. Par exemple, vous pouvez travailler 2 séries de 10 RM pendant un mois, puis passer à 3 séries de 15 RM pendant un autre mois, et ainsi de suite. Vous pouvez aussi varier le menu pendant une même semaine. Par exemple, le lundi et le mercredi, vous travaillez les muscles du haut du corps, alors que le mardi et le jeudi, vous vous concentrez sur ceux du bas du corps.

3. Visez un développement harmonieux et équilibré de votre musculature.
Pour y arriver, vous devez inclure des exercices pour les muscles qui s'opposent dans leur action (agonistes et antagonistes), pour les muscles controlatéraux (gauches et droits), de même que pour les muscles du haut du corps et ceux du bas du corps. Rappelons que le **muscle agoniste** est celui qui se contracte et que le **muscle antagoniste** est celui qui se détend et s'allonge pour permettre la contraction du muscle agoniste. Par exemple, si vous contractez le biceps, le triceps se relâche alors pour permettre la flexion du bras.

4. Établissez votre séquence d'exercices de façon à garder votre énergie.
En effet, l'ordre des exercices est fondamental. Ainsi, commencez toujours une séance par les exercices qui sollicitent les grands muscles (quadriceps, fessiers, etc.) ou plusieurs articulations (développé couché, papillon, etc.). Si, au contraire, vous commencez par des exercices qui sollicitent des petits muscles (par exemple, les triceps) ou une seule articulation (par exemple, la flexion du bras), vous risquez de manquer d'énergie bien avant la fin de votre séance ! Il est aussi recommandé de terminer une séance par des exercices qui aident à stabiliser la posture, comme des exercices qui sollicitent les abdominaux et les dorsaux. Voici, à titre d'exemple, une séquence type qui respecte cette règle : les cuisses (quadriceps et ischio-jambiers) ; les hanches et le bas du dos ; le torse (haut du dos, épaules et poitrine) ; les bras (triceps et biceps) ; les avant-bras ; les jambes (mollets) ; le cou ; les abdominaux.

5. Adoptez une position qui stabilise votre corps. De cette façon, vous isolez les muscles sollicités. Vous devez être solide sur vos pieds, et votre tronc doit être immobile pendant l'exécution d'un mouvement, à moins, évidemment que votre tronc ne soit lui-même sollicité par l'exercice exécuté.

6. Expirez pendant la phase la plus intense de l'effort. C'est au moment où vous soulevez ou déplacez le poids que vous devez expirer : vous évitez ainsi de bloquer votre respiration, une manœuvre qui pourrait vous étourdir (Zoom).

La manœuvre
de **Valsalva**

On dit que le fait de bloquer sa respiration (manœuvre de Valsalva) pendant un effort peut causer des étourdissements. Cela est exact et voici pourquoi. Avant un effort, le sang retourne librement au cœur et la pression artérielle est alors normale (a). Mais si vous faites un effort en bloquant votre respiration, les veines (qui ramènent le sang au cœur) sont fortement comprimées à cause de la forte pression qui règne à l'intérieur des cavités abdominale et thoracique. Résultat : il y a moins de sang qui retourne au cœur. Cela a pour effet d'augmenter momentanément la pression artérielle, ce qui compense

la réduction de l'apport sanguin (b) ; mais, comme il y a de moins en moins de sang qui remplit les cavités cardiaques, la pression artérielle finit par chuter brusquement (c). Dans ces conditions, le sujet peut voir des « points noirs », pour ne pas dire des « étoiles », voire se sentir étourdi pendant l'effort. Au-delà d'une certaine baisse de la tension artérielle, on peut même perdre conscience. Par conséquent, quand vous faites des activités qui exigent un effort, expirez pendant que vous forcez ! Vous ne vous en porterez que mieux.

veine porte

a) **Respiration normale**

b) **Respiration bloquée**

c) **Variation de la pression artérielle**

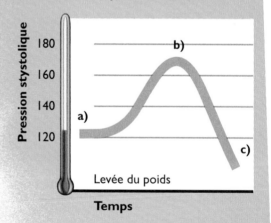

Pression stystolique

180
160
140
120

b)

a)

c)

Levée du poids

Temps

7. Exécutez lentement l'aller-retour de chaque mouvement.   Cette règle permet au muscle de travailler plus intensément. De plus, en évitant d'exécuter des mouvements rapides, vous diminuez d'autant le risque de blessures.

8. Arrêtez dès que vous ressentez une douleur.   Par mesure de prudence, vous devez interrompre un exercice dès que vous ressentez une douleur pendant son exécution. Si la douleur s'estompe, vous pouvez continuer, mais réduisez la charge à soulever ou l'intensité de l'exercice. Toutefois, sachez qu'au début d'un tel programme, les courbatures qui apparaissent parfois le lendemain sont tout à fait… normales !

9. Terminez toujours une séance par des étirements.   Vous maintiendrez ainsi un bon équilibre entre force et souplesse. Certes, vous voulez que vos muscles se raffermissent, mais vous ne voulez quand même pas devenir raide comme une barre d'acier ! Consultez la partie sur les étirements (p. 293) dans le **Répertoire d'exercices de musculation et de flexibilité**.

Répertoire d'exercices
de musculation et de flexibilité

Ce répertoire présente des séries d'exercices de base, utilisés pour améliorer la vigueur des principaux groupes musculaires et la flexibilité en général. Certains exercices s'exécutent à l'aide d'appareils de musculation, d'autres à l'aide de divers accessoires (poids libres, bande élastique, gros ballon d'exercice, chaise, etc.) ou même en utilisant un mur ; d'autres, enfin, se font simplement à mains libres. Le choix est donc varié et peut convenir à tous les goûts. Si certains de ces exercices sont nouveaux pour vous, assurez-vous de la présence d'une personne compétente lorsque vous les exécuterez. Cela vaut particulièrement pour les exercices de musculation à l'aide d'appareils ou de poids libres.

Pour chaque exercice du répertoire, les muscles principalement sollicités sont mentionnés et ils sont suivis de nombres entre parenthèses ; il s'agit de numéros qui renvoient aux deux *planches anatomiques* (figures 12.3 et 12.4) afin de vous faciliter le repérage des muscles sur le corps. Le répertoire comprend aussi, à la toute fin, une série d'exercices revus et corrigés : nous y soulignons ce qu'il ne faut pas faire (il s'agit d'erreurs fréquentes) et ce qu'il faut faire.

Voici un mini-plan du répertoire d'exercices.
   A. Exercices effectués à l'aide d'appareils ou de poids libres
   B. Exercices effectués à l'aide de bandes élastiques
   C. Exercices effectués à l'aide d'un gros ballon
   D. Exercices effectués à mains libres
   E. Exercices isométriques
   F. Exercices de flexibilité (étirements)
   G. Exercices revus et corrigés

12.3

Planche anatomique des muscles de la face antérieure

FIGURE

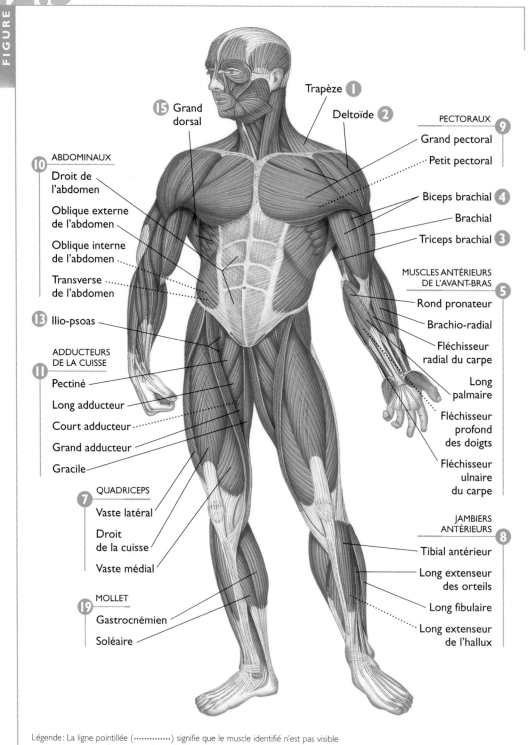

Trapèze **1**

Deltoïde **2**

15 Grand dorsal

PECTORAUX **9**

Grand pectoral

Petit pectoral

10 ABDOMINAUX

Droit de l'abdomen

Oblique externe de l'abdomen

Oblique interne de l'abdomen

Transverse de l'abdomen

13 Ilio-psoas

ADDUCTEURS DE LA CUISSE

11

Pectiné

Long adducteur

Court adducteur

Grand adducteur

Gracile

QUADRICEPS

7

Vaste latéral

Droit de la cuisse

Vaste médial

MOLLET

19

Gastrocnémien

Soléaire

Biceps brachial **4**

Brachial

Triceps brachial **3**

MUSCLES ANTÉRIEURS DE L'AVANT-BRAS **5**

Rond pronateur

Brachio-radial

Fléchisseur radial du carpe

Long palmaire

Fléchisseur profond des doigts

Fléchisseur ulnaire du carpe

JAMBIERS ANTÉRIEURS **8**

Tibial antérieur

Long extenseur des orteils

Long fibulaire

Long extenseur de l'hallux

Légende: La ligne pointillée (⋯⋯⋯) signifie que le muscle identifié n'est pas visible parce que c'est un muscle profond.

12.4 Planche anatomique des muscles de la face postérieure

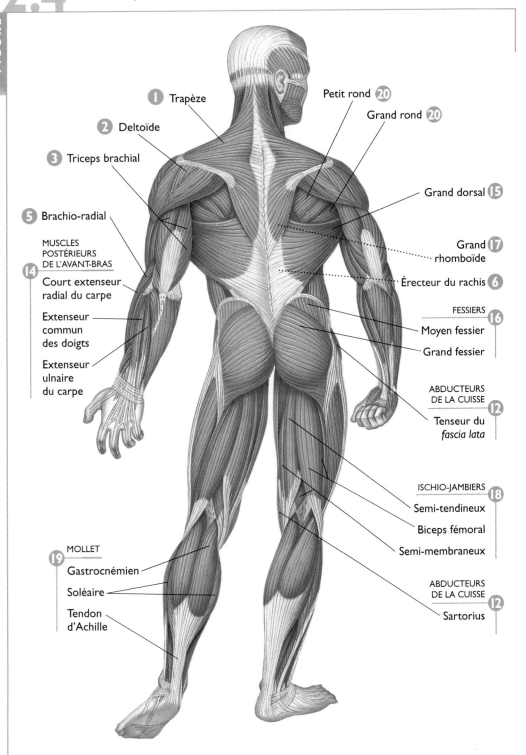

1 Trapèze

2 Deltoïde

3 Triceps brachial

5 Brachio-radial

MUSCLES POSTÉRIEURS DE L'AVANT-BRAS

14 Court extenseur radial du carpe

Extenseur commun des doigts

Extenseur ulnaire du carpe

Petit rond 20

Grand rond 20

Grand dorsal 15

Grand rhomboïde 17

Érecteur du rachis 6

FESSIERS 16

Moyen fessier

Grand fessier

ABDUCTEURS DE LA CUISSE 12

Tenseur du *fascia lata*

ISCHIO-JAMBIERS 18

Semi-tendineux

Biceps fémoral

Semi-membraneux

ABDUCTEURS DE LA CUISSE 12

Sartorius

MOLLET 19

Gastrocnémien

Soléaire

Tendon d'Achille

Légende: La ligne pointillée (..............) signifie que le muscle identifié n'est pas visible parce que c'est un muscle profond.

A. Exercices effectués à l'aide d'appareils ou de poids libres

Les prises

Prise en supination

Prise en pronation

I. Flexion de l'avant-bras

Muscles principalement sollicités : **biceps** (4*).

En position assise, un haltère court tenu dans la main droite, le coude droit appuyé contre l'intérieur de la cuisse droite (a), exécutez une flexion de l'avant-bras (b). Revenez à la position de départ. Exécutez le nombre de répétitions que vous vous êtes fixé et répétez l'exercice avec l'avant-bras gauche.

a)

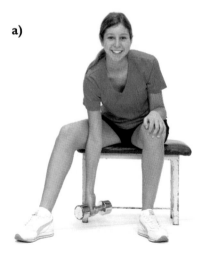

b)

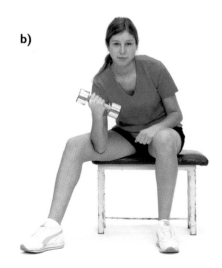

* Les numéros entre parenthèses renvoient aux deux **planches anatomiques** (figures 12.3 et 12.4) afin de vous faciliter le repérage des muscles sur le corps.

2. Flexion des avant-bras (variante)

Muscles principalement sollicités: **biceps** (4).

En position assise sur le banc pour flexions et extensions, les avant-bras en extension et posés sur l'appui-bras, les mains tenant la barre de l'haltère long (a), exécutez une flexion des avant-bras (b). Revenez à la position de départ.

a) **b)**

3. Flexion des poignets

Muscles principalement sollicités: **muscles antérieurs des avant-bras** (5).

En position assise, les avant-bras reposant sur les cuisses, les poignets en extension et les mains en supination tenant la barre de l'haltère long (a), exécutez une flexion des poignets (b). Revenez à la position de départ.

a) **b)**

4. Extension des poignets

Muscles principalement sollicités : **muscles postérieurs des avant-bras** (14).

En position assise, les avant-bras reposant sur les cuisses, les poignets en flexion et les mains en pronation tenant la barre de l'haltère long (a), exécutez une extension des poignets (b). Revenez à la position de départ.

a)

b)

5. Écarté rapproché des bras en position assise

Muscles principalement sollicités : **pectoraux** (9) et **deltoïdes** (2).

En position assise, placez les avant-bras sur les coussins écartés (a) et ramenez-les vers la figure (b). Revenez à la position de départ.

a)

b)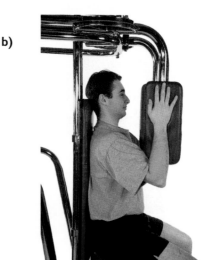

6. Écarté rapproché des bras en position couchée

Muscles principalement sollicités: **pectoraux** (9).

En position couchée sur un banc d'exercice, les pieds écartés à la largeur des épaules ou posés sur le banc (pour effacer le creux dans le bas du dos), les bras à la verticale, les coudes légèrement fléchis, un haltère court dans chaque main (a), écartez les bras sur les côtés jusqu'au niveau des épaules (b). Revenez à la position de départ.

a)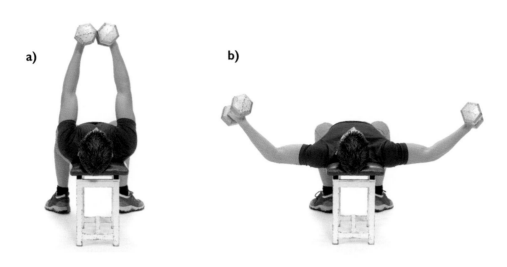

b)

7. Élévation latérale des bras

Muscles principalement sollicités: **deltoïdes** (2).

En position assise, les genoux fléchis et appuyés contre les rouleaux inférieurs, les avant-bras appuyés sous les rouleaux supérieurs (a), élevez les bras sur les côtés jusqu'à la hauteur des épaules (b). Revenez à la position de départ.

a)

b)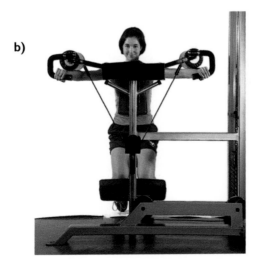

8. Élévation latérale des bras (variante)

Muscles principalement sollicités : **deltoïdes** (2).

En position debout, les pieds écartés, les bras le long du corps, le dos droit, un haltère court dans chaque main (a), élevez les bras sur les côtés jusqu'à la hauteur des épaules, les coudes légèrement fléchis (b). Revenez à la position de départ.

a)

b)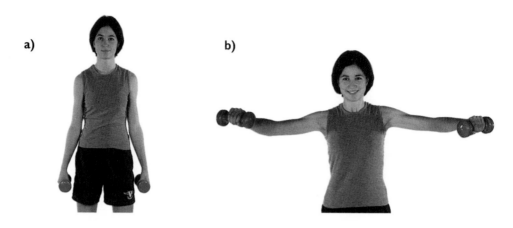

9. Élévation latérale des bras avec le tronc fléchi (papillon)

Muscles principalement sollicités : **deltoïdes** (2), **rhomboïdes** (17) et **grands dorsaux** (15).

En position debout, les pieds légèrement écartés, les genoux fléchis, le tronc fléchi à l'horizontale, un haltère court dans chaque main (a), élevez les bras sur les côtés jusqu'à la hauteur des épaules, les coudes légèrement fléchis (b). Revenez à la position de départ.

a)

b)

10. Développé assis

Muscles principalement sollicités : **pectoraux** (9) et **triceps** (3).

En position assise, les pieds appuyés sur les cale-pieds, les avant-bras fléchis, les mains tenant les poignées horizontales de l'appareil (a), poussez ces dernières jusqu'à ce que les avant-bras soient tout à fait dépliés (b). Revenez à la position de départ.

a)

b)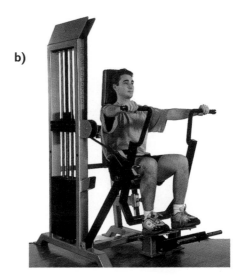

11. Développé couché sur le banc

Muscles principalement sollicités : **pectoraux** (9) et **triceps** (3).

En position couchée, les genoux fléchis, les pieds appuyés solidement sur le banc, les bras en extension, les mains tenant la barre de l'haltère long (a), amenez la barre vers la poitrine (b). Revenez à la position de départ. (Cet exercice se fait avec l'aide d'un partenaire.)

a)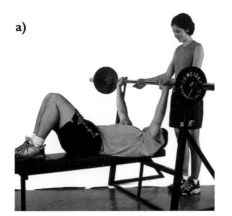

b)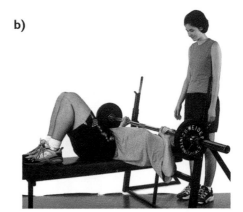

12. Extension de l'avant-bras en position assise

Muscles principalement sollicités : **triceps** (3) et **deltoïdes** (2).

En position assise sur un banc d'exercice, la tête et le dos droits, le bras gauche allongé au-dessus de la tête avec un haltère court tenu dans la main gauche (a), fléchissez l'avant-bras pour amener l'haltère derrière la nuque (b). Revenez à la position de départ. Exécutez le nombre de répétitions que vous vous êtes fixé et répétez l'exercice avec l'autre bras.

a)   b)

13. Élévation des épaules

Muscles principalement sollicités : **trapèzes** (1).

En position debout, les pieds écartés à la largeur des épaules, le dos droit, les bras allongés, les mains tenant la barre d'un haltère long (a), élevez les épaules vers les oreilles (b). Revenez à la position de départ.

a)   b)

I4. Élévation de la barre

Muscles principalement sollicités : **trapèzes** (1) et **deltoïdes** (2).

En position debout, les pieds écartés à la largeur des épaules, le dos droit, les bras allongés, les mains tenant la barre d'un haltère long (a), élevez la barre jusqu'au niveau des épaules (b). Revenez à la position de départ.

a) **b)**

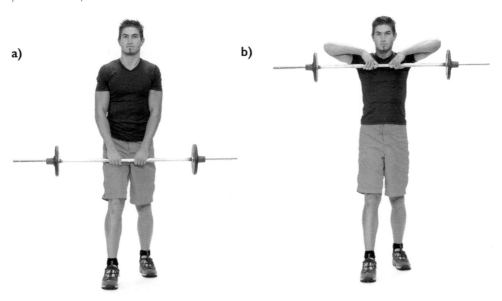

I5. Yo-yo

Muscles principalement sollicités : **muscles des avant-bras** (5, 14) et **deltoïdes** (2).

En position debout, les pieds écartés à la largeur des épaules, les bras allongés devant soi, les mains tenant le bâton auquel est suspendu un disque de fer (a), faites tourner le bâton pour enrouler la corde et faire monter le disque (b), puis faites tourner le bâton dans le sens inverse pour dérouler la corde et faire redescendre le disque.

a) **b)**

16. Demi-redressement du tronc avec disque de métal

Muscles principalement sollicités : **abdominaux** (10).

En position couchée sur un banc incliné, les chevilles bien retenues sous les rouleaux, les mains tenant un disque de métal appuyé sur la poitrine, le menton pointant vers le sternum (a), redressez le tronc jusqu'à ce que celui-ci forme un angle de 90 degrés ou moins avec le bassin (b). Revenez à la position de départ.

a)   **b)**

17. Flexion des jambes

Muscles principalement sollicités : **ischio-jambiers** (18).

En position couchée, les pieds placés sous les rouleaux, les genoux dépassant l'extrémité du banc et les mains tenant les poignées du banc pour stabiliser le tronc (a), exécutez une flexion des jambes (b). Revenez à la position de départ.

a)

b)

18. Extension des jambes

Muscles principalement sollicités: **quadriceps** (7).

En position assise, les pieds sous les rouleaux, l'arrière des genoux en contact avec l'extrémité du banc et les mains tenant les poignées de l'appareil pour stabiliser le tronc (a), exécutez une extension des jambes jusqu'à ce qu'elles soient entièrement dépliées (b). Revenez à la position de départ.

a)
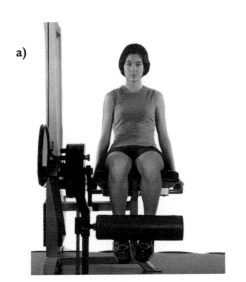

b)
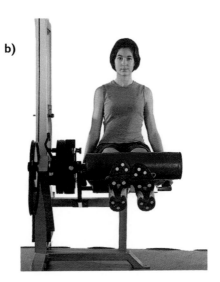

19. Balancé de la jambe

Muscles principalement sollicités: **grands fessiers** et **moyens fessiers** (16).

En position debout, la cuisse droite en flexion, l'arrière du genou droit appuyé contre le rouleau, les mains tenant les poignées de l'appareil pour garder l'équilibre (a), exécutez lentement une extension de la cuisse (b). Revenez à la position de départ. Répétez l'exercice avec la cuisse gauche.

a)

b)

20. Élévation sur le bout des pieds en position assise

Muscles principalement sollicités: **gastrocnémiens** (19).

En position assise, le dos droit, les talons abaissés légèrement sous le niveau des orteils, les genoux appuyés sous l'appui coussiné (a), levez les talons (b). Revenez à la position de départ.

a)
b)

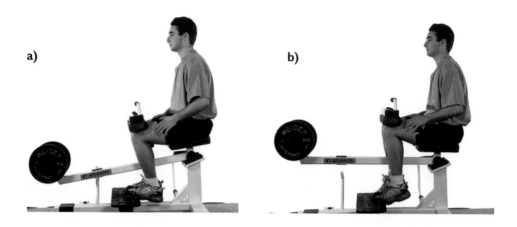

21. Élévation sur le bout des pieds en position debout

Muscles principalement sollicités: **gastrocnémiens** (19).

En position debout, tête et corps droits, l'haltère long appuyé sur les épaules, l'avant des pieds posé sur un bloc de bois (a), élevez-vous sur la pointe des pieds tout en maintenant le corps droit (b). Revenez à la position de départ.

a)
b)

22. Traction à la poitrine

Muscles principalement sollicités: **grands dorsaux** (15), **biceps** (4) et **pectoraux** (9).

En position assise, le tronc légèrement incliné vers l'arrière, les cuisses appuyées sous le rouleau, agrippez la barre (a) et amenez-la jusqu'à la hauteur des épaules (b). Revenez à la position de départ.

a)

b)

23. Traction à un bras sur le banc (one-dumbbell rowing)

Muscles principalement sollicités: **grands dorsaux** (15).

Le genou droit et la main droite en appui sur le banc, le pied gauche posé sur le sol, le genou gauche légèrement fléchi, un haltère court dans la main gauche (a), amenez l'haltère jusqu'à la poitrine (b). Revenez à la position de départ. Exécutez le nombre de répétitions que vous vous êtes fixé et répétez l'exercice avec l'autre bras.

a)

b)

24. Écarté rapproché des cuisses en position assise (adduction)

Muscles principalement sollicités : **adducteurs des cuisses** (11).

En position assise, la ceinture bouclée à la taille et les mains tenant les poignées de l'appareil pour stabiliser le tronc, l'intérieur des cuisses appuyé contre les appuis coussinés, les jambes écartées (a), rapprochez ces dernières en serrant les genoux (b). Revenez à la position de départ.

a)

b)

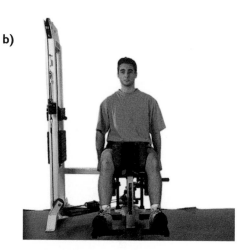

25. Écarté rapproché des cuisses en position assise (abduction)

Muscles principalement sollicités : **abducteurs des cuisses** (12).

En position assise, la ceinture bouclée à la taille et les mains tenant les poignées de l'appareil pour stabiliser le tronc, l'extérieur des cuisses appuyé contre les appuis coussinés, les genoux rapprochés (a), écartez ces derniers (b). Revenez à la position de départ.

a)

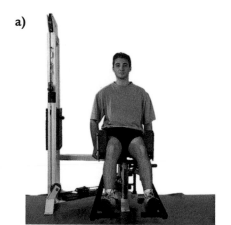

b)

B. Exercices effectués à l'aide de bandes élastiques

Vous pouvez vous procurer (pour environ 15 $) une bande élastique conçue spécifiquement pour la musculation. Il existe même des ensembles de bandes élastiques offrant une gamme variée de degrés de résistance. On trouve ces accessoires dans les magasins d'articles de sport. Deux conseils d'utilisation importants : étirez et relâchez toujours la bande élastique en faisant un mouvement *lent et continu* ; pendant un exercice, conservez en tout temps une certaine tension dans la bande élastique.

26. Extension de l'avant-bras

Muscles principalement sollicités : **triceps** (3) et **deltoïdes** (2).

En position debout, une extrémité de la bande élastique dans chaque main, la main gauche placée dans le dos, à la hauteur des fesses, et la main droite au-dessus de la tête, les bras fléchis, exécutez une extension complète de l'avant-bras droit sans bouger la main gauche. Revenez à la position de départ. Exécutez le nombre de répétitions que vous vous êtes fixé et répétez l'exercice avec l'autre bras.

27. Flexion de l'avant-bras

Muscles principalement sollicités : **biceps** (4).

En position debout, les jambes légèrement écartées, une extrémité de la bande élastique enroulée autour du pied droit, l'autre extrémité solidement empoignée dans la main gauche, le poignet aligné avec l'avant-bras, exécutez une flexion complète du bras. Revenez à la position de départ. Exécutez le nombre de répétitions que vous vous êtes fixé et répétez l'exercice avec l'autre bras.

28. Élévation latérale du bras

Muscles principalement sollicités: **deltoïdes** (2).

En position debout, les jambes légèrement écartées, le milieu de la bande élastique passé sous le pied droit et ses extrémités solidement empoignées dans la main droite, levez le bras droit, *en gardant le coude légèrement fléchi*, jusqu'à la hauteur de l'épaule. Revenez à la position de départ. Exécutez le nombre de répétitions que vous vous êtes fixé et répétez l'exercice avec l'autre bras.

29. Pompe

Muscles principalement sollicités: **triceps** (3), **trapèzes** (1) et **deltoïdes** (2).

En appui sur les pieds et les mains, le corps droit, la bande élastique passée dans le dos à la hauteur des omoplates et solidement tenue par les mains, exécutez des pompes à un rythme lent.

a)

30. Extension de la jambe

Muscles principalement sollicités: **gastrocnémiens** (19).

En position assise, la jambe gauche allongée, la jambe droite pliée à un angle d'environ 90 degrés, la bande élastique passée sous la plante du pied gauche (a), exécutez une extension complète de ce dernier (b). Revenez à la position de départ. Exécutez le nombre de répétitions que vous vous êtes fixé et répétez l'exercice avec l'autre jambe.

a)   b)

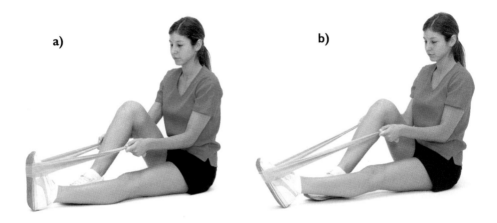

C. Exercices effectués à l'aide d'un gros ballon

Vous pouvez acheter un gros ballon d'exercice dans les grandes surfaces ou dans les magasins d'articles de sport. Son prix varie de 20 $ à 45 $, selon la grosseur et la marque choisies. En règle générale, la grosseur de ballon recommandée pour les débutants est celle qui permet d'avoir, en position assise, les cuisses parallèles au sol, c'est-à-dire les genoux pliés à un angle de 90 degrés. Toutefois, si vous avez de longues jambes ou si vous prévoyez surtout utiliser le ballon pour faire des étirements, optez pour un ballon un peu plus gros que celui recommandé dans le tableau ci-dessous selon votre taille. Au début, il vaut mieux ne pas gonfler le ballon très dur. Un ballon mou est toujours plus facile à contrôler qu'un ballon dur.

Votre taille (m)	Diamètre du ballon d'exercice (cm)
<1,50	45
1,50–1,70	55
1,71–1,88	65
>1,88	75

Le symbole < signifie «inférieur à» et le symbole > signifie «supérieur à».

31. Flexion des jambes

Muscles principalement sollicités : **ischio-jambiers** (18).

Allongé sur le ventre, la tête appuyée contre les bras repliés, le ballon d'exercice posé sur le sol et tenu entre les pieds, amenez lentement les pieds vers les fesses jusqu'à ce que les genoux soient pliés à un angle de 90 degrés. Revenez lentement à la position de départ.

32. Écrase-ballon

Muscles principalement sollicités : **adducteurs des cuisses** (11).

En position couchée, le ballon tenu entre les genoux fléchis, pressez ce dernier comme si vous vouliez l'écraser. Gardez la contraction pendant six secondes, puis relâchez, tout en maintenant le ballon en position. Expirez pendant la contraction isométrique.

33. Extension dorsale

Muscles principalement sollicités : **érecteurs du rachis** (6), **grands dorsaux** (15) et **fessiers** (16).

Les genoux appuyés sur le sol et bien écartés, l'abdomen appuyé sur le ballon, les mains aux oreilles (a), relevez lentement le tronc jusqu'à ce que la poitrine ne touche presque plus au ballon (b). Revenez lentement à la position de départ.

a)

b)

34. Écarté des bras sur gros ballon

Muscles principalement sollicités : **deltoïdes** (2), **grands dorsaux** (15), **rhomboïdes** (17) et **grands ronds** (20).

Les genoux appuyés sur le sol et bien écartés, l'abdomen appuyé sur le ballon, la tête maintenue dans l'alignement du tronc, les mains à peine au-dessus du sol de chaque côté, un haltère court dans chaque main (a), écartez les bras de côté lentement jusqu'à ce que les mains soient à la hauteur des épaules tout en gardant les coudes fléchis (b). Revenez lentement à la position de départ.

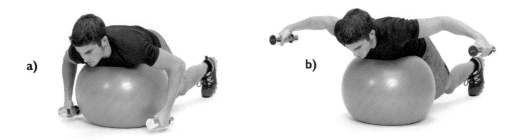

35. Élévation du bassin

Muscles principalement sollicités : **ischio-jambiers** (18), **érecteurs du rachis** (6) et **fessiers** (16).

Allongé sur le dos, les mollets rapprochés et appuyés sur le ballon, les bras allongés sur le sol de chaque côté du corps (a), décollez lentement les fesses du sol jusqu'à ce que les cuisses et le tronc forment une ligne oblique (b). Revenez lentement à la position de départ.

36. Demi-redressement du tronc

Muscles principalement sollicités : **abdominaux** (10).

Les fesses et le dos appuyés sur le ballon, les pieds écartés à la largeur des épaules sur le sol, les bras croisés sur la poitrine (les mains peuvent se trouver à la hauteur des oreilles ou plus bas) (a), relevez lentement le tronc jusqu'à ce que le bas du dos touche à peine le ballon (b). Revenez lentement à la position de départ.

a)

b)

D. Exercices effectués à mains libres

Les exercices qui suivent s'exécutent sans autre accessoire qu'un tapis d'exercice. On peut acheter ce genre de tapis dans les magasins d'articles de sport et, même, dans certaines grandes pharmacies ou grandes surfaces. Ce sont donc des exercices accessibles à tout le monde, que l'on peut faire facilement chez soi.

37. Flexion de la jambe

Muscles principalement sollicités : **partie inférieure des abdominaux** (10) et **ilio-psoas** (13).

Sur le dos, les jambes allongées, les bras de chaque côté du corps et reposant sur le sol (a), levez le genou droit à la verticale (b), puis ramenez-le au sol. Répétez l'exercice avec le genou gauche.

38. Demi-redressement du tronc à l'aide d'une chaise

Muscles principalement sollicités : **partie supérieure des abdominaux** (10).

Sur le dos, les mollets et les pieds posés sur une chaise, les bras de chaque côté du corps et reposant sur le sol (a), redressez le tronc en posant les mains sur les genoux ou jusqu'à ce que les omoplates décollent du sol (b).

39. Abdo du boxeur

Muscles principalement sollicités : **droit et transverse de l'abdomen** (10) et **obliques de l'abdomen** (10).

Allongé sur le dos, les genoux levés et fléchis à 90 degrés, les poings aux tempes, redressez le tronc en portant le coude droit au genou gauche, puis le coude gauche au genou droit, sans ramener les omoplates au sol.

40. Abdo croisé

Muscles principalement sollicités : **droit et transverse de l'abdomen** (10) et **obliques de l'abdomen** (10).

Sur le dos, les jambes allongées, les bras de chaque côté du corps et reposant sur le sol, touchez le pied droit avec la main gauche, puis le pied gauche avec la main droite, sans ramener les omoplates au sol.

41. Transverse

Muscles principalement sollicités : **partie inférieure du droit de l'abdomen** et **transverses** (10).

Allongé sur le dos, les bras de chaque côté du corps et reposant sur le sol, les genoux repliés vers la poitrine (a), décollez les fesses du sol en contractant les abdominaux (b).

a)   b)

42. Élévation latérale du bassin au sol

Muscles principalement sollicités : **obliques de l'abdomen** (10).

Allongé sur le côté droit, en appui sur l'avant-bras et la cuisse, les genoux fléchis à un angle de 90 degrés (a), soulevez le bassin en gardant la tête alignée avec la colonne vertébrale (b). Revenez à la position de départ. Répétez l'exercice, allongé sur le côté gauche.

a)   b)

43. Élévation latérale de la jambe au sol

Muscles principalement sollicités : **adducteurs des cuisses** (11).

Allongé sur le côté gauche, la tête appuyée sur le bras gauche, le pied droit posé à plat sur le sol devant la cuisse gauche, élevez la jambe gauche le plus haut possible sans bouger les hanches. Revenez à la position de départ. Exécutez le nombre de répétitions que vous vous êtes fixé et répétez l'exercice avec l'autre jambe.

44. Élévation latérale des jambes

Muscles principalement sollicités : **obliques de l'abdomen** (10).

Allongé sur le côté droit, la tête appuyée sur le bras gauche, élevez simultanément les deux jambes le plus haut possible, en gardant les pieds ensemble et sans bouger les hanches. Revenez à la position de départ. Exécutez le nombre de répétitions que vous vous êtes fixé et répétez l'exercice, allongé de l'autre côté.

E. Exercices isométriques

Les exercices de musculation isométriques sont vraiment « portatifs », car on peut les faire à peu près n'importe où, sans tenue vestimentaire particulière. La contraction isométrique doit durer au moins cinq secondes et être la plus intense possible, si l'on veut des résultats tangibles. Il est aussi très important d'expirer lentement, les lèvres pincées, pendant toute la durée de la contraction. Il est préférable d'effectuer une contraction isométrique au moins deux fois.

45. Paume contre paume

Muscles principalement sollicités : **pectoraux** (9) et **deltoïdes** (2).

En position debout ou assise, les coudes fléchis et les avant-bras à l'horizontale, joignez les paumes des mains l'une contre l'autre et pressez le plus fort possible.

46. Extension du bras bloquée

Muscles principalement sollicités : **triceps** (3).

En position debout ou assise, le bras gauche légèrement fléchi, bloquez le mouvement d'extension complète du bras gauche avec la main droite. Exécutez le nombre de répétitions que vous vous êtes fixé et répétez l'exercice avec l'autre bras.

47. Flexion du bras bloquée

Muscles principalement sollicités : **biceps** (4).

En position debout ou assise, le bras gauche fléchi, bloquez le mouvement de flexion du bras gauche avec la main droite. Exécutez le nombre de répétitions que vous vous êtes fixé et répétez l'exercice avec l'autre bras.

48. Genoux bloqués de l'intérieur

Muscles principalement sollicités: **adducteurs des cuisses** (11).

En position debout ou assise, le tronc légèrement fléchi, les genoux légèrement fléchis, bloquez le rapprochement des genoux en plaçant entre ces derniers les poings fermés.

49. Genoux bloqués de l'extérieur

Muscles principalement sollicités: **abducteurs des cuisses** (12).

En position debout ou assise, les mains appuyées sur la face externe des genoux, bloquez l'écartement de ces derniers.

F. Exercices de flexibilité (étirements)

Les exercices de flexibilité qui suivent doivent être faits selon la méthode des étirements statiques (p. 257) : une fois atteint le seuil d'étirement du muscle, gardez la position pendant 15 secondes à 30 secondes ; pendant ce temps, expirez lentement. Il est préférable d'effectuer un étirement au moins deux fois.

50. Étirement du devant des bras et des avant-bras

Muscles principalement étirés : **biceps** (4) et **muscles antérieurs de l'avant-bras** (5).

À quatre pattes, les mains bien à plat sur le sol et les doigts tournés vers les genoux, gardez la position pendant le temps voulu.

51. Torsion lombaire

Muscles principalement étirés : **obliques de l'abdomen** (10), **muscles du bas du dos** (6) et **abducteurs des cuisses** (12).

Allongé sur le dos, le genou gauche croisé sur la cuisse droite (a), amenez le genou gauche le plus près possible du sol du côté gauche, de façon à provoquer une torsion du tronc (b). Gardez la position pendant le temps voulu. Répétez l'exercice avec l'autre jambe. (Cet exercice est déconseillé dans les cas de problèmes de dos ; dans le doute, consultez votre médecin.)

a)

b)

52. Torsion lombaire (variante)

Muscles principalement étirés: **obliques de l'abdomen** (10)**, muscles du bas du dos** (6) et **abducteurs des cuisses** (12).

Sur le dos, le bras gauche écarté du corps et reposant sur le sol, la jambe droite allongée, amenez le genou gauche sur le sol du côté droit. Gardez la position pendant le temps voulu. Répétez l'exercice avec l'autre jambe. (Cet exercice est déconseillé dans le cas de problèmes de dos; dans le doute, consultez votre médecin.)

53. Pause du yogi

Muscles principalement étirés: **adducteurs de la cuisse** (11) et **ilio-psoas** (13).

En position assise, la tête et le corps droits, les mains agrippant les plantes des pieds qui se touchent, abaissez les genoux le plus près du sol, gardez la position pendant le temps voulu.

54. Étirement du mollet

Muscles principalement étirés:
gastrocnémiens (19).

En position debout, les avant-bras appuyés contre un mur à la largeur des épaules, la jambe gauche fléchie, la pointe du pied gauche contre le mur, la jambe droite en retrait, allongez cette dernière jusqu'au seuil d'étirement en gardant les deux pieds bien à plat sur le sol. Gardez la position pendant le temps voulu. Répétez l'exercice avec l'autre jambe.

55. Étirement du tendon d'Achille

Muscles principalement étirés: **partie inférieure du mollet** englobant le tendon d'Achille (19).

En position debout, les avant-bras appuyés contre un mur à la largeur des épaules, la jambe gauche fléchie, la pointe du pied gauche appuyée contre le mur, la jambe droite en retrait et fléchie elle aussi, augmentez la flexion de cette dernière jusqu'au seuil d'étirement, en gardant les deux pieds bien à plat sur le sol. Gardez la position pendant le temps voulu. Répétez l'exercice avec l'autre jambe.

56. Étirement simultané des mollets

Muscles principalement étirés:
gastrocnémiens (19).

En position debout, les mains appuyées contre un mur à la largeur des épaules, les coudes fléchis vers l'extérieur, le bout des pieds reposant sur un bloc de bois, descendez les talons jusqu'au seuil d'étirement. Gardez la position pendant le temps voulu.

57. Étirement en position assise

Muscles principalement étirés : **gastrocnémiens** (19) et **ischio-jambiers** (18).

En position assise face à un mur, la jambe gauche allongée, le pied gauche plaqué contre un mur, le genou droit fléchi, les mains posées à plat sur le sol légèrement en retrait, inclinez-vous vers l'avant jusqu'au seuil d'étirement. Gardez la position pendant le temps voulu. Répétez l'exercice avec l'autre jambe.

58. Étirement du mollet avec flexion du pied

Muscles principalement étirés :
gastrocnémiens (19).

En position debout, les jambes non fléchies, l'avant du pied gauche fléchi et appuyé contre un mur, avancez les hanches vers ce dernier jusqu'au seuil d'étirement. Gardez la position pendant le temps voulu. Répétez l'exercice avec l'autre jambe.

59. Étirement du devant de la jambe

Muscles principalement étirés:
jambiers antérieurs (8).

En position debout face à un mur, la jambe droite fléchie et rapprochée du mur, la jambe gauche en retrait avec la pointe posée sur le sol, tendez le dessus du pied jusqu'au seuil d'étirement. Gardez la position pendant le temps voulu. Répétez l'exercice avec l'autre jambe.

60. Étirement du devant de la cuisse

Muscles principalement étirés: **quadriceps** (7) et **ilio-psoas** (13).

En position de génuflexion, le genou droit posé sur le sol, amenez le bassin vers l'avant jusqu'au seuil d'étirement. Gardez la position pendant le temps voulu. Répétez l'exercice avec l'autre jambe.

6I. Étirement du bras et de l'épaule

Muscles principalement étirés : **biceps** (4), **pectoraux** (9) et **deltoïdes** (2).

En position debout, le dos tourné vers un mur, les hanches fixes, appuyez la paume de la main droite contre le mur à la hauteur de l'épaule droite. Faites pivoter vos hanches lentement jusqu'au seuil d'étirement. Gardez la position pendant le temps voulu. Répétez l'exercice avec l'autre bras.

62. Étirement général de tout le corps

Muscles principalement étirés : **pratiquement tous les muscles du devant du corps.**

En position couchée, les bras à l'horizontale au-dessus de la tête, allongez toutes les parties du corps (le cou, les bras, le torse et les jambes) jusqu'au seuil d'étirement. Gardez la position pendant le temps voulu.

G. Exercices revus et corrigés

Voici quelques exercices, revus et corrigés à la lumière des connaissances de la médecine sportive. Dans chaque cas, la première photo (a) montre **ce qu'il ne faut pas faire** et la deuxième (b), **ce qu'il faut faire.**

63. Demi-redressement du tronc

Quand vous faites des demi-redressements du tronc, ne joignez pas les mains derrière la nuque (a), ce qui cause une forte traction sur les vertèbres cervicales. Placez plutôt les mains aux tempes, aux oreilles ou à la poitrine (b).

a) Mauvaise
façon.

b) Bonne
façon.

64. Flexion du tronc

Quand vous faites des flexions du tronc, évitez de garder les jambes non fléchies (a). Pliez plutôt un peu les genoux avant d'étirer le bas du dos (b); vous diminuez ainsi la pression sur les disques intervertébraux de cette région.

a) Mauvaise
façon.

b) Bonne
façon.

65. Position du coureur de haies

Quand vous faites cet exercice d'étirement, ne pliez pas le genou vers l'arrière (a); cette position exerce une forte tension sur les ligaments du genou. Pliez plutôt le genou vers l'avant, le pied contre la cuisse (b).

a) Mauvaise
façon.

b) Bonne
façon.

à vos méninges

12

Remarque : Il peut y avoir plus d'une bonne réponse par question.

I   NOMMEZ TROIS FAÇONS D'ÉTIRER UN MUSCLE.

- _____
- _____
- _____

2   NOMMEZ TROIS MÉTHODES D'ENTRAÎNEMENT QUI DÉVELOPPENT LA VIGUEUR MUSCULAIRE.

- _____
- _____
- _____

3   PARMI LES ÉNONCÉS SUIVANTS, LEQUEL OU LESQUELS CONSTITUENT LES PRINCIPAUX INCONVÉNIENTS DES ÉTIREMENTS BALISTIQUES ?

- ○ **a)** Ils n'imitent pas suffisamment le geste pratiqué.
- ○ **b)** Ils augmentent le risque de blessure.
- ○ **c)** Leur pratique exige beaucoup de temps.
- ○ **d)** Ils sont trop spécifiques au geste pratiqué.
- ○ **e)** Aucune des réponses précédentes.

4   QUELLE EST LA DURÉE IDÉALE D'UN ÉTIREMENT STATIQUE ?

- ○ **a)** Entre 10 secondes et 15 secondes.
- ○ **b)** Moins de 5 secondes.
- ○ **c)** Entre 15 et 30 secondes.
- ○ **d)** Entre 35 et 45 secondes.
- ○ **e)** Entre 5 et 15 secondes.

5   COMMENT PEUT-ON RENFORCER UN MUSCLE ?

- ○ **a)** À l'aide d'un programme d'exercices d'étirement.
- ○ **b)** À l'aide d'un programme d'exercices aérobiques.

○ **c)** À l'aide d'un programme d'exercices isométriques.

○ **d)** À l'aide d'un programme d'exercices avec poids libres.

○ **e)** À l'aide d'un programme d'exercices FNP.

6 QUELLE(S) FORME(S) DE RÉSISTANCE PEUT-ON OPPOSER À UN MUSCLE POUR LE RENDRE PLUS VIGOUREUX ?

○ **a)** Une partie du corps.

○ **b)** Le corps lui-même.

○ **c)** L'apesanteur.

○ **d)** Une bande élastique.

○ **e)** Un poids libre.

7 PARMI LES ÉNONCÉS SUIVANTS, LEQUEL EST VRAI ?

○ **a)** L'exercice isotonique ne déplace pas la résistance.

○ **b)** L'exercice isométrique n'améliore pas la force du muscle.

○ **c)** L'exercice isotonique est exécuté à une vitesse constante.

○ **d)** L'exercice isométrique déplace la résistance.

○ **e)** L'exercice isocinétique est exécuté à une vitesse constante.

8 QUELLE EST LA MÉTHODE DE DÉVELOPPEMENT MUSCULAIRE LA PLUS RÉPANDUE DANS LES CÉGEPS ?

○ **a)** La méthode à base d'exercices isométriques.

○ **b)** La méthode à base d'exercices pliométriques.

○ **c)** La méthode à base d'étirements FNP.

○ **d)** La méthode par électrostimulation du muscle.

○ **e)** La méthode à base d'exercices isotoniques ou dynamiques.

9 QU'EST-CE QUE LE 1 RM ?

○ **a)** Un poids que l'on déplace au moins une fois.

○ **b)** Un poids que l'on déplace alors que le muscle est en contraction excentrique.

○ **c)** Un poids tellement lourd que l'on ne peut pas le déplacer.

○ **d)** Le poids le plus lourd que l'on peut déplacer une fois.

○ **e)** Aucune des réponses précédentes.

10 COMBIEN DE RM DOIT-ON FAIRE IDÉALEMENT PAR SÉRIE POUR DÉVELOPPER L'ENDURANCE MUSCULAIRE À L'AIDE DE POIDS LIBRES ?

○ **a)** De 1 à 5.
○ **b)** De 7 à 12.
○ **c)** De 5 à 10.
○ **d)** De 10 à 15.
○ **e)** De 13 à 25.

11 COMBIEN DE RM DOIT-ON FAIRE PAR SÉRIE POUR DÉVELOPPER SA FORCE ET SA MASSE MUSCULAIRES ?

○ **a)** De 8 à 12.
○ **b)** De 12 à 16.
○ **c)** De 16 à 20.
○ **d)** De 20 à 24.
○ **e)** De 26 à 30.

12 EN MUSCULATION, COMMENT EST-IL SOUHAITABLE DE FAIRE LE MOUVEMENT ALLER-RETOUR ?

○ **a)** Le plus rapidement possible.
○ **b)** Rapidement.
○ **c)** Lent à l'aller, rapide au retour.
○ **d)** Lentement.
○ **e)** La vitesse d'exécution n'a pas d'importance.

13 PAR QUELS EXERCICES DEVRAIT-ON COMMENCER UNE SÉANCE DE MUSCULATION ?

○ **a)** Les exercices qui sollicitent les petits muscles.
○ **b)** Les exercices qui sollicitent les muscles du dos.
○ **c)** Les exercices qui sollicitent une seule articulation.
○ **d)** Les exercices qui sollicitent les grands muscles.
○ **e)** Aucune des réponses précédentes.

14 NOMMEZ L'APPAREIL QUI PERMET D'AMÉLIORER LA VIGUEUR D'UN MUSCLE AU MOYEN D'IMPULSIONS ÉLECTRIQUES ?

• _____

pour en savoir plus

LECTURES SUGGÉRÉES

• American College of Sports Medicine, *Progression models in resistance training for healthy adults,* énoncé de principes, Philadelphie, Lippincott, 2002.

• Anderson, B., *Le stretching*, Montréal, Éditions Quebecor, 1989.

• Choque, J., et T. Waymel, *Étirement et rendement musculaires*, Paris, Amphora, 1998.

• Costill, D.L., et J.H. Willmore, *Physiologie du sport et de l'exercice*, Paris, De Boeck Université, 2002.

• Croisetière, R., *Musculation: répertoire d'exercices*, Laval, Éditions RC, 2001.

• Dintiman, G.B., J.S. Greenberg, B.M. Oakes et D. Morrow, *Physical fitness and wellness*, Toronto, Allyn and Bacon, 2001.

• Sprague, K., *More muscles*, Champaign, Human Kinetics, 1996.

SITES INTERNET À VISITER

Actiforme Consultants inc.
http://www.actiforme.net/

Association canadienne des entraîneurs
http://www.coach.ca/f/index.htm

École du dos (site de l'Université du Québec en Abitibi-Témiscamingue)
http://www.uriic.uqat.uquebec.ca/

Site de Claire Sénécal
http://www.collegeem.qc.ca/cemdept/edup/csenecal/

Sportscience
http://www.sportsci.org/index.html

Strength online
http://www.deepsquatter.com/strength/archives/index.htm

Site de Charles Poliquin (expert en musculation reconnu mondialement):
http://www.charlespoliquin.net/index.html

12.1 Votre programme personnel de force musculaire

En fonction des besoins déterminés grâce à l'évaluation de votre force musculaire (p. 186), remplissez s'il y a lieu le tableau ci-dessous. Ensuite, à l'aide des fiches de *L'équipier*, déterminez les exercices choisis pour atteindre votre ou vos objectifs, puis établissez votre progression et votre constance dans l'effort.

Résultats de l'évaluation de ma force musculaire :

Force de préhension : _____ Cote : _____ Besoin à combler : ◯ Non ◯ Oui

Force des bras : _____ Cote : _____ Besoin à combler : ◯ Non ◯ Oui

Force des jambes : _____ Cote : _____ Besoin à combler : ◯ Non ◯ Oui

Mon ou mes objectifs : 1. _____

2. _____

Conception de mon programme

J'applique les principes suivants de l'entraînement.

La spécificité : Exercices dynamiques à l'aide de charges : ◯   Exercices isométriques : ◯

Exercices retenus : voir la fiche appropriée dans *L'équipier*.

La surcharge :

a) *L'intensité :* RM : _____ Série(s) : _____

b) *La durée* totale approximative d'une séance : _____ minutes.

c) *La fréquence :* _____ fois par semaine.

La progression : voir la fiche appropriée dans *L'équipier*.

Le maintien : _____

Conditions de réalisation

Date du début : _____ Date de la fin : _____

Où : _____ Quand : _____

Avec qui : _____

12.2 Votre programme personnel d'endurance musculaire

En fonction des besoins déterminés grâce à l'évaluation de votre endurance musculaire (p. 186), remplissez s'il y a lieu le tableau ci-dessous. Ensuite, à l'aide des fiches de *L'équipier*, déterminez les exercices choisis pour atteindre votre ou vos objectifs, puis établissez votre progression et votre constance dans l'effort.

Résultats de l'évaluation de mon endurance musculaire :

Endurance des abdominaux : _____ Cote : _____ Besoin à combler : ◯ Non ◯ Oui

Endurance du haut du corps : _____ Cote : _____ Besoin à combler : ◯ Non ◯ Oui

Mon ou mes objectifs : 1. _____

2. _____

Conception de mon programme

J'applique les principes suivants de l'entraînement.

La spécificité : Exercices dynamiques à l'aide de charges : ◯ Exercices dynamiques à mains libres : ◯

Exercices retenus : voir la fiche appropriée dans *L'équipier*.

La surcharge :

a) *L'intensité :* RM : _____ Série(s) : _____

Ou nombre de répétitions pour chaque exercice : _____

b) *La durée* totale approximative d'une séance : _____ minutes.

c) *La fréquence :* _____ fois par semaine.

La progression : voir la fiche appropriée dans *L'équipier*.

Le maintien : _____

Conditions de réalisation

Date du début : _____ Date de la fin : _____

Où : _____ Quand : _____

Avec qui : _____

12.3 Votre programme personnel de flexibilité

En fonction des besoins déterminés grâce à l'évaluation de votre flexibilité (p. 186), remplissez s'il y a lieu le tableau ci-dessous. Ensuite, à l'aide des fiches de *L'équipier*, déterminez les exercices choisis pour atteindre votre ou vos objectifs, puis établissez votre progression et votre constance dans l'effort.

Résultats de l'évaluation de ma flexibilité :

Flexibilité des épaules (test 1) : _____ Cote : _____ Besoin à combler : ○ Non ○ Oui

Flexibilité des épaules (test 2) : _____ Cote : _____ Besoin à combler : ○ Non ○ Oui

Flexibilité du bas du dos
et des ischio-jambiers : _____ Cote : _____ Besoin à combler : ○ Non ○ Oui

Mon ou mes objectifs : 1. _____

2. _____

Conception de mon programme

J'applique les principes suivants de l'entraînement.

La spécificité : Exercices d'étirement statiques : ○   Autre type d'exercice : _____

Exercices retenus : voir la fiche appropriée dans *L'équipier*.

La surcharge :

a) *L'intensité :* Maintien du seuil d'étirement : _____ secondes.

Nombre de répétitions pour chaque exercice : _____

b) *La durée* totale approximative d'une séance : _____ minutes.

c) *La fréquence :* _____ fois par semaine.

La progression : voir la fiche appropriée dans *L'équipier*.   **Le maintien :** _____

Conditions de réalisation

Date du début : _____   Date de la fin : _____

Où : _____   Quand : _____

Avec qui : _____

Choisir
ses activités physiques

chapitre 13

Objectifs

○ Déterminer ses besoins, ses capacités, ses goûts et son degré de motivation à pratiquer l'activité physique de façon régulière.

○ Reconnaître les principales caractéristiques des activités physiques les plus populaires.

○ Choisir des activités qui favorisent la pratique régulière de l'activité physique et justifier ses choix.

Vous savez où les muscles puisent leur énergie et comment ils l'utilisent. Vous avez aussi une bonne idée de vos capacités physiques et de la façon de les améliorer. Dans cet esprit, vous avez même élaboré un ou plusieurs programmes personnels de mise en forme. Maintenant, il est temps de passer à une autre étape: choisir une activité physique qui vous plaît pour vous transformer en une personne active, qui prend plaisir à l'être. Pour trouver cette perle rare, vous pouvez toujours procéder à tâtons, c'est-à-dire en expérimentant diverses activités un peu au hasard, mais vous risquez ainsi d'accumuler frustrations et déceptions. Par exemple, vous pourriez découvrir, après avoir dépensé argent et énergie, que vous n'êtes pas fait pour le yoga, que le jogging est trop dur pour vos genoux ou que le golf prend trop de votre temps. Votre choix doit plutôt être basé sur vos goûts, vos besoins et vos capacités physiques. Seule une activité qui réunit tous ces **facteurs de motivation** vous conviendra. À vous de découvrir ce bijou !

Vos goûts

Dans le domaine de l'activité physique, les études sur la persévérance sont formelles: le plaisir doit être le premier critère de sélection. Or, pour trouver plaisante une activité, il faut d'abord avoir le goût de la pratiquer. Monter et descendre la même marche pendant 20 minutes, 3 fois par semaine, améliorera, certes, votre endurance cardiovasculaire, mais cela vous amusera-t-il vraiment? Il se pourrait que la danse aérobique, la natation ou le vélo vous donnent plus de plaisir, tout en vous permettant d'obtenir les mêmes résultats. Si vous aimez les sensations fortes, n'optez pas pour le taï chi! Vous aurez plus de frissons en faisant du deltaplane ou du vélo-cross. Si, au contraire, vous voulez pratiquer une activité calme, à déroulement lent, le taï chi fera l'affaire. En somme, demandez-vous quel type d'activité vous préférez.

Un conseil, cependant: ne sous-estimez pas la force de votre **tempérament**, car il peut être une source de motivation comme une cause d'abandon. Par exemple, si vous êtes du genre impatient, tenez compte du fait que la maîtrise de la technique dans des activités comme le tennis ou le golf exige justement une bonne dose de patience. Si vous avez un tempérament d'artiste ou de créateur, choisissez le ballet jazz plutôt que la corde à sauter! Et si vous ne supportez pas la compétition sportive, votre choix devrait s'orienter vers des activités où vous n'êtes opposé à aucun adversaire, comme la marche sportive, le cyclisme, le yoga ou, encore, le patin à roues alignées.

Vos besoins

Ce qui est merveilleux avec l'activité physique, c'est qu'elle permet de joindre l'utile à l'agréable, autrement dit, d'améliorer sa santé tout en s'amusant. Cependant, il faut pour cela que l'activité choisie réponde à certains besoins liés à la santé. Ces besoins, *d'ordres physique, émotionnel* et *social*, sont variés : besoin de se détendre, d'apprendre à mieux respirer, de corriger sa posture, de rencontrer des gens partageant ses intérêts, d'améliorer sa capacité cardiovasculaire, de maigrir, de surmonter sa déprime ou son anxiété, de récupérer à la suite d'une blessure, de mieux contrôler le diabète, de relever un défi personnel, etc. Par exemple, si vous aimez faire de l'exercice en groupe et que vous avez besoin d'améliorer votre souffle, l'**aéroboxe** (activité dérivée de la danse aérobique, qui combine différentes techniques d'entraînement du boxeur), le cyclotourisme ou le **cardio-vélo** (activité pratiquée en groupe sur des bicyclettes stationnaires sous la supervision d'un animateur, aussi connue sous le nom anglais de *spinning*) constituent sûrement de bons choix. Par contre, si vous souhaitez accroître votre force musculaire et que vous ressentez le besoin de le faire seul, pensez plutôt à la musculation.

Vos capacités

Une fois que vous avez trouvé une activité qui correspond à vos goûts et à vos besoins, assurez-vous que sa pratique est conforme à vos capacités physiques. L'activité qui vous intéresse pourrait être trop exigeante pour vous en raison d'une faiblesse à l'épaule ou, encore, d'une limite physique associée à un problème de santé (scoliose prononcée, hypotension, allergie au chlore, diabète, asthme mal contrôlé, etc.). Par exemple, vous pouvez avoir envie et besoin de pratiquer la danse aérobique mais, si vos chevilles sont sujettes aux entorses, ce n'est sûrement pas un bon choix. Il existe aussi des contre-indications à la pratique de certains types de sport. Ainsi, si vous souffrez d'hémophilie, la participation à des sports de contact, comme le hockey, le football ou le rugby, est tout à fait contre-indiquée. Consultez le Compagnon Web : vous y trouverez une liste détaillée des contre-indications liées à la pratique de sports.

Quoi qu'il en soit, ces limites d'ordre physique ne doivent pas freiner votre motivation ni vous servir de prétexte à l'inactivité physique. Exception faite de la phase aiguë d'une maladie ou d'une blessure sérieuse, les situations qui interdisent toute activité physique sont plutôt rares. À présent que vous connaissez les facteurs qui peuvent vous motiver à persévérer dans la pratique d'une activité physique, faites votre choix en consultant le tableau 13.1. Vous y trouverez un panorama des activités les plus populaires au Québec.

TABLEAU

13.1 Le panorama des activités physiques les plus populaires au Québec

Activités	Endurance cardio-vasculaire	Endurance musculaire	Force musculaire	Flexibilité	Appren-tissage*	Dépense énergétique (Cal/h)**
Aéroboxe	1	1	3	2	Moyen	400–700
Arts martiaux vigoureux***	2	2	3	1	Long	450–600
Badminton	2	2	3	3	Moyen	375–750
Canotage (eaux calmes)	3	2	2	4	Court	375–500
Canotage (eaux vives)	2	2	1	2	Long	450–700
Danse aérobique et *step*	1	1	3	2	Court	375–750
Escalade	3	1	2	3	Court	300–600
Golf (sans voiturette)	3	2	4	3	Long	300–450
Hockey sur glace	2	2	1	2	Long	450–750
Jogging	1	1	4	4	Aucun	450–1 125
Marche sportive	2	2	4	4	Aucun	300–450
Musculation	4	2	1	2	Court	450–600
Natation (longueurs)	1	1	3	2	Long	450–900
Patin à roues alignées	1	1	3	3	Long	450–1 125
Patin sur glace	2	2	3	3	Long	300–600
Randonnée en raquettes	2	2	3	3	Court	375–750
Saut à la corde	1	1	4	4	Court	600–900
Ski alpin	4	2	2	3	Long	375–600
Ski de fond	1	1	3	3	Moyen	750–1 200
Soccer	2	2	3	2	Moyen	450–750
Squash et racquetball	2	2	3	3	Moyen	450–900
Surf des neiges (planche à neige)	4	3	2	3	Long	375–600
Taï chi	3	1	3	1	Moyen	300–450
Techniques de relaxation	4	4	4	3	Court	150–300
Tennis	2	2	2	2	Long	375–750
Tennis de table	3	2	4	3	Moyen	300–450
Tir à l'arc	4	2	3	3	Moyen	255–300
Yoga	4	4	4	1	Moyen	150–300

Légende 1 : effet très important. 2 : effet important. 3 : effet moyen. 4 : effet faible.

* Le temps nécessaire à l'apprentissage d'une activité varie beaucoup : long, moyen, court, aucun. Il dépend du degré d'habileté de la personne et de l'intérêt manifesté pour apprendre.

** La dépense énergétique varie en fonction du degré d'habileté de la personne, de son poids et de l'intensité de l'effort fourni.

*** Les arts martiaux vigoureux sont l'aïkido, le karaté, la boxe chinoise, le jiu-jitsu, le judo, le kung fu, etc.

Choisir
un centre d'activité physique

En choisissant une activité, il arrive qu'on choisisse aussi tout un environnement. C'est le cas lorsque l'on suit un cours ou que l'on pratique une activité dans un centre d'activité physique ou un centre de santé. Ces centres, de plus en plus populaires, offrent certains avantages par rapport à la pratique effectuée sur une base autonome : choix entre diverses activités, choix de salles (gymnase, salle de musculation, salle de danse aérobique pourvue de miroirs, etc.), présence de spécialistes, service d'évaluation de la condition physique, atmosphère donnant le goût de bouger, possibilité de faire des rencontres intéressantes – sans compter les petits extras, comme les baignoires à remous, les saunas, les restaurants santé ou la massothérapie. Néanmoins, on peut perdre son argent et son temps si l'on choisit le « mauvais » centre ou un centre qui ne convient pas à ses besoins. Voici quatre critères à considérer avant de débourser le moindre sou.

Premier critère : la distance

La distance à parcourir pour aller s'entraîner nous ramène au facteur du temps. En effet, s'il vous faut une heure pour vous rendre à votre club de santé, vous risquez de sauter des séances et, finalement, de tout laisser tomber. En choisissant un centre situé à moins d'une vingtaine de minutes de votre point de départ (domicile ou lieu de travail), vous augmentez vos chances de persévérer.

Deuxième critère : les lieux

Visitez toutes les salles du centre d'activité physique. Cette visite devrait se faire le même jour de la semaine et à la même heure que ceux où vous comptez faire votre séance d'exercice. Vous aurez ainsi une idée juste de l'atmosphère qui règne à ce moment-là. Portez une attention particulière aux trois points suivants : les spécialistes, les appareils de mise en forme et l'achalandage.

Les spécialistes. Y a-t-il des **éducateurs physiques** sur place pour donner des conseils sur l'utilisation des divers appareils de mise en forme ? Ces personnes sont-elles dynamiques ou amorphes ? Surveillent-elles les membres ou se tiennent-elles à l'écart ? Semblent-elles d'un abord facile ? Si c'est un cours de danse aérobique qui vous intéresse, observez comment une séance se déroule. Les exercices semblent-ils correspondre à vos capacités physiques actuelles ? La personne responsable du cours est-elle un véritable éducateur ou ne fait-elle qu'exhiber sa superforme ? Est-elle stimulante, est-ce une personne qui saura vous motiver ? Sachez que la qualité de l'animation est très importante dans ce genre de cours… si l'on veut persévérer.

Les appareils de mise en forme. Si vous souhaitez vous entraîner à l'aide d'appareils de conditionnement physique, examinez attentivement la salle où ces appareils se trouvent. Celle-ci doit être bien aérée et assez grande pour éviter aux gens de se marcher sur les pieds. Une forte odeur de transpiration indique une mauvaise ventilation. Dites-vous également que plus le choix d'appareils est vaste, plus vos chances de persévérer sont grandes. Les appareils électroniques munis d'une console (très répandus maintenant) qui proposent un vaste choix de programmes tout en calculant votre dépense énergétique et votre pouls à l'effort vous motiveront peut-être davantage. Si vous avez choisi la musculation pour remodeler votre corps, le centre devrait mettre à votre disposition une gamme complète de poids libres ou encore d'appareils de musculation. On devrait trouver, à proximité des appareils, des directives claires sur leur mode d'utilisation. Une salle de musculation en désordre (haltères qui traînent sur le sol, collets sans vis, bancs dont le revêtement est déchiré, appareils en mauvais état, etc.) révèle un mauvais entretien.

L'achalandage.   Les membres doivent-ils faire la queue pour utiliser les appareils ou les haltères? Si oui, tenez compte de ce temps d'attente dans votre décision finale. Allez faire un tour dans les vestiaires. Les gens y sont-ils entassés comme des sardines? Y a-t-il suffisamment de douches? S'il y en a peu, cela signifie encore du temps d'attente. Sont-elles propres? Sinon, gare au pied d'athlète!

Troisième critère : le personnel

Votre visite s'achève, et vous avez aimé ce que vous avez vu et entendu; il est alors temps de finir votre « enquête » en posant quelques questions précises à un employé du centre. Demandez-lui si l'on peut évaluer votre condition physique et vous proposer ensuite un programme de mise en forme personnalisé. Si oui (ce qui est un atout pour le centre), ce service est-il gratuit à des intervalles réguliers pendant l'année ou en surplus? Va-t-on vous faire remplir un questionnaire pour déterminer les risques que vous pourriez courir sur le plan cardiovasculaire ou articulaire en vous entraînant? Informez-vous également sur la formation des membres du personnel. Idéalement, ceux-ci devraient être diplômés en éducation physique ou en kinanthropologie (science de l'être humain en mouvement), ou bien, à tout le moins, être étudiants dans l'une de ces disciplines.

Quatrième critère : les signes suspects

Les indices suivants peuvent vous aider à repérer les centres gérés par des gens qui pensent davantage à faire des profits qu'à offrir de bons services à leurs membres.

- On hésite à vous donner des prix au téléphone, mais on vous incite fortement à venir sur place pour en discuter.
- On ne vous permet pas d'essayer gratuitement les installations du centre, de visiter les lieux ou, encore, de parler avec le personnel.
- On insiste pour vous faire signer rapidement un contrat d'abonnement ou bien l'on vous propose une réduction de dernière minute, valable seulement pendant 24 heures.
- On essaie de vous vendre un abonnement à long terme en faisant miroiter une économie substantielle. En fait, certains centres comptent sur le fort taux d'abandon (on sait que de 30 % à 40 % des gens qui s'inscrivent abandonnent après quelques semaines) pour pouvoir offrir des places à de nouveaux membres! Consultez le Compagnon Web avant de signer un contrat d'abonnement.

Faire
de l'exercice chez soi

Vous pouvez aussi choisir de faire de l'exercice à la maison. Finis les déplacements! Vous vous entraînez quand vous voulez et vous n'avez plus à attendre pour prendre une douche ou vous sécher les cheveux. Vous ne payez pas de frais d'adhésion et vos déplacements ne vous coûtent rien. De plus, vous épargnez en achat de vêtements (quand on va dans un centre, on dépense davantage pour les vêtements d'exercice). Ces épargnes amortiront, en quelques mois, l'achat d'un exerciseur domestique ou de plusieurs vidéocassettes d'exercice. Et vous gagnerez du temps à ne pas vous déplacer !

Le choix d'un exerciseur domestique

Si vous optez pour un exerciseur, prenez le temps de bien le choisir, afin d'éviter qu'il ne se retrouve au placard au bout de deux semaines. Ce serait faire un mauvais achat que de vous équiper d'une bicyclette stationnaire si vous aimez plus ou moins pédaler ou d'un rameur si vous avez des problèmes de dos. Si la dépense énergétique est pour vous un facteur important, le tableau 13.2 pourra faciliter votre choix. Considérez aussi l'espace dont vous disposez. S'il vous faut toujours déplacer le canapé pour installer l'escalier d'exercice, votre motivation pourrait faiblir rapidement. Même si vous possédez un appareil pliant, sachez qu'il prend de la place... une fois déplié! Pour éviter ce problème, prévoyez une surface minimale de 1,5 mètre sur 2 mètres.

Quant au prix à payer pour acquérir l'appareil qui vous gardera en forme, vous pouvez l'estimer en consultant les cahiers publicitaires des grandes surfaces ou des magasins d'articles de sport. Notez les caractéristiques des différents modèles annoncés et comparez les prix. Un conseil: méfiez-vous des appareils bas de gamme à prix réduit. Fabriqués à la hâte, ces appareils se brisent souvent et augmentent les risques d'accident. En outre, ils sont plus bruyants et plus difficiles à manœuvrer que les appareils de bonne qualité. La figure 13.1 présente quelques appareils de mise en forme populaires. Consultez le Compagnon Web avant de vous lancer dans un achat et pour des conseils d'utilisation.

TABLEAU
13.2 Nombre approximatif de calories dépensées en une heure d'exercice modéré

Masse corporelle (kg)	Tapis roulant	Escalier d'exercice	Bicyclette stationnaire
50	540	470	420
60	650	580	510
70	785	700	625
80	910	860	730
90	1 150	1 000	895

3.1

Quelques appareils de mise en forme très populaires

Bicyclette stationnaire

Machine à mouvement elliptique

Escalier d'exercice

Tapis roulant

Le choix d'une vidéocassette d'exercice

Les vidéocassettes d'exercice sont de plus en plus populaires auprès de ceux qui souhaitent faire de l'exercice à la maison. Malheureusement, les exercices présentés ne respectent pas toujours les règles d'efficacité et de sécurité, et ils sont même parfois peu recommandables! Ici encore, on devra prendre les précautions nécessaires pour faire un bon choix.

Prenez d'abord connaissance des renseignements fournis sur la boîte de présentation de la vidéocassette. Ces renseignements devraient :

- préciser à qui s'adresse le programme (niveau débutant, intermédiaire ou avancé);
- contenir une mise en garde concernant l'aptitude à faire certains exercices sans risque pour sa santé;
- préciser les objectifs visés (raffermissement musculaire, amélioration de l'endurance cardiovasculaire ou de la flexibilité, perte de tissu adipeux, etc.);
- préciser les éléments du programme et leur durée;
- contenir une liste des accessoires requis (bandes élastiques, chaise, banc d'exercice, etc.).

La formation et la compétence de l'animateur devraient aussi être clairement indiquées. S'agit-il d'un spécialiste en éducation physique ou simplement d'une vedette de cinéma qui profite de sa popularité pour vendre son produit? Méfiez-vous d'une boîte de présentation avare d'information pertinente, mais qui vous en met plein la vue avec des gros plans d'une vedette.

Quant au contenu, rappelez-vous que tout bon programme d'exercice doit inclure une période d'échauffement de 8 minutes à 10 minutes, une période d'exercices spécifiques d'au moins 15 minutes (il s'agit généralement d'exercices aérobiques ou de musculation) et une période de retour au calme d'au moins 5 minutes. Pour les exercices aérobiques, on doit insister sur le respect de la fréquence cardiaque cible (chapitre 11). L'animateur doit aussi inciter les participants à arrêter l'exercice si une douleur intense ou inhabituelle apparaît et à respecter leurs limites physiques. Lorsqu'elle répond à ces exigences, la vidéocassette d'exercice peut constituer un moyen efficace et économique de se garder en forme chez soi.

à vos méninges

13

Remarque : Il peut y avoir plus d'une bonne réponse par question.

1 **PARMI LES CRITÈRES SUIVANTS, LESQUELS CONCERNENT LE CHOIX D'UNE ACTIVITÉ PHYSIQUE ?**

○ **a)** Ses besoins.

○ **b)** Ses capacités.

○ **c)** Sa condition physique.

○ **d)** Son hérédité.

○ **e)** Ses réserves d'ATP.

2 **PARMI LES RAISONS SUIVANTES, LESQUELLES PEUVENT VOUS POUSSER À PRATIQUER UNE ACTIVITÉ PHYSIQUE ?**

○ **a)** Améliorer son endurance cardiovasculaire.

○ **b)** N'avoir aucune restriction médicale.

○ **c)** Chercher des sensations fortes.

○ **d)** Améliorer sa flexibilité.

○ **e)** Aucune des réponses précédentes.

3 **PARMI LES CRITÈRES SUIVANTS, LESQUELS PEUVENT VOUS AIDER À CHOISIR LE BON CENTRE DE SANTÉ ?**

○ **a)** Un personnel compétent.

○ **b)** La distance par rapport à votre lieu de départ.

○ **c)** L'année de construction du centre.

○ **d)** La présence de baignoires à remous.

○ **e)** Aucune des réponses précédentes.

4 **QUELS ÉLÉMENTS DEVRAIENT FIGURER SUR LE BOÎTIER D'UNE VIDÉOCASSETTE D'EXERCICE ?**

○ **a)** Le niveau du programme : débutant, intermédiaire ou avancé.

○ **b)** Une mise en garde concernant l'aptitude à faire certains exercices.

○ **c)** Les objectifs visés par le programme.

○ **d)** Les éléments du programme et leur durée.

○ **e)** Toutes les réponses précédentes.

5 SI VOUS NE DISPOSEZ QUE DE 20 MINUTES, LAQUELLE OU LESQUELLES DES ACTIVITÉS SUIVANTES POUVEZ-VOUS PRATIQUER?

○ **a)** Le golf. ○ **d)** Le ski de fond.

○ **b)** Le saut à la corde. ○ **e)** Le canotage.

○ **c)** Le jogging.

6 COMPLÉTEZ LES PHRASES SUIVANTES.

a) En choisissant un centre d'activité physique situé à moins de _____ minutes de votre point de départ, vous augmentez vos chances de _____ .

b) Dans le choix d'un centre d'activité physique, il faut se demander s'il y a un _____ sur place pour donner des conseils sur l'utilisation des divers appareils de mise en forme.

c) Dans un centre d'activité physique, une forte odeur de _____ indique une mauvaise ventilation.

pour en savoir plus

LECTURES SUGGÉRÉES

• Ducardonnet, A., G. Porte et P. Boulanger, *Le guide sport santé*, Paris, Édition°1, 1995.

• *Encyclopédie junior des sports*, Montréal, Québec Amérique, 2003.

• *Encyclopédie visuelle des sports*, Montréal, Québec Amérique, 2000.

• Greuil, S., *et al., Le livre des sports*, Paris, Gallimard, 1996.

SITES INTERNET À VISITER

Findsport («L'annuaire de tous les sports»)
http://www.findsport.com/nav.asp

France Teaser (portail des meilleurs sites Internet consacrés au sport)
http://www.teaser.fr/~blamonnier/sports/sports.htm

Sportail.net (portail qui présente un répertoire de sites Internet consacrés au sport)
http://www.sportail.net/

bilan

Votre choix d'activités physiques

Pourrait-on imaginer un individu qui, désireux d'améliorer son alimentation, se mettrait à manger des aliments santé dont il n'aimerait pas le goût? L'activité physique ne doit pas, elle non plus, être seulement bénéfique pour la santé; elle doit aussi être une source de motivation et de plaisir. *On doit avoir envie de pratiquer l'activité physique choisie une autre fois, puis une autre fois, et encore, jusqu'à ce qu'elle devienne une habitude de vie.*

Avant de choisir une activité qui vous convienne et vous motive, vous devriez d'abord, à l'aide du tableau A, établir votre degré de motivation à pratiquer l'activité physique en général. Puis, déterminez vos capacités, vos goûts, vos besoins, ainsi que le temps que vous pouvez consacrer à l'activité physique. Les tableaux B, C, D et E vous aideront à faire ce bilan. En parcourant les tableaux C et D, notez les activités associées à chacune des affirmations que vous aurez cochées. Le recoupement de vos choix devrait vous permettre de repérer une ou plusieurs activités qui vous conviennent particulièrement. Afin de parfaire vos choix, consultez à nouveau le tableau 13.1, portant sur les caractéristiques des activités les plus populaires au Québec.

A VOTRE DEGRÉ DE MOTIVATION

Cochez la colonne appropriée. Accordez-vous **deux points** chaque fois que vous cochez *Vrai*, **un point** pour *Partiellement vrai* et **aucun point** pour *Faux*.

Facteurs de motivation	Vrai	Partielle-ment vrai	Faux
1. L'exercice m'aide à me sentir mieux dans ma peau.			
2. L'exercice m'aide à contrôler mon poids.			
3. J'ai du plaisir à pratiquer une activité physique.			
4. L'exercice améliore ma confiance en moi.			
5. Je suis motivé à faire de l'exercice sans que j'aie besoin d'être encouragé ou récompensé.			
6. Je suis habile dans les sports en général et j'apprends avec facilité.			
7. Je me sens plein d'énergie quand je suis physiquement actif.			

Facteurs de motivation	Vrai	Partielle-ment vrai	Faux
8. J'ai accès, chez moi ou près de chez moi, à l'équipement voulu pour faire de l'exercice.			
9. Je suis capable de me fixer des objectifs de mise en forme et de suivre mes progrès.			
10. J'ai des amis qui apprécient les mêmes activités physiques que moi.			
11. Mes proches m'encouragent à faire de l'exercice.			
12. L'exercice me détend.			
13. J'ai la ferme intention de demeurer le plus longtemps possible une personne physiquement active.			
14. J'ai la détermination et la patience voulues pour maîtriser un exercice complexe.			
15. Si je passe plusieurs jours sans faire d'exercice, je ressens une envie grandissante de me dépenser physiquement.			

Faites le total des points obtenus. _____

Ce que votre résultat signifie…

Entre 25 points et 30 points. Votre degré de motivation à pratiquer une activité physique est **très élevé**. Vous êtes, sans l'ombre d'un doute, une personne physiquement très active.

Entre 19 points et 24 points. Votre degré de motivation demeure **élevé**, même si vous n'êtes pas toujours une personne physiquement active. À long terme, il est probable qu'on vous verra plus dans des chaussures de sport que dans des pantoufles.

Entre 14 points et 18 points. Votre degré de motivation est **moyen**. Vous chausserez peut-être plus volontiers des pantoufles.

Entre 9 points et 13 points. Votre degré de motivation est **faible** et vous êtes probablement une personne qui mène une vie sédentaire. Vous manquez de conviction pour passer dans le clan des personnes physiquement actives.

Moins de 8 points. Votre degré de motivation est **très faible**. Lisez et relisez le chapitre 2!

B VOS CAPACITÉS

Je suis...	Quelques suggestions
1. en bonne santé, mais pas en forme.	Choisissez votre activité en fonction de vos goûts, de vos besoins, de votre budget et de votre disponibilité, mais *commencez doucement*. Attention : si l'activité choisie est d'intensité élevée, *mettez-vous d'abord en forme* avant de la pratiquer.
2. en bonne santé et en forme.	Tant mieux pour vous ! Vous n'avez qu'à choisir selon vos goûts, vos besoins, votre budget et votre disponibilité.
3. handicapé par une blessure ou une maladie (asthme, arthrite, diabète, maladie cardio-vasculaire, etc.).	Consultez votre médecin, votre physiothérapeute, votre éducateur physique ou le Compagnon Web avant de vous lancer dans la pratique d'une nouvelle activité physique, surtout si elle est d'une intensité moyenne à élevée.

C VOS GOÛTS

Je préfère...	Quelques suggestions
4. les activités qui se pratiquent individuellement.	Marche, jogging, ski de fond, ski alpin, surf des neiges, raquette, vélo, golf, musculation, patin à roues alignées, patin sur glace, méthodes de relaxation, etc.
5. les activités qui favorisent les contacts sociaux.	Sports d'équipe (volley-ball, basket-ball, soccer, hockey, ringuette, handball, balle molle, etc.), événements grand public (marathon, triathlon, etc.) ou de groupe (randonnée cycliste, cardio-vélo, danse aérobique, aéroboxe, arts martiaux, etc.).
6. les activités à forte dépense énergétique (plus de 700 Cal/h).	Squash, racquetball, badminton, tennis, vélo-cross, ski de fond en montagne, danse, jogging rapide, soccer, hockey, ringuette, etc.
7. les sports de combat.	Arts martiaux, escrime, boxe, lutte gréco-romaine, etc.
8. les gymnastiques douces.	Méthodes de relaxation, taï chi, yoga, méthode Alexander, méthode Feldenkrais, etc.
9. les activités où il y a de la compétition.	Tous les sports dans lesquels on affronte un ou plusieurs adversaires, en équipe ou en solo.
10. les activités où je peux exprimer ma créativité à l'aide de mon corps.	Danse classique, danse moderne, ballet jazz, danse aérobique, patinage artistique, etc.
11. les activités à sensations fortes.	Deltaplane, descente de rapides en canot, escalade de glace, parachutisme, ski à voile sur un lac, planche à voile en mer, etc.

Je préfère...	Quelques suggestions
12. l'activité physique non structurée.	Toute activité physique que l'on fait à la maison, au travail ou dans ses loisirs.
13. les activités qui se pratiquent dans la nature.	Escalade, randonnée pédestre, descente de rapides en canot, ski de fond, raquette, vélo de montagne, voile, planche à voile, ski nautique, plongée sous-marine, équitation, golf, etc.
14. l'entraînement à la maison.	Exerciseurs cardiovasculaires, vidéocassettes d'exercice, émissions de mise en forme à la télévision, corde à sauter, etc.

D VOS BESOINS

J'ai besoin...	Quelques suggestions
15. d'améliorer mon endurance cardio-vasculaire et musculaire.	Marche sportive, jogging, ski de fond, vélo, patin à roues alignées, exerciseurs cardiovasculaires, vidéocassettes d'exercice, natation, soccer, water-polo, etc.
16. d'améliorer ma force musculaire.	Musculation, escalade, canot, vélo de montagne, arts martiaux, hockey, etc.
17. d'améliorer ma souplesse.	Yoga, méthode Feldenkrais, ballet jazz, danse moderne, exercices d'étirement, etc.
18. de diminuer mes réserves de graisse.	Marche rapide, jogging, vélo à vitesse modérée, ski de fond, natation, raquette, combinaison d'activités cardiovasculaires et musculation, etc.
19. d'améliorer ma posture.	Danse classique ou moderne, ballet jazz, danse populaire, méthodes posturales (méthode Mézières, *rolfing*), etc.
20. d'améliorer ma capacité de me détendre.	Méthodes de relaxation (relaxation progressive de Jacobson, training autogène, massothérapie, etc.), l'activité physique en général.
21. d'avoir des contacts sociaux.	Voir le point 5 ci-dessus.
22. de me retrouver seul.	Voir le point 4 ci-dessus.
23. de me retrouver dans la nature.	Voir le point 13 ci-dessus.
24. d'éprouver des sensations fortes.	Voir le point 11 ci-dessus.
25. d'échapper à une structure trop rigide.	Voir le point 12 ci-dessus.

E LE TEMPS DONT VOUS DISPOSEZ

À une séance d'activité physique, je peux consacrer...	Quelques suggestions
26. moins de 30 minutes.	Marche rapide, jogging, exerciseurs cardiovasculaires, corde à sauter, etc.
27. entre 30 minutes et 60 minutes.	En plus des activités mentionnées au point 26, squash, racquet-ball, badminton, danse aérobique, danse de société, volley-ball, patin à roues alignées, patin sur glace, tennis de table, vélo, gymnastique douce, escrime, tir à l'arc.
28. de une heure à deux heures.	En plus des activités mentionnées aux points 26 et 27, tennis, hockey, arts martiaux, sports d'équipe en général.
29. plus de deux heures.	En plus des activités mentionnées aux points 26 à 28, golf, ski de fond, ski alpin, surf des neiges, activités de plein air (planche à voile, escalade, canot, équitation, etc.).

En conclusion,

vos trois premiers choix sont...

1. _____

2. _____

3. _____

Se préparer
à l'action

chapitre 14

Objectifs

○ Connaître les éléments d'une bonne préparation physique et mentale à l'activité physique.

○ Connaître les règles de sécurité et de confort devant présider à la pratique de l'activité physique.

Partiriez-vous en vacances sans mettre l'essentiel dans vos bagages? Probablement pas. Pourtant, certaines personnes se lancent dans la pratique d'une activité physique avec des chaussures qui leur font mal aux pieds et des vêtements qui irritent leur peau ou qui les font transpirer comme si elles étaient dans un sauna. Il va sans dire qu'elles ne font aucun exercice d'échauffement avant de commencer l'activité physique et qu'elles ne s'hydratent pas pendant cette dernière!

Vous l'aurez deviné: il faut une préparation minimale pour pratiquer une activité physique de manière agréable et sans danger. La complexité de cette préparation varie en fonction de l'activité pratiquée, de sa durée et du temps qu'il fait. Par exemple, pour une séance de marche ordinaire de 15 minutes par beau temps, la préparation est plutôt courte: on n'a qu'à se lever et à marcher! Par contre, pour une sortie de plongée sous-marine, une descente de rapides ou une longue randonnée de ski de fond, la préparation demande un plus grand soin. Elle touchera l'habillement, les chaussures, l'échauffement et le retour du corps au calme, la protection de la peau, l'hydratation et l'alimentation. Enfin, pour que la pratique d'une activité physique persiste pendant plusieurs années, il faut aussi prendre les moyens pour préserver sa motivation. Voyons maintenant, un à un, tous ces éléments, en commençant par l'habillement.

L'habillement:
une question de température

Au repos, la température du corps est d'environ 37°C. La chaleur dégagée par l'organisme provient en grande partie de l'activité des organes vitaux, en particulier le cœur, le foie et le cerveau. Les muscles fixés au squelette fournissent tout de même de 20% à 30% de la chaleur corporelle. Dès que l'on passe du repos à l'effort physique, la situation change radicalement. La quantité de chaleur produite par les muscles actifs peut alors devenir de 30 fois à 40 fois supérieure à celle que produit le reste de l'organisme. De fait, *les muscles au travail sont, de loin, les plus gros producteurs de chaleur.* Voilà pourquoi on a chaud quand on fait de l'exercice et pourquoi il faut s'habiller en conséquence.

S'habiller par temps chaud

Par temps chaud ou à l'intérieur, il faut s'habiller légèrement afin de faciliter l'évacuation de la chaleur produite par les muscles. Ce n'est donc pas le moment de porter un lourd survêtement qui couvre pratiquement tout le corps. Un t-shirt et un short constituent le meilleur choix. Ces vêtements devraient être amples, de façon à faciliter la circulation de l'air entre la peau et le tissu. Au soleil, portez des vêtements de couleurs pâles, car le blanc réfléchit la lumière alors que le noir l'absorbe, ce qui a pour effet d'augmenter localement la température. Si le temps est très chaud et, surtout, humide, réduisez l'intensité et la durée de vos efforts pour éviter la déshydratation (p. 338). Dans ces conditions, il est parfois préférable de pratiquer une activité physique d'intensité légère et de courte durée – ou même d'éviter toute activité physique. Le tableau 14.1 vous aidera à repérer les températures auxquelles il vaut mieux se tenir à l'ombre ou se baigner, tandis que le Zoom vous renseignera sur les dangers associés à la chaleur et à l'humidité excessives.

TABLEAU 14.1 Les températures dangereusement chaudes

Humidité relative (%)	\ Température ambiante (°C)	21	24	26	29	32	35	38	40	43	46	49
		Température équivalente (°C)										
0		18	21	23	25	28	30	33	35	37	39	42
10		18	21	24	26	29	32	35	38	40	43	47
20		19	23	25	27	30	34	37	40	43	49	54
30		20	24	26	28	32	36	40	45	50	57	64
40		20	24	26	29	34	39	43	50	58	66	
50		21	24	27	30	36	42	49	57	65		
60		21	25	28	32	38	45	55	65			
70		22	25	29	34	41	51	62				
80		22	26	30	36	45	58					
90		23	26	30	40	50						
100		23	27	33	42							

Légende

Risque de crampes de chaleur.

Risque élevé de crampes de chaleur et d'épuisement par la chaleur.

Risque élevé de coup de chaleur.

ZOOM

Les dangers
liés au temps chaud et humide

Une évacuation insuffisante de la chaleur du corps peut provoquer des crampes de chaleur, de l'épuisement par la chaleur ou un coup de chaleur.

Les crampes de chaleur.
Elles apparaissent habituellement dans les muscles utilisés pendant l'exercice. Le traitement est simple : il faut s'arrêter, étirer le muscle noué par la crampe et boire de l'eau (celle-ci peut être légèrement salée).

L'épuisement par la chaleur.
Il s'agit d'un problème plus sérieux que la crampe. Les symptômes sont la fatigue extrême, l'essoufflement, les étourdissements, la nausée, une moiteur fraîche de la peau et, enfin, un pouls faible et rapide. Le traitement consiste à refroidir la personne en lui faisant boire des liquides, froids de préférence. Garder une position allongée, les pieds surélevés, aide aussi à la récupération en facilitant le retour du sang vers le cœur.

Le coup de chaleur.
C'est le plus grave des incidents causés par la chaleur pendant un exercice physique. Le coup de chaleur peut même entraîner la mort! En fait, c'est un état d'urgence qui requiert l'intervention immédiate d'un médecin. Il se caractérise par une température corporelle élevée (plus de 40°C), une absence de sudation, une peau souvent sèche et chaude, une hypertension inhabituelle, un comportement bizarre, de la confusion et une perte de conscience. Le traitement immédiat vise à refroidir rapidement la personne dans un bain d'eau froide ou de glace, à l'envelopper dans un drap humide et à la ventiler.

S'habiller par temps froid

Par temps froid, les muscles produisent autant de chaleur que par temps chaud, mais celle-ci se dissipe plus facilement. Il faut donc s'habiller chaudement, sans exagération et selon le principe des pelures d'oignon : portez plusieurs vêtements assez amples et superposés en couches successives, qui enfermeront ainsi l'air et procureront une bonne isolation. Au fur et à mesure que le corps s'échauffe, on peut enlever les couches extérieures ; ensuite, à la fin de l'activité, quand le corps se refroidit, on peut les remettre, ce qui évite la transpiration excessive et les refroidissements brusques du corps.

La première couche de vêtements.   Cette couche de vêtements doit vous garder au sec en absorbant l'humidité produite par la transpiration. C'est l'équivalent du pare-vapeur dans les murs d'une maison. Les sous-vêtements longs, fabriqués à base de polyester (ou de ses dérivés, comme le polypropylène) et à séchage rapide, répondent parfaitement à cette exigence. La face interne de ces sous-vêtements absorbe l'humidité et l'achemine vers la face externe où elle sera trans-férée à la face interne du vêtement de la deuxième couche, et ainsi de suite jusqu'à l'air ambiant. C'est le principe des vases communicants, quoi! Les sous-vêtements en flanelle (une laine douce qui, même mouillée, ne perd pas ses qualités isolantes) sont aussi recommandés. Laissez toutefois le coton dans la commode : une fois mouillé, il glace la peau.

Soulignons un aspect important des vêtements de la première couche : ils doivent coller au corps, de façon à ce que la face interne du tissu, plaquée contre la peau, absorbe l'humidité du corps avant même la formation des gouttes de sueur. Si, au contraire, vous flottez dans vos sous-vêtements, soyez assuré que vous flotterez aussi… dans votre sueur ! Selon l'activité que vous pratiquez, vous choisirez des sous-vêtements plus ou moins épais. Ainsi, pour pratiquer des activités aérobiques (comme le ski de fond, le jogging d'hiver ou la raquette), optez pour des sous-vêtements minces et légers. Par contre, pour pratiquer des activités au cours desquelles vous êtes souvent à l'arrêt (comme l'escalade de glace, le patinage, la glissade ou le ski de fond en famille), penchez plutôt pour les sous-vêtements épais ou d'épaisseur moyenne.

La deuxième couche de vêtements. Cette couche comprend parfois deux ou trois épaisseurs et sert d'isolant contre le froid. C'est l'équivalent de la laine minérale dans les murs d'une maison. Le vêtement type contient un savant mélange de fibres isolantes et «respirantes» (laine polaire, polyester, mélange coton et polyester). Comme vous l'avez fait pour la première couche, choisissez l'épaisseur de cette couche isolante en fonction de la dépense énergétique de l'activité pratiquée.

La troisième couche de vêtements. Cette couche sert à la fois de coupe-vent, d'im-perméable et de déshumidificateur (l'humidité produite par la transpiration doit pouvoir s'échapper à l'air libre). Elle équivaut au revêtement extérieur de la maison. Les deux-pièces (anorak et pantalon) ou les combinaisons (vêtements d'une seule pièce) contenant une fibre synthétique imperméable (Gore-Tex, Conduit, Activent, Sympatex, Thinsulate, Windstopper et autres marques déposées semblables) offrent une protection maximale contre le froid, l'eau et l'humidité. Considérez le port d'une combi-naison si vous pratiquez un sport qui vous expose à la morsure du vent, comme le ski alpin ou la voile sur glace. La combinaison crée un effet de «cheminée», qui force la chaleur produite par les muscles à remonter vers le haut du corps. Selon l'activité pratiquée, la troisième couche sera plus ou moins épaisse et étanche. Par exemple, elle sera très légère en ski de fond, parce que l'on produit beaucoup de chaleur, tandis qu'elle sera plus chaude et étanche en ski alpin, à cause de l'effet refroidissant du vent (Zoom).

Les zones sensibles. Si le principe des pelures d'oignon convient parfaitement au corps lui-même, il n'est pas approprié aux extrémités du corps. On ne peut quand même pas porter trois paires de chaussettes, trois paires de gants et trois tuques! Ces parties du corps exigent une protection vestimentaire différente.

Commençons par les **pieds**, puisqu'ils sont souvent les premières victimes du froid. Même à −20 °C, les pieds transpirent si l'on fait un exercice intense. Par conséquent, enfilez des bas qui gardent les pieds au sec et au chaud. La chaussette de laine, avec ou sans acrylique (l'acrylique accélère le séchage), et la chaussette composée de fibres synthétiques, comme le polypropylène et le ThermaStat, remplissent cette double fonction. Attention aux **bottes** : trop petites, elles sont inconfortables et favorisent les engelures. Pour trouver celles qui vous conviennent, essayez-les au magasin avec les chaussettes que vous portez habituellement. Il devrait y avoir un espace de 1 cm ou 2 cm entre le bout de l'orteil le plus long et la pointe de la botte. La même règle s'applique au choix de patins.

Pour protéger vos **mains** du froid, vous pouvez porter des gants plutôt que des mitaines, si l'activité pratiquée nécessite l'utilisation des doigts séparés. On trouve aujourd'hui sur le marché des gants imperméables très bien isolés. Pour les sports où l'utilisation des doigts séparés n'est pas essentielle (patin, glissade, raquette, etc.), vous avez le choix entre les mitaines ou les gants.

Il faut aussi protéger sa **tête**. Contrairement aux pieds et aux mains, la circulation sanguine dans la tête ne diminue jamais par temps froid ; heureusement, d'ailleurs, sinon on se gèlerait le cerveau ! Cela explique pourquoi la tête, même si elle ne représente que 8 % de la surface corporelle, peut faire perdre de 30 % à 40 % de la chaleur produite par le corps ! Le port d'une coiffure (tuque, bandeau, etc.) est donc de rigueur. Par temps très froid, on peut protéger son visage en portant une cagoule. Pensez aussi à protéger du froid votre cou, vos aisselles, vos côtes et votre aine, car la perte de chaleur peut être importante dans ces régions. Enfin, s'il fait un froid sibérien (tableau 14.2) et que le risque d'engelures est très élevé, il pourrait être préférable d'annuler votre sortie.

TABLEAU 14.2 Les températures dangereusement froides

		Température ambiante (°C)													
		4	2	–1	–4	–7	–9	–12	–15	–18	–21	–23	–26	–29	–32	–34
Vitesse du vent (km/h)		Température équivalente (°C)													
	0	4	2	–1	–4	–7	–9	–12	–15	–18	–21	–23	–26	–29	–32	–34
	8	3	1	–3	–6	–9	–11	–14	–17	–20	–24	–26	–29	–32	–35	–37
	16	–2	–6	–9	–13	–15	–19	–23	–26	–29	–33	–36	–39	–43	–48	–50
	24	–5	–9	–12	–17	–20	–24	–28	–32	–38	–40	–43	–46	–50	–54	–57
	32	–8	–11	–16	–20	–23	–27	–32	–35	–39	–43	–47	–51	–55	–60	–63
	40	–9	–14	–18	–22	–26	–30	–34	–38	–42	–48	–51	–55	–59	–64	–67
	48	–10	–15	–19	–24	–28	–32	–36	–40	–44	–49	–53	–57	–62	–66	–70
	56	–12	–16	–20	–25	–29	–33	–37	–42	–45	–51	–55	–58	–63	–68	–72
	64	–13	–17	–21	–26	–30	–34	–38	–43	–47	–52	–56	–60	–65	–70	–74

Légende

Faible risque d'engelures.

Risque d'engelures.

Risque élevé d'engelures et d'hypothermie.

Tel sport,
tel vêtement

Le principe des pelures d'oignon s'applique à tous les sports d'hiver, mais il saute aux yeux qu'un skieur ne s'habille pas comme un fondeur ! C'est que la composition de la troisième couche varie en fonction du vent et de la dépense calorique. Plus une activité nous expose au vent (le ski alpin, par exemple), plus on risque de refroidir rapidement. C'est le fameux facteur éolien (tableau 14.2). Au contraire, plus l'activité nous fait brûler des calories, plus on a chaud. En tenant compte de ces deux facteurs, voici à quoi devrait ressembler la troisième couche de vêtements.

Ski de fond.
Ce sport à haute dépense énergétique entraîne une grosse production de chaleur. La troisième couche sera donc légère et facilitera l'évacuation de l'humidité. Un bon choix : le blouson long (avec trous d'aération sous les aisselles) et le pantalon mince en nylon traité. Si vous transpirez beaucoup, le blouson à base d'Activent est à considérer, parce que cette membrane évacue avec une grande facilité l'humidité produite par le corps. La (coûteuse !) combinaison en lycra et en spandex intéressera surtout les fondeurs aguerris. Un détail important : si vous ouvrez une piste dans la neige profonde, la guêtre-manchon (enveloppe étanche qui recouvre le coup de pied) empêchera la neige d'envahir vos chaussures.

Patinage extérieur, raquette et jogging hivernal.
Ces activités, qui sollicitent les grandes masses musculaires des fesses et des cuisses, s'apparentent au ski de fond sur le plan de la dépense énergétique. Par temps doux, la troisième couche ressemblera donc à celle portée par le fondeur. Par temps froid et venteux, optez pour un blouson pourvu d'une doublure chaude, de type parka. La guêtre-manchon est aussi à conseiller si vous faites de la raquette sur une couche de neige épaisse. Si vous pratiquez le jogging d'hiver, portez des chaussures équipées d'une semelle à rainures profondes : vous éviterez ainsi les « dérapages ».

Ski alpin.
À cause de l'effet refroidissant du vent, portez des vêtements bien isolés et hermétiques. Si la troisième couche laisse passer le vent, vous risquez de grelotter après une seule descente ! Les blousons de ski en Gore-Tex ou en Defender, qui intègrent une doublure amovible en Polartec (une fibre très chaude) sont particulièrement efficaces. Un petit conseil : en arrivant à la station de ski, enlevez vos chaussettes de ville et laissez sécher vos pieds à l'air ambiant pendant une ou deux minutes. Une fois les pieds secs, enfilez vos chaussettes de ski. Ce rituel, très négligé, vous évitera de mettre vos bottes alors que vos pieds sont humides, ce qui favorise leur refroidissement rapide.

Planche à neige.
Vos vêtements doivent être amples et entièrement imperméables, car, sur une planche à neige, surtout au début, on tombe souvent ! À cause justement de ces nombreuses chutes, le pantalon doit être renforcé, aux genoux et aux fesses, d'empiècements résistants et coussinés. Il en sera de même pour le blouson long (ou l'anorak, s'il vente fort) et ses coudes.

Trouver chaussure
à son pied

On a tendance à l'oublier, mais les pieds encaissent leur lot de coups quand on pratique une activité physique. Par exemple, après 30 minutes de jogging ou de danse aérobique, vos pieds auront frappé le sol des centaines de fois! Si vous portez des chaussures de piètre qualité, trop petites ou trop grandes, vous pouvez vous retrouver avec des ampoules, des ongles noirs et des cors. Une bonne chaussure de sport doit être confortable, durable et bien aérée, c'est-à-dire offrir suffisamment d'espace pour les orteils, comprendre une languette, un col et une semelle intérieure dotés de généreux coussinets, être faite de matériaux de qualité, comporter une semelle extérieure adhérente et résistante à l'abrasion, et être pourvue d'une empeigne qui laisse échapper la chaleur (figure 14.1).

Cependant, toute bonne chaussure n'est pas nécessairement appropriée à toutes les situations; *la chaussure doit être choisie en fonction de l'activité que l'on pratique.* Si vous jouez au squash avec une chaussure de jogging (même d'excellente qualité), vos chevilles risquent l'entorse, puisque ce type de chaussure n'est pas conçu pour les déplacements latéraux et vifs, propres au squash. Cependant, si vous pratiquez plusieurs activités physiques, vous pourriez acheter une **chaussure multisport.** Il s'agit d'un modèle passe-partout, conçu pour répondre aux exigences de plusieurs sports. Pourvue de coussinets et d'un support latéral plus que convenable, la chaussure multisport encaisse tant les sauts que les déplacements latéraux et constitue donc un bon achat pour les sportifs indécis ou pour ceux qui aiment la variété. Le tableau 14.3 présente les caractéristiques des principaux types de chaussures de sport que l'on trouve sur le marché.

Le magasinage

Voici quelques conseils pour vous aider à trouver la bonne chaussure, c'est-à-dire celle qui conviendra à votre pied comme à votre budget.

- Magasinez toujours en fin d'après-midi, quand vos pieds sont légèrement enflés. Sinon, vous risquez d'acheter une chaussure qui se révélera trop serrée.
- N'hésitez pas à vous rendre dans deux ou trois magasins pour comparer les prix et les commentaires des vendeurs.
- Déterminez la pointure en fonction de votre pied le plus large. Sachez que plusieurs fabricants offrent des modèles en différentes largeurs.
- Portez vos chaussettes d'exercice habituelles au moment de l'essayage.
- Tenez compte des caractéristiques du tableau 14.3 quand vous achetez des chaussures de sport!
- Une fois chaussé, faites quelques pas dans le magasin, sur une surface dure (sans tapis), pour bien apprécier l'épaisseur des coussinets. Imitez les déplacements que vous faites

quand vous pratiquez l'activité pour laquelle vous voulez acheter les chaussures. Celles-ci doivent être confortables : des chaussures neuves qui font mal n'augurent rien de bon !

• Si vous portez habituellement des orthèses dans vos chaussures, apportez-les au magasin. Choisissez des chaussures dont les semelles intérieures sont amovibles (ce qui est très courant). Remplacez-les par vos orthèses et marchez : vous devez vous sentir à l'aise. On trouve aussi, sur le marché, des modèles de type bottine (qu'on appelle aussi « trois quarts »), qui couvrent tout le tendon d'Achille. On peut leur intégrer une orthèse de bonne épaisseur, sans risquer que le talon ne sorte de la chaussure à l'occasion d'un déplacement brusque.

• Fixez-vous un prix limite… pour ne pas sortir du magasin avec des chaussures haut de gamme alors qu'un modèle économique aurait très bien fait l'affaire.

FIGURE 14.1 L'anatomie d'une chaussure de sport

Les semelles

Une chaussure comporte trois semelles. La *semelle intérieure* est garante du confort et doit contrer la transpiration. La *semelle intermédiaire* amortit les chocs. Il existe plusieurs systèmes antichocs (coussin d'air ou de silicone, tamis rebondissant, galette de caoutchouc, etc.). La *semelle extérieure* assure l'adhérence au sol. Elle doit être adaptée à l'exercice physique que l'on pratique : semelle plate pour le tennis, fortement rainurée pour le jogging, à semelle antidérapante pour les sports pratiqués sur les planchers de bois, etc.

La tige

La tige protège la cheville et maintient le talon.

La languette

La languette doit être abondamment coussinée, sinon elle risque d'irriter le dessus du pied.

L'empeigne

L'empeigne est la partie supérieure de la chaussure de sport, elle-même fixée à la semelle intermédiaire. L'empeigne peut être pourvue de renforts latéraux pour un meilleur maintien du pied.

TABLEAU

14.3 Les caractéristiques de quelques chaussures de sport

Activité pratiquée	Principales caractéristiques de la chaussure portée
Danse aérobique et *step*	Ultralégère, bonne stabilité latérale, semelle dotée de bons coussinets au talon et sous la plante du pied, très flexible au niveau des orteils.
Golf	Stable, imperméable, semelle munie de crampons fixes ou amovibles.
Jogging	Très légère, talon surélevé et doté de bons coussinets, semelle anti-dérapante à rainures profondes et coupe biseautée au niveau du talon.
Marche sportive	Talon un peu plus bas que la chaussure de jogging, semelle très flexible au niveau des orteils.
Randonnée pédestre	Chaussure de type bottine, hydrofuge, semelle antidérapante à rainures profondes, intérieur très confortable.
Sports sur plancher de bois verni (badminton, squash, racquetball, volley-ball, etc.)	Semelle antidérapante, très adhérente sur le bois verni.
Tennis	Grande stabilité latérale, variété de semelles conçues pour différents types de court (terre battue, asphalte, béton, matière synthétique, etc.).
Tous les sports	Chaussure de type multisport, stable, semelle antidérapante et bons coussinets au talon.

Sept bonnes raisons
de bien s'échauffer

Bien habillé et bien chaussé, vous êtes prêt à passer à l'action, mais ne le faites pas sans vous échauffer au préalable ! Voici pourquoi.

1. L'échauffement élève la température du corps, ce qui accroît l'efficacité des réactions chimiques dans les cellules musculaires. C'est, si l'on veut, un « préchauffage » de l'activité métabolique. La hausse de température provoque aussi une dilatation des vaisseaux sanguins, ce qui amène plus de sang, et donc plus d'oxygène, dans les muscles. Résultat : la cellule musculaire fabrique de l'ATP sans qu'il y ait production d'acide lactique.

2. Les influx nerveux se propagent plus rapidement lorsque la température du tissu musculaire s'élève, ce qui a pour effet d'accroître la coordination et la vitesse des mouvements. Il a été prouvé qu'un bon échauffement peut faire gagner 3 secondes à un coureur de 400 mètres et jusqu'à 6 secondes à un coureur de 800 mètres. Pour le commun des mortels, ces quelques secondes n'ont pas beaucoup d'importance, mais elles montrent qu'un muscle « réchauffé » est plus rapide et mieux synchronisé qu'un muscle qui ne l'est pas.

3. La chaleur musculaire éclaircit le lubrifiant naturel (la **synovie**) qui circule dans les articulations.

4. La chaleur diminue aussi la résistance du tissu conjonctif et musculaire, ce qui favorise l'amplitude articulaire et l'élongation du muscle, deux facteurs qui contribuent à réduire le risque de blessure à l'occasion d'un mouvement brusque. En fait, la flexibilité peut augmenter jusqu'à 20 % lorsque le muscle est échauffé.

5. L'augmentation graduelle du rythme cardiaque au cours de l'échauffement prépare le cœur à faire face à des efforts plus soutenus. Au cours d'une étude menée auprès de 44 sujets âgés de 21 ans à 52 ans, on a noté des anomalies du rythme cardiaque sur l'électrocardiogramme de 70 % des sujets qui venaient de faire un exercice intense sans échauffement préalable. Par contre, le fait de s'échauffer un peu réduisait ou supprimait ces anomalies.

6. L'échauffement permet aux vaisseaux sanguins du cœur de compter sur une bonne réserve d'oxygène avant un effort plus intense. On peut donc parler de l'effet protecteur de l'échauffement chez les personnes souffrant de problèmes cardiaques.

7. Il semble que l'échauffement aiderait aussi à prévenir les crises d'asthme (Zoom). Enfin, l'échauffement améliore l'attitude mentale, puisque l'on se sent mieux dans un corps chaud que dans un corps froid.

En somme, l'échauffement ménage le cœur et les muscles, améliore la performance et réduit les courbatures et la raideur musculaire du lendemain. On serait bien fou de se passer de ces avantages!

L'échauffement type

Ni les pompes, ni les redressements du tronc, ni les sprints, bref aucun effort intense n'a sa place dans un échauffement. Ces exercices ne nous échauffent pas, ils nous brûlent! La meilleure formule pour vous échauffer en douceur consiste à combiner les exercices aérobiques légers (marche, petit trot, sautillements sur place, vélo à basse vitesse, etc.) avec les étirements musculaires (figure 14.2). Les premiers élèvent légèrement le pouls, tout en provoquant une légère sensation de chaleur; en fait, ils dilatent les vaisseaux sanguins dans les muscles. Quant aux seconds, ils préparent les articulations et les tendons

zoom

Un bon échauffement
peut prévenir une crise d'asthme!

L'exercice physique, particulièrement par temps froid, peut déclencher une crise d'asthme (rétrécissement des bronches) chez certaines personnes, y compris chez les athlètes de haut niveau. Or, une période d'échauffement d'environ 15 minutes peut réduire et même prévenir une crise d'asthme provoquée par l'effort physique. C'est ce que révèle une étude conduite par des chercheurs de l'Université de la Colombie-Britannique.

Pour expliquer ces résultats, les auteurs de l'étude émettent l'hypothèse suivante: pendant un échauffement modéré et suffisamment long (15 minutes et plus), le corps épuiserait les déclencheurs habituels de la crise d'asthme. Ces auteurs croient aussi que certains athlètes pourraient remplacer la prise de médicaments par une période de 15 minutes d'échauffement modéré.

à des mouvements beaucoup plus amples que ceux que l'on fait dans la vie de tous les jours. C'est comme si l'on prévenait les protéines contractiles qu'elles vont être déformées plus que d'habitude.

La *durée de l'échauffement* dépend, en général, de la durée de l'activité physique qui suit et de son intensité. Ainsi, pour faire 20 minutes de jogging, vous n'avez pas à vous échauffer pendant 15 minutes, ce serait faire du zèle ; par contre, pour courir le marathon, vous auriez parfaitement raison de faire durer la séance d'échauffement plus de 15 minutes ; précisons enfin qu'une activité intense et vigoureuse, même de courte durée (par exemple, courir le 100 m), nécessite un échauffement qui peut excéder 15 minutes. Il faut également tenir compte de la température ambiante : s'il fait très chaud et humide, l'échauffement sera plus court que d'habitude ; il sera plus long si le temps est frais, et l'on portera un survêtement pour garder sa chaleur.

FIGURE 14.2 Quelques exercices d'échauffement

Tenir chacune des positions d'étirement pendant 25 secondes.

Bien se refroidir

Une fois l'activité terminée, prenez quatre ou cinq minutes pour ralentir votre activité métabolique (figure 14.3). Pour ce faire, marchez un peu ; la marche accélère l'évacuation de l'acide lactique accumulé dans les muscles. Puis, étirez un peu vos muscles. Vous pouvez aussi terminer la période de refroidissement en restant allongé sur le sol, muscles détendus, pendant quatre ou cinq minutes. Cette courte détente après une activité physique se traduit généralement par un corps plus frais, un système cardiovasculaire apaisé et des muscles détendus.

FIGURE

14.3 Les courbes de la température corporelle et du rythme cardiaque au cours d'une séance d'exercice

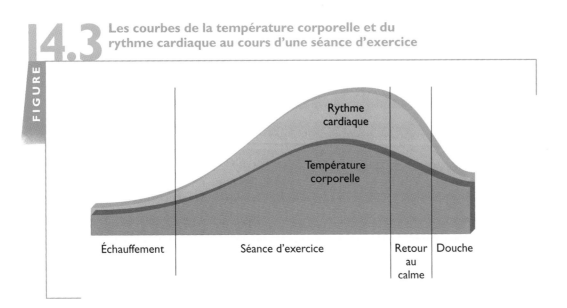

Rythme cardiaque

Température corporelle

Échauffement　　Séance d'exercice　　Retour au calme　　Douche

Protéger sa peau
des rayons du soleil

Que ce soit en été ou en hiver, il est impossible de pratiquer des activités de plein air sans exposer une partie de son épiderme aux rayons ultraviolets. Par exemple, un parcours de 18 trous au golf ou bien une sortie de ski alpin, de surf des neiges ou de planche à voile peuvent facilement s'étaler sur une demi-journée, durant laquelle une partie de votre corps est exposée au soleil. Or, le soleil accélère le vieillissement de l'épiderme et augmente le risque de cancer de la peau. Pour diminuer votre exposition aux rayons ultraviolets, prenez quelques précautions.

De 20 minutes à 30 minutes avant l'activité physique, appliquez, sur les parties exposées de votre corps, une crème solaire dont le FPS (facteur de protection solaire) est de 15 ou plus et qui protège contre les ultraviolets de type A et de type B (c'est indiqué sur le contenant). Si votre peau est très sensible, choisissez une crème solaire hypoallergique. Attention ! l'application d'une crème solaire n'est pas une invitation à rester encore plus longtemps au soleil.

Pour protéger votre visage et vos oreilles, portez un chapeau à large bord. Sur les parties du corps dont la peau est sensible aux ultraviolets, comme le nez, les paupières, les lèvres, les épaules et la partie supérieure de la poitrine, appliquez un écran solaire ; celui-ci réfléchit les ultraviolets à 100 %. Les écrans les plus efficaces sont la pâte d'oxyde de zinc, le dioxyde de titane et la gelée de pétrole rouge. Il ne faut surtout pas oublier les yeux, que les radiations solaires peuvent endommager de façon permanente. Assurez-vous que vos lunettes de soleil portent la mention « UV-400 », « 100 % UV » ou encore « 400 nm » (nanomètres). Un dernier conseil : évitez, dans la mesure du possible, de pratiquer une activité physique à l'extérieur, entre 11 h et 14 h, car c'est le moment de la journée où les rayons ultraviolets sont les plus forts. Pour le reste de la journée, un peu de soleil est une bonne chose, car il nous apporte, en plus de la chaleur, de la vitamine D.

Prévenir les blessures
et les soigner

Si l'activité physique est bénéfique pour notre santé, elle signifie cependant un risque accru de blessures. Heureusement, la plupart du temps, il s'agit de blessures sans gravité, qu'on peut même bien souvent prévenir ou soigner efficacement soi-même (tableau 14.4). Cependant, si jamais vous devez subir une opération à la suite d'une blessure, assurez-vous que cette option constitue vraiment votre dernier recours (Zoom). La plupart des blessures associées à la pratique d'une activité physique appartiennent à deux grandes catégories : les blessures aiguës et les blessures chroniques.

TABLEAU 14.4 Un mini-guide de dépannage en cas de blessures et de douleurs

Blessures	Apparence et symptômes	Premiers soins
Courbatures	Douleur et raideur musculaires, qui apparaissent entre 12 heures et 36 heures après l'exercice.	Étirement léger, exercice de faible intensité et bain chaud.
Crampes musculaires	Douleur, spasme, durcissement du muscle.	Étirement et massage doux de la zone douloureuse pour dénouer le muscle.
Entorses et claquages	Douleur, sensibilité au toucher, inflammation, perte d'usage.	Méthode CERF (p. 337), consultation d'un médecin.
Fractures et luxations	Douleur, inflammation, perte d'usage, déformation.	Utilisation d'une attelle, application de froid, consultation d'un médecin.
Point de côté	Douleur aiguë sur le côté du thorax.	Diminution de l'intensité ou arrêt complet de l'exercice, respiration abdominale (chapitre 4) et massage léger de la zone sensible.

Les blessures aiguës

La blessure aiguë survient brusquement à la suite d'une chute, d'une collision ou d'un faux mouvement. Elle peut prendre la forme d'une entorse (ligament endommagé), d'un claquage musculaire (déchirure d'un muscle), d'une rupture de tendon, d'une luxation articulaire (déplacement d'un os hors de son articulation) ou encore d'une fracture (bris d'un os). Si jamais vous ou un partenaire êtes victime d'une blessure aiguë, appliquez sans délai la **méthode CERF**, c'est-à-dire **C**ompression (ou attelle), **É**lévation, **R**epos et **F**roid.

Par conséquent, en cas de blessure aiguë, vous devez cesser *immédiatement* toute activité physique. Puis, élevez doucement le membre blessé au-dessus du niveau du cœur. Si c'est la jambe qui est atteinte, étendez-vous sur le sol et surélevez-la à l'aide de vêtements enroulés ou de serviettes. Si c'est le bras, appuyez-le sur une table. Cette manœuvre ralentira l'hémorragie interne. Appliquez ensuite sur la blessure de la glace enveloppée dans une serviette (évitez le contact direct de la glace avec la peau). Ne laissez pas la glace plus de 20 minutes à la fois, et appliquez-la toutes les 2 heures, pas plus souvent. Le froid réduira l'inflammation. Enveloppez ensuite le membre blessé en exerçant une certaine pression sur la blessure, mais sans empêcher le sang de circuler. Après ces mesures d'urgence, rendez-vous à une clinique médicale ou à un hôpital, à moins qu'une personne compétente en la matière (professeur d'éducation physique, infirmier, médecin) ne considère que la blessure n'est pas grave. Une fois l'inflammation contrôlée, on appliquera cette fois de la chaleur afin de favoriser l'irrigation sanguine et la guérison. En cas de fracture, immobilisez le membre blessé à l'aide d'une attelle si les circonstances le permettent.

Les blessures chroniques

La blessure qui se développe petit à petit est une blessure chronique ou blessure d'usure, causée par une accumulation de microtraumatismes. Le principal symptôme est une douleur persistante, qui apparaît habituellement pendant ou après l'effort. Si vous croyez souffrir d'une blessure chronique, vous devez cesser de pratiquer l'activité qui cause la douleur tant et aussi longtemps que celle-ci ne sera pas totalement disparue. Pour ce qui est du traitement, tout dépend de la nature de la blessure. Consultez le Compagnon Web pour connaître la nature et le traitement des trois blessures chroniques les plus fréquentes : la tendinite, la bursite et la fasciite plantaire.

Bien
s'hydrater

Nos muscles sont de formidables machines à fabriquer du mouvement. Grâce à eux, nous pouvons marcher, courir, patiner, sauter, skier, déplacer et soulever toutes sortes d'objets, jouer de la guitare ou du piano, cligner les yeux, écrire, respirer, etc. La cellule musculaire, avec ses protéines contractiles, transforme très efficacement l'énergie fournie par les aliments en énergie mécanique. L'activité biochimique associée à cette transformation provoque cependant une perte d'énergie sous forme de chaleur. Selon la façon dont les experts calculent le rendement énergétique du « moteur » musculaire, cette perte d'énergie peut représenter de 20 % à 45 % de l'énergie totale libérée par les cellules musculaires. Autrement dit, sur 100 calories dépensées par les muscles, de 20 à 45 produisent de la chaleur et non du mouvement.

Quand les muscles travaillent peu, cette production de chaleur est si faible qu'elle passe bien souvent inaperçue. Toutefois, dès qu'ils travaillent beaucoup, pendant une randonnée de ski de fond ou une partie de badminton, par exemple, les muscles produisent forcément beaucoup de chaleur. Si cette chaleur n'est pas dissipée et que le travail musculaire demeure intense, la température du corps peut alors grimper de 1 °C toutes les 5 à 8 minutes. À ce rythme, le corps surchauffe en moins de 15 à 20 minutes, ce qui peut provoquer de sérieux problèmes de santé, comme nous le verrons plus loin. Heureusement, notre corps dispose de plusieurs mécanismes pour se refroidir. Le plus actif de ces mécanismes pendant une activité physique est la perte de chaleur par évaporation.

L'**évaporation**, c'est le passage d'une substance de l'état liquide à l'état gazeux. Le liquide qui s'évapore de l'organisme est la **sueur**. Constituée essentiellement d'eau (99 %) et d'un peu de chlorure de sodium (d'où son goût légèrement salé), la sueur est excrétée par deux à quatre millions de glandes sudoripares, selon les individus. La quantité de sueur produite dépend de l'intensité et de la durée de l'effort physique. Par conséquent, plus nos muscles travaillent, plus nous avons chaud, et plus nous transpirons. Lorsque la sueur parvient à la surface de la peau, sa température est identique à celle du corps (de 38 °C à 40 °C en moyenne). Au contact de l'air ambiant, dont la température est généralement plus basse que celle du corps, la sueur s'évapore, ce qui refroidit la peau et, par ricochet, tout le corps. C'est ainsi que nous perdons de la chaleur par évaporation (figure 14.4).

Perte d'eau et déshydratation

Pour le corps humain, perdre de la chaleur, c'est donc perdre de l'eau. Par exemple, on peut facilement excréter de un à deux litres de sueur à l'heure pendant une randonnée à bicyclette par temps chaud. Au cours d'une activité physique intense de longue durée, c'est de deux à trois litres d'eau à l'heure que l'on peut perdre. Or, une importante perte d'eau par la transpiration entraîne une baisse de la quantité de sang dans l'organisme, puisque le sang est constitué d'eau à plus de 70 %. Si l'on a moins de sang, le cœur doit travailler plus fort pour approvisionner les muscles en oxygène, ce qui provoque une élévation du pouls et de la pression artérielle. C'est le début de la déshydratation, qui se manifeste par de la fatigue et, parfois, par des crampes douloureuses.

Si l'on continue à perdre de l'eau sans la remplacer, le corps se protège en ralentissant la production de sueur. Résultat : l'on a de plus en plus chaud et la température du corps ne cesse de monter. Enfin, la sudation cesse complètement, et il se produit une hausse rapide de la température corporelle. Lorsque celle-ci dépasse 41 °C, la situation devient critique : la personne, d'abord confuse, finit par délirer et tomber dans le coma – et c'est le coup de chaleur (Zoom, p. 326), un accident heureusement très rare.

14.4 Comment le corps évacue la chaleur produite par les muscles

Rayonnement
(Le transfert de chaleur s'effectue du corps à l'air ambiant.)

Convection
(Le courant d'air du ventilateur éloigne l'air chaud du corps.)

Conduction
(Le transfert de chaleur s'effectue des mains aux haltères.)

Évaporation
(Les gouttes de sueur s'évaporent à la surface de la peau.)

Boire de l'eau est donc important quand on fait travailler ses muscles. Voici quelques conseils pour maintenir vos réserves d'eau en pratiquant une activité physique.

Avant l'activité physique.   Comme le dit le proverbe, mieux vaut prévenir que guérir. Par conséquent, deux heures avant le début d'une séance d'activité physique, buvez deux verres d'eau (pour un total d'environ 500 mL) afin d'augmenter votre réserve hydrique. Cette précaution permet une hydratation optimale et alloue suffisamment de temps au corps pour éliminer l'excédent d'eau. Par ailleurs, comme la formation d'urine est ralentie pendant une séance d'exercice, l'envie d'uriner ne risque pas d'interrompre votre activité. *Ne commencez pas une séance d'activité physique avec une sensation de soif,* car cela peut signifier que vous êtes déjà déshydraté.

Pendant l'activité physique.   Si l'exercice dure *moins de 30 minutes* et que le refroidissement du corps est aisé (par temps frais et sec, par exemple), il n'est pas nécessaire de boire pendant l'activité, puisque vos pertes d'eau seront minimes. *Au-delà de 30 minutes,* buvez l'équivalent d'un verre d'eau (environ 250 mL) toutes les 15 ou 20 minutes. Cette petite quantité d'eau quitte rapidement l'estomac pour se retrouver dans le sang.

Si le temps est chaud, le refroidissement du corps est plus difficile ; commencez alors à boire dès le début de l'activité et buvez plus souvent pendant l'effort. Un truc : aspergez-vous régulièrement d'eau, surtout sur la tête, puisqu'elle est responsable de 30 % à 40 % des pertes de chaleur du corps.

L'eau de ces mini-douches vient remplacer la sueur dans le processus de refroidissement par évaporation, ce qui ralentit la perte d'eau par transpiration. C'est d'ailleurs pour cette raison que l'on arrose copieusement les marathoniens. Enfin, méfiez-vous du temps chaud et humide ; l'air étant déjà saturé d'eau, l'évaporation de la sueur sera considérablement ralentie. Au-delà d'un certain taux d'humidité, l'évaporation devient même impossible. Consultez le tableau 14.1 (p. 325) pour savoir si vous devriez faire de l'exercice ou… aller voir un film dans une salle climatisée !

Après 60 minutes d'activité, les muscles commenceront à manquer de sucre, une source d'énergie importante, ce qui peut précipiter la fatigue musculaire. Pour relever le taux de glucose dans le sang, buvez de l'eau légèrement sucrée (Zoom). Évitez toutefois les boissons trop sucrées (c'est-à-dire celles qui contiennent plus de 100 g/L de sucre), car le système digestif mettra trop de temps à absorber le sucre qu'elles contiennent. Beaucoup de boissons gazeuses commerciales de type cola entrent dans cette dernière catégorie. Les boissons de récupération (on dit aussi « de réhydratation ») sur le marché contiennent habituellement le bon dosage en glucose, c'est-à-dire de 4 % à 8 % de glucides (tableau 14.5). Après plus de deux heures d'activité, il faudra penser à ajouter un peu de sel de table (chlorure de sodium) dans l'eau sucrée que vous buvez.

Après l'activité physique.

Après l'exercice, il faut encore boire de l'eau ! Pour estimer la quantité que vous devriez boire, évaluez votre « perte d'eau » en vous pesant avant et après la séance d'exercice. Une perte de poids de 500 g signifie que vous avez perdu approximativement 500 mL d'eau. Vous pouvez aussi vous fier à la couleur de votre urine ; quand elle redevient claire, c'est que vous êtes bien hydraté.

ZOOM

Préparez votre propre
boisson de récupération

Les boissons désaltérantes comme *Gatorade, All Sport, Powerade, Body Fuel, Gear Up, Power Burst* et *ReHydrate* sont actuellement très en vogue. Ces boissons contiennent de l'eau, du sucre et des sels minéraux (sodium et potassium, notamment), mais aussi beaucoup d'autres ingrédients qui n'ont rien à voir avec les besoins en eau et en sucre de la personne active. De plus, elles coûtent environ 1,50 $ les 500 mL, ce qui est un peu cher pour s'hydrater et faire remonter sa glycémie. Vous pouvez obtenir le même résultat à meilleur compte, en mélangeant 500 mL de jus de fruits avec 500 mL d'eau.

Pour deux fois rien, vous pouvez même concocter votre propre boisson de récupération : dans un peu d'eau tiède, mélangez de 60 g à 70 g (environ 4 cuillerées à soupe) de sucre ou de miel, une pincée de sel (des études récentes indiquent que le sel favorise l'absorption de l'eau) et, pour le goût, un peu de jus d'orange, de citron ou de lime. Remuez bien puis ajoutez un litre d'eau glacée.

14.5

La composition de quatre boissons de récupération
(ou de réhydratation) sur le marché

Nom	Quantité (mL)	Glucides (g)	Concentration en sucre (%)	Sodium (mg)
Gatorade	250	15,9	6,3	110
Everlast	250	15,5	6,1	100
Powerade	250	21,1	8,4	73
All Sport	250	21,6	8,6	55

Bien
se nourrir

Une bonne alimentation est un important facteur de santé. Votre alimentation de base doit donc inclure des aliments qui font partie des six grandes familles de nutriments essentiels à une bonne santé (tableau 3.2, p. 47). Toutefois, certains ajustements alimentaires peuvent s'avérer indispensables lorsque l'on passe d'une vie sédentaire à une vie active. Si vous commencez, par exemple, à faire une heure d'activité physique modérée par jour, vous aurez besoin d'ingérer *plus de calories* parce que vous en dépenserez plus. En mangeant davantage, vous maintiendrez l'équilibre énergétique de votre corps et vous comblerez du coup vos besoins, désormais plus élevés, en vitamines et en minéraux. Les recherches démontrent que les personnes grasses, contrairement aux autres, n'augmentent généralement pas leur consommation calorique lorsqu'elles commencent à faire plus d'exercice. Cette situation, si elle se maintient pendant quelques semaines, entraîne une perte calorique qui ne peut que se traduire par une perte de poids, et cela sans régime amaigrissant!

L'individu physiquement actif devrait aussi manger *plus de glucides*. Ces nutriments, qui constituent la principale source d'énergie «rapide» des muscles, sont emmagasinés dans ces derniers et dans le foie sous la forme de grosses molécules de glucose (glycogène). Les réserves de glycogène sont très limitées. Il suffit habituellement d'un exercice d'intensité moyenne de plus de 90 minutes ou d'un exercice très intense de moins de 30 minutes pour vider presque complètement les stocks de glycogène musculaire et priver ainsi les muscles de toute énergie. Il est toutefois possible, comme nous allons le voir, d'augmenter ses réserves de glycogène en modifiant légèrement son régime alimentaire.

Même si nous utilisons plus de protéines quand nous dépensons plus d'énergie, *il ne semble pas qu'il soit nécessaire d'en ingérer davantage,* pas plus dans nos aliments que sous forme de suppléments protéiniques. Cela s'explique par le fait que notre alimentation est déjà très riche en protéines; selon les nutritionnistes, nous devrions peut-être même en consommer un peu moins.

Le repas qui précède l'activité physique

Si vous prévoyez pratiquer une activité physique modérée pendant plus de 60 minutes, prenez un repas plus riche que d'habitude en glucides, c'est-à-dire un peu plus de pain, de pâtes, de riz, de légumineuses ou de fruits. Ce repas retardera l'épuisement des stocks de glycogène musculaire, en plus d'être facile à digérer. Si le repas est consistant et riche en gras ou en protéines, prenez-le au moins trois heures avant le début de l'activité physique. Dans le cas d'une collation, une heure ou deux suffiront. Le tableau 14.6 propose quelques repas et collations que l'on peut prendre avant une activité physique.

Le repas qui suit l'activité physique

Si vous êtes légèrement ou modérément actif, le repas qui suit votre séance d'activité physique n'a pas à être modifié. Par contre, si vous pratiquez des activités vigoureuses tous les jours, vous pouvez accélérer le renouvellement de vos réserves de glycogène et éviter ainsi une fatigue musculaire précoce pendant la séance d'exercice suivante. Pour ce faire, il suffit d'ingérer environ 50 g de glucides le plus tôt possible après l'exercice. Le tableau 14.7 présente quelques collations contenant cette quantité de glucides.

TABLEAU

14.6 Exemples de repas et de collations à prendre avant une activité physique*

Moment	Description du repas ou de la collation
De une à deux heures avant l'activité physique: collation de moins de 250 calories.	*Au choix:* • 2 petites boîtes de raisins secs. • 125 mL de fruits séchés. • 1 ou 2 fruits frais. • 250 mL (1 bol) de céréales avec un peu de lait à 1% ou à 2%. • 1/2 banane avec 1 muffin. • 250 mL (1 verre) de jus de fruits avec 2 biscuits à la farine d'avoine. • 200 mL (1 bouteille) de yogourt à boire. • 200 mL (1 berlingot) de boisson lactée au chocolat à 2%.
De deux à trois heures avant l'activité physique: repas léger de 250 calories à 500 calories.	*Au choix:* • De la soupe et un petit sandwich (au poulet, à la dinde, au thon ou aux tomates) contenant peu de matières grasses. • Une assiette de pâtes alimentaires à la sauce tomate. • Une assiette de riz vapeur aux tomates, aux légumes ou au poulet. • Un verre d'«orange bantam»: battre les ingrédients suivants au mélangeur: 250 mL de jus d'orange, 1 œuf cru, 1 petite banane, 125 mL de lait à 2 % et 30 mL de poudre de lait écrémé.
Plus de trois heures avant l'activité physique: repas consistant de 500 calories à 800 calories.	*Le matin:* • 250 mL de jus d'orange, 250 mL de céréales, 250 mL de lait à 2 %, 1 petite banane, 2 tranches de pain (2 crêpes ou 2 gaufres), du beurre et de la confiture. *Le midi ou le soir, au choix:* • 250 mL de soupe aux légumes ou de potage, 4 craquelins, 2 ou 3 morceaux de blanc de poulet, 2 tranches de pain, 125 mL de compote de pommes, 1 portion de carrés aux dattes et 125 mL de lait écrémé. • 1 portion de yogourt aux fruits (environ 200 mL), 250 mL de salade de pâtes alimentaires ou de riz, 1 banane et 1 jus de fruits.

* Ces repas et ces collations contiennent environ 65% de glucides et visent à contrer l'épuisement des réserves de glycogène.
125 mL = 1/2 tasse.   250 mL = 1 tasse.

TABLEAU 14.7

Quelques collations contenant environ 50 g de glucides

- 375 mL de jus de fruits (orange, pamplemousse, pomme, fruits mélangés).
- 250 mL de jus de raisin.
- 625 mL de lait à 1 % ou à 2%.
- 31/2 tranches de pain.

- 2 pochettes de pain pita.
- 125 mL de pouding au riz et aux raisins.
- 500 mL de céréales de riz.
- 375 mL de pâtes alimentaires cuites.

- 250 mL de riz cuit.
- 125 mL de raisins secs.
- 2 grosses pommes.
- 8 dattes.
- 2 poires.
- 6 pruneaux.

125 mL = 1/2 tasse.   250 mL = 1 tasse.

Se motiver
à passer à l'action

Les éléments de la préparation physique que nous venons de voir sont essentiels à une pratique sans danger et agréable de l'activité physique. Mais si la motivation n'y est pas dès le départ (Bilan 13A, p. 318), toute cette préparation ne sera guère utile, puisque vous ne passerez pas à l'action, ou du moins pas suffisamment longtemps pour que l'activité physique devienne une habitude dans votre vie. Si vous n'êtes pas certain de votre motivation, faites l'exercice qui suit.

Exercice

Prenez une feuille de papier et divisez-la en deux colonnes: dans la première, dressez la liste des bons côtés (avantages et aspects favorables) qu'il y a à être physiquement actif; dans la seconde, énumérez les mauvais côtés (inconvénients, réticences et aspects défavorables). Vos expériences passées, votre motivation actuelle et vos occupations présentes peuvent vous aider à établir ce relevé. À titre d'exemple, voici quelques énoncés que l'on pourrait y trouver.

- Les *bons côtés*: je mettrai en pratique mes convictions; je me sentirai mieux dans ma peau; je perdrai mon excédent de gras; j'aurai plus d'énergie; je dormirai mieux; je réduirai les risques de maladies cardiovasculaires, de diabète et de cancer; je renforcerai mes os; j'aurai une meilleure confiance en moi, une meilleure estime de moi; je me ferai de nouveaux amis.

- Les *mauvais côtés*: cela prendra trop de mon temps; ma condition physique est trop mauvaise; je n'ai pas d'endroit où pratiquer une activité physique; je ne suis pas habile dans les sports; je n'ai pas assez de volonté; j'ai peur de me blesser; je n'ai pas beaucoup d'argent pour pratiquer un sport.

Prenez le temps ensuite d'évaluer le bien-fondé de vos deux listes et tirez les conclusions qui s'imposent.

Si cet exercice ne vous convainc pas des avantages de mener une vie active, demandez à des amis, à des proches ou à des collègues de travail qui sont devenus physiquement actifs ce que ce changement leur a apporté. Visitez aussi des centres d'activité physique pour voir des gens en pleine action et vous imprégner de l'atmosphère qui y règne; cela pourrait vous donner le goût d'en faire autant. Finalement, demandez-vous pourquoi vous passez ainsi à côté de l'un des moyens les plus accessibles et les plus efficaces pour jouir d'une bonne santé et, donc, d'une bonne qualité de vie. Finalement, dites-vous bien que personne ne peut agir à votre place!

à vos méninges

Remarque : Il peut y avoir plus d'une bonne réponse par question.

1 IL EST RECOMMANDÉ D'APPLIQUER LE « PRINCIPE DES PELURES D'OIGNON » QUAND ON PRATIQUE UNE ACTIVITÉ PHYSIQUE PAR TEMPS FROID. QU'EST-CE QUE CELA SIGNIFIE ?

- ○ **a)** Porter des vêtements qui protègent bien du vent.
- ○ **b)** Porter un parka bien matelassé.
- ○ **c)** Porter plusieurs couches de vêtements minces qui enferment l'air et procurent une bonne isolation.
- ○ **d)** Porter plusieurs couches de vêtements épais et chauds qui procurent une bonne isolation.
- ○ **e)** Aucune des réponses précédentes.

2 PARMI LES RAISONS SUIVANTES, LAQUELLE OU LESQUELLES JUSTIFIENT L'ÉCHAUFFEMENT QUI PRÉCÈDE LA PRATIQUE D'UNE ACTIVITÉ PHYSIQUE ?

- ○ **a)** L'augmentation graduelle du rythme cardiaque au cours de l'échauffement prépare le cœur à faire face à des efforts plus soutenus.
- ○ **b)** L'échauffement stimule le système parasympathique, ce qui favorise une meilleure performance.
- ○ **c)** L'échauffement élève la température du corps, ce qui accroît l'efficacité des réactions chimiques dans les cellules musculaires.
- ○ **d)** Les influx nerveux se propagent plus rapidement lorsque la température du tissu musculaire s'élève quelque peu.
- ○ **e)** La chaleur engendrée par l'échauffement diminue la résistance du tissu conjonctif et musculaire, ce qui favorise l'amplitude articulaire et l'élongation du muscle.

3 QU'EST-CE QU'UN COUP DE CHALEUR ?

- ○ **a)** Une fatigue musculaire généralisée.
- ○ **b)** Une transpiration excessive.
- ○ **c)** Le résultat d'un coup de soleil grave.
- ○ **d)** Le dérèglement complet du système qui contrôle la température du corps.
- ○ **e)** Aucune des réponses précédentes.

4 **À QUEL MOMENT DE LA JOURNÉE LES RAYONS ULTRAVIOLETS SONT-ILS LES PLUS FORTS ?**

○ **a)** Entre 9 h et 11 h.
○ **b)** Entre 15 h et 16 h.
○ **c)** Entre 12 h et 13 h.
○ **d)** Entre 11 h et 14 h.
○ **e)** Entre 11 h et 12 h.

5 **QUE FAIT-ON POUR APPLIQUER LA MÉTHODE DU CERF ?**

○ **a)** On demande à la victime de s'allonger et de se reposer, puis on applique de la glace et une compresse sur la blessure.

○ **b)** On applique de la chaleur et on élève le membre blessé au-dessus du niveau du cœur.

○ **c)** On enveloppe d'abord le membre blessé pour exercer une légère compression, on élève ensuite le membre blessé et on demande à la victime de se reposer.

○ **d)** On demande à la victime de s'allonger et de se reposer, on élève le membre blessé, on applique de la glace pendant quelques minutes et on enveloppe ensuite le membre blessé en exerçant une certaine pression.

○ **e)** Aucune des réponses précédentes.

6 **QUELS PHÉNOMÈNES PERMETTENT AU CORPS D'ÉVACUER LA CHALEUR PRODUITE PAR LES MUSCLES ?**

○ **a)** L'élévation de la température du corps.
○ **b)** L'évaporation de la sueur.
○ **c)** La vasoconstriction des vaisseaux sanguins.
○ **d)** La convection de l'air ambiant.
○ **e)** L'élévation du pouls et de la pression artérielle.

7 **À QUOI SERT LA PREMIÈRE COUCHE DE VÊTEMENTS QUAND ON APPLIQUE LE PRINCIPE DES PELURES D'OIGNON ?**

○ **a)** Garder le corps au sec en absorbant l'humidité produite par la transpiration.
○ **b)** Couper le vent.
○ **c)** Protéger du froid.
○ **d)** Empêcher la transpiration.
○ **e)** Aucune des réponses précédentes.

8 SELON LE PRINCIPE DES PELURES D'OIGNON, QUEL EST LE MEILLEUR CHOIX DE FIBRES POUR LES VÊTEMENTS DE LA TROISIÈME COUCHE ?

○ **a)** La laine polaire.

○ **b)** Le polyester.

○ **c)** Un mélange de coton et de polypropylène.

○ **d)** Des fibres synthétiques entièrement imperméables.

○ **e)** L'acrylique.

9 QUELLES SONT LES ZONES DU CORPS LES PLUS SENSIBLES AUX BASSES TEMPÉRATURES QUAND ON PRATIQUE UNE ACTIVITÉ PHYSIQUE ?

○ **a)** Le tronc, les mains et les pieds.

○ **b)** La tête, les épaules et le tronc.

○ **c)** Les pieds, les jambes et les cuisses.

○ **d)** La tête, les mains et les pieds.

○ **e)** La tête et le tronc.

10 SI VOUS PRATIQUEZ PLUSIEURS SPORTS INTÉRIEURS, QUEL EST LE MEILLEUR CHOIX DE CHAUSSURES ?

○ **a)** Des chaussures de jogging.

○ **b)** Des chaussures multisports.

○ **c)** Des chaussures à semelle antidérapante.

○ **d)** Des chaussures à talon surélevé.

○ **e)** Des chaussures à talon plat.

11 QUE DEVRAIT-ON FAIRE IMMÉDIATEMENT APRÈS UNE SÉANCE D'ACTIVITÉ PHYSIQUE ?

○ **a)** Boire de l'eau sucrée.

○ **b)** Manger un « petit quelque chose ».

○ **c)** Procéder à un retour au calme de quelques minutes.

○ **d)** Prendre une douche froide.

○ **e)** Aucune des réponses précédentes.

12 PARMI LES BLESSURES SUIVANTES, LESQUELLES SONT LES PLUS FRÉQUENTES CHEZ LES PERSONNES PHYSIQUEMENT ACTIVES ?

○ **a)** Les ampoules, les fractures et les claquages musculaires.

○ **b)** Les tendinites, les bursites et les fractures des côtes.

○ **c)** Les bursites, les périostites et les ongles noirs.

○ **d)** Les tendinites, les fasciites plantaires et les bursites.

○ **e)** Aucune des réponses précédentes.

13 APRÈS COMBIEN DE MINUTES D'ACTIVITÉ PHYSIQUE MODÉRÉE DEVRAIT-ON CONSOMMER UNE BOISSON DE RÉCUPÉRATION QUI CONTIENT DU SUCRE ?

○ **a)** Environ 20 minutes.

○ **b)** Environ 30 minutes.

○ **c)** Environ 45 minutes.

○ **d)** Environ 60 minutes.

○ **e)** Environ 120 minutes.

14 POURQUOI UNE PERSONNE PHYSIQUEMENT TRÈS ACTIVE DEVRAIT-ELLE AUGMENTER SA CONSOMMATION DE GLUCIDES ?

○ **a)** Parce que l'exercice augmente le métabolisme.

○ **b)** Parce que les glucides sont la principale source d'énergie des muscles.

○ **c)** Parce que les glucides ont un index glycémique élevé.

○ **d)** Parce qu'un apport supplémentaire en glucides accélère la remise à niveau des réserves de glycogène dans les muscles.

○ **e)** Parce que les glucides éliminent la faim pendant l'effort.

15 COMPLÉTEZ LES PHRASES SUIVANTES.

a) Une bonne chaussure de sport doit être _____ , durable et bien _____ .

b) Pour éviter de commencer une séance d'exercice d'intensité modérée avec des réserves d'eau insuffisantes, il est recommandé de boire de _____ à _____ d'eau (soit l'équivalent de deux verres d'eau de format moyen), entre deux et trois heures avant le début de la séance.

c) Magasinez toujours l'achat de chaussures en fin _____ , quand vos pieds sont légèrement _____ .

d) À l'achat de chaussures, faites mesurer vos deux _____ , puisqu'ils ne sont pas nécessairement de la même largeur.

pour en savoir plus

LECTURES SUGGÉRÉES

- Anctil, P., P. Bergeron, P. Harvey et G. Thibault,
  Guide de mise en forme, Montréal, Éditions de l'Homme, 1998.

- Ästrand, P.O., et K. Rodahl, *Précis de physiologie de l'exercice musculaire*,
  Paris, Éditions Masson, 1994.

- Costill, D.L., et J.H. Wilmore, *Physiologie de l'exercice*, 2e édition, Bruxelles,
  De Boeck Université, 2002.

- Dishman, R.K., *Advance in exercise adherence*, Champaign,
  Human Kinetics Books, 1994.

- Shimmer, P., et B.A. Stamford, *Fitness without exercise*, New York, Warner Books, 1990.

SITES INTERNET À VISITER

Espaces (plein air, voyages et découvertes)
http://www.espaces.qc.ca/

Kino-Québec
http://www.kino-quebec.qc.ca/

Santé Canada (activité physique)
http://www.hc-sc.gc.ca/francais/vie_saine/physique.html

bilan 14

Votre préparation physique et mentale

Ce chapitre porte sur les règles à suivre pour pratiquer une activité physique sans danger et de manière agréable. Appliquez-vous ces règles ? En faisant le bilan qui suit, vous répondrez à cette question en détail. Pour évaluer votre niveau de préparation physique et mentale, lisez d'abord chaque situation et cochez la colonne qui vous décrit le mieux. Accordez-vous des points comme suit : **deux points** chaque fois que vous cochez la colonne *Toujours* ; **un point**, la colonne *Parfois* ; **aucun point**, la colonne *Jamais*. Ensuite, faites le décompte et interprétez vos résultats.

J'observe la règle suivante :	Toujours	Parfois	Jamais
1. Pour vérifier si je suis apte à pratiquer l'activité physique, je réponds aux questions du **Q-AAP** (p. 152) et je consulte un médecin si j'ai des doutes sur mon état de santé.			
2. Avant de me lancer dans un programme d'activité physique, je fais le point sur ma condition physique.			
3. Par temps chaud, je m'habille légèrement.			
4. Par temps froid, j'applique le principe des pelures d'oignon.			
5. S'il fait très chaud ou très froid, je prends les précautions qui s'imposent pour me protéger contre la déshydratation ou les engelures.			
6. Je prends le temps de bien choisir mes chaussures de sport.			
7. Si je m'entraîne 30 minutes et plus, je bois de l'eau régulièrement et en quantité suffisante.			
8. Quand je pratique une activité physique au soleil, je protège ma peau.			
9. En cas de blessure ou de douleur, je prends les mesures qui s'imposent.			
10. Je m'échauffe avant de pratiquer une activité physique.			
11. Après une activité physique, je me préoccupe du retour au calme.			
12. Si je suis physiquement très actif, j'ajuste mon régime alimentaire pour manger un peu plus de glucides.			
13. J'évite de prendre un gros repas juste avant une activité physique.			

Pour les règles 14 et 15, accordez-vous **deux points** si vous cochez la colonne *Oui* et **aucun point**, si vous cochez la colonne *Non*.

J'ai observé la règle suivante :	Oui	Non
14. J'ai rempli la partie A du bilan 13 afin de connaître mon degré de motivation pour l'exercice.		
15. J'ai fait l'exercice suggéré à la p. 343 afin de bien savoir comment je perçois la pratique régulière de l'activité physique.		

Faites le total des points obtenus. _____

Ce que votre résultat signifie...

25 points et plus. On peut dire que votre niveau de préparation physique et mentale est plus que suffisant.

De 19 points à 24 points. Vous démontrez un certain degré de préparation physique et mentale, mais celle-ci est insuffisante. Un peu de discipline pourrait toutefois renverser la vapeur. Il n'en tient qu'à vous !

De 13 points à 18 points. Votre préparation physique et mentale est très incomplète, ce qui pourrait nuire à votre bien-être et augmenter votre risque de blessures quand vous pratiquez une activité physique. Vous n'êtes pourtant pas loin de la catégorie précédente. Allez, faites un petit effort pour améliorer votre préparation !

12 points et moins. Votre préparation physique et mentale est déficiente, pour ne pas dire inexistante. Si vous êtes une personne physiquement active et que, en plus, vous pratiquez des activités vigoureuses, le risque de nuire à votre bien-être et de vous blesser est très élevé. Mais ne désespérez pas. Demandez-vous plutôt ce que vous pouvez faire pour améliorer votre niveau de préparation. Cet exercice de réflexion en vaut la peine, si vous aimez l'activité physique vigoureuse. Après tout, un bon niveau de préparation physique et mentale n'est pas difficile à atteindre.

Si le bilan de votre préparation physique et mentale révèle une préparation incomplète ou nettement insuffisante, comptez-vous faire quelque chose pour améliorer la situation ?

○ Oui   ○ Non

Si oui, quelles règles comptez-vous observer pour améliorer votre niveau de préparation ?

Numéros des règles : _____

annexes

Annexe 1

LA DÉPENSE ÉNERGÉTIQUE DES ACTIVITÉS PHYSIQUES

La dépense énergétique est exprimée en équivalents métaboliques (**METS**). Un MET équivaut à une dépense énergétique au repos de 1 Cal.kg.heure. Par exemple, si vous pesez 70 kg, que vous jouez au badminton et que vous êtes un joueur de niveau intermédiaire, votre dépense énergétique est de 7 METS (ligne 4 dans le tableau 1). Dans ce cas, pour connaître votre dépense énergétique à la minute, il suffit de faire le calcul suivant : [votre poids (70 kg)] x [valeur en METS du badminton (7 METS)] = 490. Divisez ensuite ce résultat par 60 minutes pour ramener le tout en calories dépensées par minute (Cal / min). Ce qui donne : 490 / 60 = 8,2 Cal / min. Si vous avez joué pendant 30 minutes, vous avez donc dépensé 246 calories (30 x 8,2 Cal / min). Pour effectuer vos calculs, vous pouvez utiliser le calculateur sur le Compagnon Web.

TABLEAU

1

Dépense énergétique engendrée par l'activité physique

	Activités physiques	Dépense énergétique (mets/min*)
1	Aviron, effort modéré	7,0
2	Aviron, effort intense	11,0
3	Badminton, niveau débutant	4,5
4	Badminton, niveau intermédiaire	7,0
5	Badminton, niveau avancé	10,0
6	Ballet, classique ou moderne	6,0
7	Basket-ball, niveau récréatif	6,0
8	Basket-ball, partie officielle	8,0
9	Basket-ball en chaise roulante	6,5
10	Bicyclette, promenade ou déplacement, effort léger	4,0
11	Bicyclette, promenade ou déplacement, effort modéré	7,0
12	Bicyclette, effort intense (de 22 km/h à 30 km/h)	10,0

	Activités physiques (suite)	Dépense énergétique (mets/min*)
13	Bicyclette, effort très intense (plus de 30 km/h)	14,0
14	Bicyclette stationnaire, effort très léger (50 watts)	3,0
15	Bicyclette stationnaire, effort léger à modéré (100 watts)	5,5
16	Bicyclette stationnaire, effort modéré à intense (150 watts)	7,0
17	Bicyclette stationnaire, effort intense à très intense (plus de 200 watts)	11,0
18	Canotage, niveau récréatif	4,0
19	Corde à danser, rythme modéré	8,5
20	Corde à danser, rythme rapide à très rapide	11,5
21	Crosse	8,0
22	Danse aérobique en général	5,5
23	Danse aérobique avec impact	7,5
24	Danse folklorique	5,5
25	Escalade, pendant la montée	11,0
26	Équitation en général	4,0
27	Équitation en général, trot et galop	6,0
28	Escrime, niveau récréatif	6,0
29	Escrime, niveau avancé	8,0
30	Football, partie officielle	9,0
31	Football (football-toucher)	8,0
32	Golf en transportant ses bâtons	5,5
33	Golf en voiturette électrique	3,5
34	Handball européen en général	8,0
35	Hockey sur glace en général	9,0
36	Jogging léger combiné avec marche	6,0
37	Jogging léger	7,0
38	Jogging à 8 km/h (7 min/km)	8,0
39	Jogging à 9,5 km/h (6 min/km)	10,0
40	Jogging à 13 km/h (4,5 min/km)	13,0
41	Jogging, genre cross-country	9,0
42	Jogging sur place	8,0
43	Judo, jiu-jitsu, karaté, aéroboxe, tae kwan do	10,0
44	Kayak en eaux calmes, niveau récréatif	5,0
45	Kayak en eaux vives, niveau avancé	8,5
46	Marche ordinaire (5,0 km/h)	3,0
47	Marche rapide (6,5 km/h)	4,5

	Activités physiques (suite)	Dépense énergétique (mets/min*)
48	Marche olympique	6,5
49	Musculation	3,0
50	Nage synchronisée	8,0
51	Natation, niveau récréatif	6,0
52	Natation, longueurs en style libre, intensité modérée	8,0
53	Natation, longueurs en style libre, intensité élevée	10,0
54	Patinage, niveau récréatif	5,5
55	Patinage, vitesse élevée	9,0
56	Patinage de vitesse, niveau compétitif	15,0
57	Patinage à roues alignées, niveau récréatif	7,0
58	Planche à roulettes	5,0
59	Racquetball, niveau récréatif	7,0
60	Racquetball, niveau compétitif	10,0
61	Raquette à neige	8,0
62	Simulateur d'escalier	6,0
63	Ski alpin, effort léger	5,0
64	Ski alpin, effort modéré	6,0
65	Ski alpin, niveau compétitif, effort intense	8,0
66	Ski de randonnée sur le plat, effort léger (4,0 km/h)	7,0
67	Ski de randonnée, effort modéré (7,0 km/h)	8,0
68	Ski de randonnée, effort intense (10,5 km/h)	9,0
69	Soccer en général	7,0
70	Soccer, partie officielle	10,0
71	Squash, niveau récréatif	7,0
72	Squash, niveau avancé	11,0
73	Taï chi	4,0
74	Tennis de table, niveau avancé	7,0
75	Tennis en simple, en général, sauf niveau débutant	7,5
76	Tennis en double en général, sauf niveau débutant	6,0
77	Volley-ball, niveau récréatif	3,0
78	Volley-ball, niveau compétitif	4,5
79	Water-polo	10,0
80	Yoga	3,0

Annexe 2

LA MÉTHODE DE KARVONEN POUR DÉTERMINER SA FCC

Si vous souhaitez déterminer votre fréquence cardiaque cible (FCC) à l'effort à l'aide de la méthode de Karvonen (p. X), procédez comme suit. Rappelons que la FCC est constituée d'une fourchette de deux valeurs : la première est minimale et la deuxième est maximale.

1. Estimez votre fréquence cardiaque maximale (FCM) selon la formule suivante.

> **220 – âge = FCM**

Exemple : la FCM de A, qui est âgé de 20 ans, est de 200, selon la formule (220 – 20).

2. Calculez votre fréquence cardiaque au repos (FCR) en prenant votre pouls debout, le matin, une ou deux minutes après le lever.

Exemple : la FCR de A est de 75 battements par minute.

3. Déterminez votre réserve cardiaque (RC), c'est-à-dire la différence entre votre fréquence cardiaque maximale (FCM) et votre fréquence cardiaque au repos (FCR).

> **FCM – FCR = RC**

Exemple : la RC de A est de 125, selon la formule (200 – 75).

4. Déterminez votre fréquence cardiaque cible (FCC) en multipliant d'abord votre réserve cardiaque (RC) par les pourcentages de la paire qui correspond à votre endurance cardiovasculaire (chapitre 8) : faible (55 % et 65 %) ; moyenne (65 % et 75 %) ; élevée (75 % et 85 %). Ces paires de pourcentages diffèrent un peu de celles de la méthode présentée au chapitre 11, parce que cette dernière, moins précise, sous-évalue la FCC. Ajoutez ensuite à ces résultats votre fréquence cardiaque au repos (FCR).

> $$\left[RC \times \begin{array}{l} \text{pourcentage minimal de} \\ \text{l'endurance cardiovasculaire} \end{array} \right] + FCR = \begin{array}{l} \text{valeur minimale} \\ \text{de la FCC} \end{array}$$
>
> $$\left[RC \times \begin{array}{l} \text{pourcentage maximal de} \\ \text{l'endurance cardiovasculaire} \end{array} \right] + FCR = \begin{array}{l} \text{valeur maximale} \\ \text{de la FCC} \end{array}$$

Exemple : l'endurance cardiovasculaire de A est faible (résultat du test de course et marche de 12 minutes) ; selon la formule, sa FCC se situe donc entre 144 battements par minute (125 x 55 % = 68,75, soit 69 ; 69 + 75 = 144) et 156 battements par minute (125 x 65 % = 81,25, soit 81 ; 81 + 75 = 156).

Marche à suivre abrégée

1.
$$FCM = 220 - [\text{mon âge}]$$
$$= 220 - \underline{\hspace{2cm}}$$
$$= \underline{\hspace{2cm}}$$

2.
$$FCR = [\text{mon pouls au repos}]$$
$$= \underline{\hspace{2cm}}$$

3.
$$RC = FCM - FCR$$
$$= \underline{\hspace{2cm}} - \underline{\hspace{2cm}}$$
$$= \underline{\hspace{2cm}}$$

4.
$$FCC\ minimale = [RC \times \text{endurance cardiovasculaire minimale}] + FCR$$
$$= [\ \underline{\hspace{2cm}} \times \underline{\hspace{2cm}}\ ] + \underline{\hspace{2cm}}$$
$$= \underline{\hspace{2cm}}$$

$$FCC\ minimale = [RC \times \text{endurance cardiovasculaire minimale}] + FCR$$
$$= [\ \underline{\hspace{2cm}} \times \underline{\hspace{2cm}}\ ] + \underline{\hspace{2cm}}$$
$$= \underline{\hspace{2cm}}$$

Ma FCC se situe entre \underline{\hspace{2cm}} battements par minute et \underline{\hspace{2cm}} battements par minute.

Annexe 3

DES INFORMATIONS NUTRITIONNELLES SUR QUELQUES REPAS-MINUTE (*FAST FOOD*)

Restaurant Burger King				
Aliments	**Portion (g)**	**Calories**	**Lipides (g)**	**Sodium (mg)**
Whopper tout garni	270	640	39	870
Whopper avec fromage	286	730	46	1 300
Hamburger	Non disponible	330	15	570
Cheeseburger	Non disponible	380	19	780
Cheeseburger double avec bacon	Non disponible	640	39	1 220
Restaurant Harvey's				
Aliments	**Portion (g)**	**Calories**	**Lipides (g)**	**Sodium (mg)**
Ultra hamburger	152	409	19	746
Ultra hamburger avec fromage	166	464	22	1 210
Végé-Burger	125	315	8,8	695
Hamburger Original	129	357	17	1 000
Hamburger Original double	214	609	39	1 540
Hamburger Original avec fromage	148	418	22	1 087
Hot dog	112	313	12	220
Frites (portion ordinaire)	116	308	13	200
Rondelles d'oignon	81	286	20	580
Poutine	280	738	43	275
Restaurant McDonald's				
Aliments	**Portion (g)**	**Calories**	**Lipides (g)**	**Sodium (mg)**
Hamburger	102	260	10	500
Cheeseburger	116	310	14	750
Quart de livre	166	410	21	660
Quart de livre avec fromage	194	520	29	1 150
Big Mac	215	560	32	950
McD.L.T.	243	580	37	990
MacPoulet	190	490	27	780
Frites (portion moyenne)	97	320	17	150
Frites (grosse portion)	122	400	22	200

Sources

FIGURES, TABLEAUX ET ZOOM

Chapitre 2

Figure 2.1 : Données de l'Organisation mondiale de la santé publiées à l'occasion de la Journée mondiale de la santé en avril 2002, sur le site Internet de l'Organisation mondiale de la santé : http://216.239.51.100/cobrand_univ?q=cache:57bPBLbL3ZAC: www.who.int/world-healthday/aide_memoire7.fr.pdf+inactivit %C3%A9+physique&hl=fr&ie=UTF-8

Figure 2.2 : D'après des données provenant de Santé Canada, Direction de la condition physique, *Data Analysis of Fitness and Performance Capacity*, Ottawa, 1994, p. 6.

Figure 2.3 : D'après des données provenant de C. Bouchard, R.J. Shepard et T. Stephen, *Physical Activity, Fitness, and Health : Consensus Statement*, Champaign, Illinois, Human Kinetics Publishers, 1990, p. 34 ; et W. Van Mechelen, « A physical active lifestyle : public health's best buy ? », *British Journal of Sport Medicine*, 1997, 31, p. 264-265.

Figure 2.4 : D'après des données provenant de C. Bouchard, R.J. Shepard et T. Stephen, *Physical Activity, Fitness, and Health : Consensus Statement*, Champaign, Illinois, Human Kinetics Publishers, 1990 ; et B.J. Sharkey, *Fitness and Health*, Champaign, Illinois, Human Kinetics Publishers, 1997.

Figure 2.5 : D'après des données provenant de M. Pratt, C.A. Macera et G. Wang, « Higher Direct Medical Costs Associated With Physical Inactivity », *The Physician and Sports Medicine*, vol. 28, no 10, octobre 2000, p. 63-70.

Figure 2.6 : D'après des données provenant de S.N. Blair *et al.*, « Physical Fitness and All-cause Mortality : A Prospective Study of Healthy Men and Women », *JAMA*, 1989, p. 262.

Figure 2.7 : Données provenant de plusieurs études différentes publiées depuis1968.

Zoom, p. 31 : J.A. Blumenthal *et al.*, « Effects of exercise training on older patients with major depression », *Archives of Internal Medicine*, 25 octobre 1999, 159, p. 2349.

Un moyen efficace de prévenir la dépression et le suicide chez les jeunes adultes, p. 31 : Adapté d'une étude du National Institute of Mental Health et d'une autre étude : « Physical activity, sports participation, and suicidal behavior among college students », *Medicine & Science in Sports & Exercise*, 2002, vol. 34, no 7, p. 1087–1096.

À vos méninges 2, question no 7 : D'après des données provenant de l'Institut canadien de la recherche sur la condition physique et le mode de vie, Dossier « L'activité physique et les jeunes », Ottawa, mai 2000.

Chapitre 3

Zoom, p. 46 : D'après des données recueillies sur le site de l'Association québécoise d'aide aux personnes souffrant d'anorexie nerveuse et de boulimie, http://www.generation.net/~anebque/ francais/f-home.html

Tableau 3.2 : Adapté de E.N. Marieb, *Anatomie et physiologie humaines*, Montréal, Éditions du Renouveau Pédagogique Inc., 1992, p. 864.

Figure 3.1 : Adapté de Santé Canada, http://www.hc-sc.gc.ca/ hpfb-dgpsa/onpp-bppn/food_guide_rainbow_f.html.

Figures 3.2 et 3.3 : © 2000 Oldway Preservation & Exchange Trust ; adresse du site Internet : http://www.oldwayspt.org/index.html

Tableau 3.3 : La Société canadienne du cancer, *Les fibres alimentaires — Avez-vous votre compte ?*, Montréal, Société canadienne du cancer, 1995.

Tableau 3.4 : Brault-Dubuc, M. et L. Caron-Lahaie, *Valeur nutritive des aliments*, 9ᵉ édition, Société Brault-Lahaie, 2003, 338 pages.

Figure 3.6 : D.R. Black et al., « A time series analysis of longitudinal weight changes in two adult women », *International Journal of Obesity*, 1991, no 15, p. 623 dans W.K. Hoeger et S.A. Hoeger,

Principles and Labs for Fitness and Wellness, Chicago, Morton Publishing Co., 4e édition, 1997 p. 79.

Déjeuners, p. 59-60 : Groupe Harmonie Santé, http://www.harmoniesante.com/HS/default.asp

Dîners et soupers, p. 60 à 63 : Sandwich roulé aux œufs brouillés et au fromage, Mini-pizzas subito presto et Soupe asiatique au poulet et aux nouilles : Rosie Schwartz, Dt.P., diététiste-conseil © Rosie Schwartz, 2003 ; Taboulé aux tomates et aux concombres, Pâtes au fromage de chèvre et aux tomates et Saumon grillé et salade de légumes méditéranéenne : Tiré de Rosie Schwartz, *Enlightened Eater's Whole Foods Guide*, © Nutrition Guidance Service Inc. 2003. Reproduit avec l'autorisation de Penguin Books Canada Limited.

Chapitre 4

Bilan 4.1 : D'après le questionnaire « Quel est votre indicateur de stress ? » apparaissant dans le livret *Le stress apprivoisé*, de l'Association canadienne de la santé mentale et de la Fondation des maladies du cœur, 1998.

Chapitre 5

Tableau 5.1 : Statistiques tirées de « L'atlas de l'OMS dresse la carte de l'épidémie mondiale de tabagisme », site Internet de l'Organisation mondiale de la santé, http://www.who.int/ mediacentre/releases/pr82/fr/

Figure 5.1 : D'après des données provenant de la Fondation québécoise du cancer et de la Fondation des maladies du cœur.

Zoom, p. 99 : *Sur la voie de la réussite – Coupez la quantité que vous fumez*, Santé Canada, 2002 © Adapté et reproduit avec la permission du Ministre des Travaux publics et Services gouvernementaux Canada, 2003. http://www.hc-sc.gc.ca/hecs-sesc/tabac/cesser/en_route/ evaluation/unit3/14.html

Figure 5.2 : D'après des données provenant de Éduc'Alcool et de la Société de l'assurance automobile du Québec.

Tableau 5.2 : Éduc'Alcool, *Boire. Conduire. Choisir.*, 2002.

Bilan 5.1 : T.F. Heatherton, L.T. Kozlowski, R.C. Frecker, K.O. Fagerström, « The Fagerström Test for Nicotine Dependence : a revision of the Fagerström Tolerance Questionnaire », *British Journal of Addiction*, 1991 ; 86(9) : 1119-27.

Bilan 5.1 b : *Programme Vie 100 Fumer Santé Canada – Formulaire de suivi*, http://www.hc-sc.gc.ca/hecs-sesc/tabac/jeunesse/cesser/100st 3envie.html, Santé Canada, 2002 © Adapté et reproduit avec la permission du Ministre des Travaux publics et Services gouvernementaux Canada, 2003.

Chapitre 6

Tableau 6.1 : W.D. McArdle, F.I. Katch et V.L. Katch, *Essentials of Exercise Physiology*, Philadephie, Lippincott William & Wilkins, 2ᵉ édition, 2000, p. 515.

Rumeur n° 21 : D'après des données provenant de l'OMS, http://216.239.57.100/cobrand_univ?q=cache:eXjKk4_XXV0C: www.who.int/world-health day/brochure.fr.pdf+inactivit%C3%A9 +physique&hl=fr&ie=UTF-8

Chapitre 7

Figure 7.2 : Adapté de S.R. Grabowski et G.J. Tortora, *Principes d'anatomie et de physiologie*, Montréal, ERPI, 2001, p. 287. Reproduit avec l'autorisation de John Wiley & Sons, Inc.

Chapitre 8

Tableau 8.2 : « 12-Minute Walk/Run test », *The Aerobics Program for Total Well-being*, New York, Bantam Books, 1985. Copyright © 1982 by Kenneth H. Cooper. Reproduit avec la permission de Bantam Books, une division de Random House, Inc.

Tableau 8.3 : « 12-Minute Swimming test », *The Aerobics Program for Total Well-being*, New York, Bantam Books, 1985. Copyright © 1982 by Kenneth H. Cooper. Reproduit avec la permission de Bantam Books, une division de Random House, Inc.

Tableau 8.4 : G. Robbins, D. Powers et S. Burgers, A Wellness Way of Life, McGraw-Hill, New York, 4ᵉ éd., 1999, p. 108.

Tableau 8.5 : Santé Canada, *Guide canadien pour l'évaluation de la condition physique et des habitudes de vie*, Ottawa, 2ᵉ éd., 1999, p. 7.33.

Tableau 8.6 : L. Léger, J. Lambert, A. Goulet. G. Rowan et Y. Dinette, « Capacité aérobique des Québécois de 6 à 18 ans – Test navette de 20 mètres avec paliers de 1 minute », *Journal canadien des sciences appliquées au sport / Canadian Journal of Applied Sports Sciences*, 1984, 9 (2), p. 64-69.

Tableau 8.7 : H.J. Montoye, *Physical Activity and Health : An Epidemiologic Study of an Entire Community*, Englewood Cliffs (New Jersey), Prentice-Hall, 1975.

Tableau 8.8 : G. Robbins, D. Powers et S. Burgers, *A Wellness Way of Life*, McGraw-Hill, New York, 4ᵉ édition, 1999, p. 109.

Tableau 8.9 : *Guide canadien pour l'évaluation de la condition physique et des habitudes de vie*, Ottawa, Santé Canada, 2ᵉ éd., 1999, p. 7.46-47.

Tableau 8.10 : Adapté de R.A. Faulkner *et al.*, « A partial curl-up protocols for adults based on two procedures », *Journal canadien des sciences appliquées au sport / Canadian Journal of Applied Sports Sciences*, 1989, 14 : 135-141.

Tableau 8.11 : Adapté de G. Robbins, D. Powers et S. Burgers, *A Wellness Way of Life*, McGraw-Hill, New York, 4ᵉ édition, 1999, p. 112.

Tableau 8.12 : Adapté de A.S. Jackson et M. L. Pollock, « Practical assessment of body composition », *The Physician and Sports Medicine*, 1985, vol. 13, p. 76-90.

Tableau 8.13 : Adapté de 1) l'énoncé de principes du American College of Sports Medicine, « Appropriate intervention strategies for weight loss and prevention of weight regain for adults », Philadelphie, décembre 2001, et de 2) National Institutes of Health, *Clinical guidelines on the identification, evaluation, and treatment of overweight and obesity in adults,* Bethesda, Maryland : Department of Health and Human Services, National Institutes of Health, National Heart, Lung, and Blood Institute, 1998.

Tableau 8.14 : *Indice de masse corporelle*, http://www.hc-sc.gc.ca/hpfb-dgpsa/onpp-bppn/assess_bmi_f.html, Santé Canada, 2002 © Adapté et reproduit avec la permission du Ministre des Travaux publics et Services gouvernementaux Canada, 2003.

Figure 8.12 : Adapté de Santé Canada, *Niveaux de poids associés à la santé : lignes directrices canadiennes*, 1988.

Tableau 8.18 : Adapté de *Forme et Santé*, Sélection du Reader's Digest, 1992, p. 12.

Chapitre 9

Figure 9.3 : Adapté de C.B. Corbin et R. Lindsay, *Concepts of Physical Fitness with Labs*, Dubuque, Iowa, Brown & Benchmark, 1994, p. 98.

Tableau 9.1 : Adapté de *Plein le dos sans gros maux*, Joliette, Gouvernement du Québec, Régie régionale de la santé et des services sociaux de la Montérégie, 2002, p. 3.

Chapitre 10

Figure 10.3 : Adapté de Kino-Québec, *Quantité d'activité physique requise pour en retirer des bénéfices pour la santé, Synthèse de l'avis du Comité scientifique de Kino-Québec et applications*, Québec, Gouvernement du Québec, Ministère de l'Éducation, 1999, p. 14.

Tableau 10.4 : D'après des données établies par Serge Dulac, professeur d'éducation physique à l'Université du Québec à Trois-Rivières.

Chapitre 11

Figure 11.2 : Adapté de J.H. Wilmore et D.L. Costill, *Physiologie du sport et de l'exercice physique*, Paris, De Boeck Université, 2002, p. 623.

Chapitre 12

Figure 12.2 : Adapté de Yvan Campbell, *Activation, pré-entraînement et optimisation de la flexibilité chez les lombalgiques*, 2001, http://www.actiforme.net/p200_texte_flex.htm

Tableaux 12.1 et 12.2 : Adapté de l'énoncé de principes du American College of Sports Medicine, « Progression models in resistance training for healthy adults », Philadelphie, décembre 2002.

Zoom, p. 264 : M. Brzycki, « Strenght testing – Predicting a one-rep max from reps-to-fatigue », *Journal of Physical Education, Recreation and Dance*, 1993, 64 (1), p. 88-90.

Figures 12.3 et 12.4 : S.R. Grabowski et G.J. Tortora, *Principes d'anatomie et de physiologie*, Montréal, ERPI, 2001, p. 329 et 330. Reproduit avec l'autorisation de John Wiley & Sons, Inc.

Chapitre 13

Tableau 13.2 : Adapté de H.J. Montoye, H.C.G. Kemper, H.M. Saris Wim et R.A. Washburn, *Measuring Physical Activity and Energy Expenditure*, Champaign, Illinois, Human Kinetics Publishers, 1996.

Chapitre 14

Tableau 14.1 : W.D. McArdle, F.I. Katch et V.L. Katch, *Essentials of Exercise Physiology*, Philadelphie, Lippincott William & Wilkins, 2ᵉ édition, 2000, p. 447.

Tableau 14.2 : W.D. McArdle, F.I. Katch et V.L. Katch, *Essentials of Exercise Physiology*, Philadelphie, Lippincott William & Wilkins, 2ᵉ édition, 2000, p. 449.

Tableau 14.4 : Adapté de 1) S.A. Hoeger et W.K. Hoeger, *Principles and Labs for Fitness*, Chicago, Morton Publishing Co., 1994, et de 2) documents divers de la Corporation professionnelle des physiothérapeutes du Québec.

Tableau 14.5 : Adapté de W.D. McArdle, F.I. Katch et V.L. Katch, *Essentials of exercise physiology*, Philadelphie, Lippincott Williams & Wilkins, 2ᵉ édition, 2000, p. 220.

Annexe 1

Tableau 1 : Adapté de V.H. Heyward, *Advanced fitness assessment & exercise prescription*, Champaign, Illinois, Human Kinetics Publishers, 3ᵉ édition, 1997, p. 291-302, et de B. Ainsworth *et al.*, « Compendium of physical activities : classification of energy costs of human physical activities », *Medicine and Science in Sports and Exercises*, 1993, 25 : 71-80.

Annexe 3

Données provenant du site Internet du United States Department of Agriculture (USDA), section « Nutrient Data Laboratory », *Nutrient database for standard reference* (http://www.nal.usda.gov/fnic/foodcomp/).

PHOTOGRAPHIES

Pages 78, 83 (en haut),161, 162, 167, 169, 173, 177, 179, 193 (au centre et en bas), 194, 195, 219, 271, 272, 273 (en bas), 274 (en haut), 275, 276 (en bas), 277 (en bas), 278, 279, 280 (en haut), 281 (en haut), 282, 288 (en haut et au centre), 289, 297 (en bas) et 314 : Rolland Renaud.

Pages 82, 166, 171, 293 (en haut), 294 (en haut et au centre) et 334 : Denis Gendron.

Pages 83 (en bas), 157, 178, 180, 193 (en haut), 270, 273 (en haut), 274 (en bas), 276 (en haut), 277 (en haut), 280 (en bas), 281, (en bas), 283, 284, 285, 286, 287, 288 (en bas), 290, 291, 292, 293 (en bas), 294 (en bas), 295, 296, 297 (en haut), 298 et 299 : Jac Mat.

Page 151 : Normand Montagne.

Ouverture du chapitre 4 : Dorling Kindersley.

Ouverture du chapitre 6 : Paul La Rue.

Ouverture du chapitre 7 : Rémi Ouellet.

ILLUSTRATIONS

Pages 6, 8, 19, 23, 26, 48, 49, 50, 52, 53, 77, 97, 129, 137, 140, 143, 165, 190, 191, 192, 195, 197, 198, 199, 200, 201, 203, 204, 211, 212, 222, 225, 243, 244, 245, 257, 266, 331, 339 : Stéphane Bourelle.

Index